KB100804

스위트
Sweet cage
케이지

스위트 케이지 2

초판 1쇄 발행 | 2018년 1월 12일



교정교열 | 문보람
총괄 디자인 | Coyo
편집 | 문보람
표지 편집 | 서유미

펴낸이 | 김혜랑
펴낸곳 | ㈜메르헨미디어
등록일자 | 2016년 12월 28일
등록번호 | 제 2016-000253 호
ISBN 979-11-88503-54-4 04810
ISBN 979-11-88503-52-0 (세트)


※ 이 도서의 국립중앙도서관 출판시도서목록(CIP)은 서지정보유통지원시스템 홈페이지(http://seoji.nl.go.kr)와 국가자료공동목록시스템(http://www.nl.go.kr/kolisnet)에서 이용하실 수 있습니다. (CIP제어번호 : CIP2017033207)

nabinovel@nabinovel.net
http://nabinovel.net

19세 미만 구독불가
2.vol 완결
지 음 이수련
일러스트 Coyo
스위트 Sweet cage 케이지
NABI RED

Chapter.

# 5장.
# 이야기 속의 이야기

탑을 나오는 순간 파묻혀 있던 덫이 발동하거나 이리저리 화살이 날아올 줄 알고 목을 집어넣은 채 두 눈을 꽉 감고 기다렸다. 그러나 고루한 상상을 비웃기라도 하듯 아무 일도 일어나지 않았다. 불안감에 슬그머니 실눈을 떠봐도 3형제 중 어느 한 명이라도 귀신처럼 나타나 간이 떨어지게 만들지 않았다.

"조용하니까 더 불안한데."

오르시니의 성은 크다 보니 고용인이 많았지만, 구석구석 관리하려다 보면 잘 사용하지 않는 장소는 발길이 뜸해질 수 있으니 마주치는 사람이 없을 수도 있다. 기묘한 새장이 있는 탑이면 더더욱 말할 것도 없다. 여러 사람이 들어가고도 남을 크기의 새장에 대한 소문이 나서 좋을 바 없다 치면, 탑 근처는 일종의 제한구역일 테니 적막감은 어떻게 보면 이상하지 않다고 볼 수 있긴 했다.

"언제 어디에서건 날 혼자 둘 리 없는 사람들이라는 게 불안의 원인이지."

감시자도 두지 않았고 클로에가 깨어나기를 기다리며 지켜보고 있지도 않았다. 새장의 견고함을 믿어서일까, 차마 새장을 여는 방법을 알아도 실행으로 옮기지 못하리라 믿어서일까, 아니면 도망간다 해도 성이 위치한 지리를 생각했을 때 바로 포기하리라고 예상해서일까. 어떤 이유에서든 기이한 적막 때문에 예감이 좋지 않았다.

"전부 다일 수도 있고, 전부 다 아닐 수도 있겠지……."

불안한 마음 때문인지 실제로 추운 탓인지 으슬으슬 몸이 떨려왔다. 처음 소설에 들어왔을 때만 해도 낮에는 따듯하고 밤에는 시원한 가을 같은 날씨였는데, 오르시니의 성이 산을 끼고 있어서 수도보다 추운 탓인지 얇은 옷감의 잠옷으로는 당장 하룻밤도 버티기 힘들 것 같았다.

"내가 있던 곳이 중앙 탑이구나."

탑의 출구는 지면으로 바로 이어지지 않았다. 바깥으로 나오니 시야에 보인 것은 흉벽이었다. 좌우에도 높이는 다르지만 비슷한 모양의 탑이 각각 하나씩 더 있었다. 클로에는 중앙 탑 아래, 탑을 제외했을 경우의 지붕에 해당하는 위치에 서 있는 셈이라고 볼 수 있었다.

"그래, 중앙 탑은 접근 금지 구역이었어."

아니나 다를까, 갓 들어온 신입 메이드인 클로에에겐 중앙 탑에 가까이 갈 수 있는 허가가 나지 않았다. 시녀장은 직급에 따라 허락되는 접근 구역에 대해 신신당부를 했었다. 역시 예상대로 지나다니는 사람이 없는 이유는 쉽게 설명이 되었다. 그럼에도 일말의 찝찝함 때문인지 마치 지금의 고요는 폭풍전야처럼 느껴졌다.

아래로 내려갈 수 있는 계단을 찾아내 주위를 두리번거리며 내려가는 동안에도 여전히 마주치는 사람은 없었다. 3형제는 물론 모든 고용인의 시선을 돌려둘 만한 일이 생긴 걸까. 그래서 탑에 클로에가 있다는 사실을 모를 고용인들도 탑 쪽으로는 오지 않고, 3형제도 감시하러 오지 못하는 걸까. 그렇다면 어수선한 분위기여야 하겠지만 아무래도 이 적막은 우아한 자긍심으로 똘똘 뭉친 묵직한 침묵으로는 느껴지지 않았다. 이상했다.

"……하셨대."

"뭐? 거짓말!"

"정말이야. 그래서 수도의 저택 쪽은 난리가 났다는걸."

정숙하되 필요할 때만 차분하게 낮은 목소리로 짧게 말하라는 규칙을 깨고 흥분하여 떠드는 메이드 두 명의 목소리가 들려와 살금살금 걷던 걸음을 멈추었다. 사람이 잘 다니지 않는 구역이니 떠들어도 듣는 이가 없으리라 생각했는지 조심성 없이 모퉁이 뒤에서 떠드는 대화였지만, 자세한 내용은 듣지 못했는데도 되돌아가야 하는 발걸음이 도통 떨어지지 않았다.

"어떻게? 누가 감히 오르시니를 건드려?"

"자세한 건 그쪽에서 쉬쉬하고 있어서. 절대 밖으로 빠져나가지 않게 하랬대. 근데 들리는 바에 의하면 범인은 여자라는 모양이야."

"목숨이 아깝지도 않은 여잔가 보네. 대체 왜 그랬대? 제 고백을 받아주시지 않으시겠다면 차라리 같이 죽어버리겠어요! 뭐 이런 건가?"

"킥, 글쎄."

숨을 죽이고 엿듣는 클로에의 얼굴에 열이 올랐다. 다니엘레 독살 소문이 다 퍼져 있는 모양이었다. 클로에에 대해 전부 다 알려졌는지는 모르겠지만 여자라는 성별이 퍼졌으니 외모의 특징 정도는 금방이다. 남매가 아예 짝짜꿍 손을 잡고 독살하려 했다는 소문까지 퍼졌을까. 남매 중 한 명인 여자 쪽이 성의 탑에 갇혀 있다는 소문은 과연 퍼질까. 쓴웃음이 입가에 번졌다.

'누명을 벗기는 것도 중요하지만. 이 성을 벗어나야 할 절실한 이유가 이제야 떠올랐네.'

고백을 한 것도 아니고 장렬하게 차인 것도 아니건만, 어떤 말들을 떠올리려고만 하면 되레 클로에가 더 부끄러워져 미친 사람처럼 팔을 휘젓곤 했다. 그러나 이제는 어느 정도 받아들이게 되었다. 적어도 맹수들이 관심을 보이는 상대는 이즈리에가 아니라 클로에라는 사실을.

물론 좋아하는지까지는 확신할 수 없다. 좋아해서 볼 때마다 옷을 벗기려 드는 건지, 아니면 애정과는 별개로 그저 클로에의 몸이 좋다는 건지 구분할 자신은 없었다. 솔직히 알아내기가…… 두렵기도 하고.

"그 여잔 어떻게 생겼대? 우리네 도련님께 들이대려면 적어도 얼굴이라도 예뻐야지?"

"그런 건 못 들었어. 다른 남자가 더 얽혀 있다곤 하던데. 그것도 제대로 알려주질 않아서."

"와. 주제에 삼각관계? 다른 남자가 뭐, 그 여자를 좋아해서 대신 지옥 불에 뛰어들기라도 한 건가?"

"남자도 보잘것없고 한심한 치라고 하긴 하더라. 풋."

네르딘까지 결국 언급되고 말았다. 말의 화살은 이리저리 옮겨 다니는 동안 무형의 독을 품게 되었다. 다니엘레를 독살하려 한 주범이 된 클로에는 물론이고 네르딘까지 함께 얽혀 사정없이 평판이 깎이고 있었다. 이름만이라도 퍼지지 않았으면 하지만 사실 기대할 수 없는 희망이라는 점도 잘 알고 있었다.

이쯤 되니 정말 무슨 대가를 치러서라도 누명은 벗어야겠다는 결심이 들었다. 정신을 차린 후로 아무것도 모르고 헤매던 여동생을 끈기 있게 돌봐준 오라비를 위해서라도.

'그래. 끼어들어 이야기를 비튼 대가라는 이유로 감수할 필요는 없잖아. 게다가 어차피 원작대로 진행되고 있지도 않았으면서.'

무엇보다도 스스로를 위해서라도 성을 나가는 편이 나을 듯했다. 3형제의 진심이 어느 쪽이건 간에 이 상태로 그들과 지낼 순 없었다. 안온하다고는 하나 새장에서 언제 올지 모르는 이들만 얌전히 기다리며 지낸다? 백 번 양보해서 몸을 섞는 과정에서 얻는 쾌감이 나쁘진 않고 애정 표현 그 비슷한 것을 하는 맹수들이 싫진 않다손 치더라도 새장 속의 새가 될 마음은 없었다. 한 발 더 나아가 그들이 정녕 원하는 상대가 클로에라 하더라도.

이 이상 엿들어봐야 상처만 받을 뿐이다. 남의 일이라고 낄낄거리며 사담을 내뱉는 이들과 마주치고 싶지 않아 되돌아가려고 했을 때였다.

"그래도 그렇지. 둘째 도련님께서 당하실 줄이야. 상상도 못 했어."

"그치? 첫째 도련님이면, 아, 물론 약하시다는 건 아닌데. 첫째 도련님이면 그래도 마법사나 기사는 아니시니까 가능했을 수도 있겠다 싶은데. 둘째 도련님은 대마법사시잖아?"

"응. 그래서 둘째 도련님이랑 셋째 도련님은 호위도 따로 안 두시잖아. 정말 상상도 못 했어."

"다행히 생명엔 지장 없으시다니까. 좀 위험하긴 했었지만."

"그러게. 다행이지."

저도 모르게 빼근해지려는 눈시울을 꾹꾹 눌러 참고 도망치려던 클로에의 귀에 두 메이드의 잡담이 빠지지 않고 들어왔다.

'어?'

당황스러웠다. 수도의 저택이 난리가 났다는 말에 클로에 남매가 받고 있는 오해와 관련된 문제라 생각했고, 그 일은 지안니와는 상관이 없었다. 잘못 들었나 하기도 했지만 메이드들은 똑똑히 둘째 도련님이라고 몇 번이고 반복했다. 계속해서 잘못 들은 것이 아니라면 누군가에게 당한 사람은 지안니라는 뜻이었다. 어제였나, 그제였나 그때까지만 해도 멀쩡했던 지안니가 위험해질 정도로 다쳤다는 말이었다.

"덕분에 여기까지 비상이 걸려서 요즘 살 떨려 죽겠어."

"셋째 도련님은 지금 잘못 건드렸다간 죽어 나갈지도 모른대서 집사님도 시녀장님도 신경이 전부 곤두서 계시니."

"아까도 케일 걔 눈물 날 정도로 혼났잖아. 남자가 되선 구석에서 울더라고. 잘못 걸리면…… 이크. 슬슬 돌아가자. 우리도 혼나겠어."

"어. 가자, 가자."

한참을 떠들던 메이드가 화들짝 놀라 후다닥 뛰어갔다. 클로에와는 반대편으로 뛰어간 덕에 부딪칠 일은 없었다.

"지안니가……. 다친 사람이 지안니라고?"

혼란스러웠다. 조금 전까지만 해도 클로에와 네르딘에게 하는 욕인 줄 알았는데, 실은 아니었다니. 문득 차기 공작인 다니엘레 대신 지안니가 당할 뻔했다는 쪽으로 소문을 내기로 한 게 아닐까 생각하기도 했지만 굳이 그럴 이유가 없어서 바로 생각을 접었다. 이러나저러나 약점을 드러내는 일밖에 되지 않으니 독살 시도가 있었다는 소문은 아예 내지 않는 편이 좋을 터였다. 그렇기에 다르게 말하자면 지안니가 다쳤다는 말이 맞고, 범인이 클로에와 네르딘처럼 여자 한 명, 남자 한 명으로 이루어져 있다는 소리가 된다.

언제나 위험이 닥친다면 클로에에게, 그 어떠한 나쁜 일도 파르세 가문에만 생길 줄 알았다. 3형제는 당한다는 단어와는 거리가 먼 존재들이었다. 항상 위에서 여유롭게 유유히 내려다보고만 있을 줄 알았다. 예상 밖의 사태에 클로에는 우두커니 한 지점만을 바라보며 서 있었다.

"설마 지금 나, 지안니가 걱정되는 건가?"

멍하니 서 있었다는 것도 모르고 있었다. 찰나였는지 얼마나 오래였는지. 20초, 30초? 1분? 인간 된 도리로 어느 정도의 걱정은 당연하다지만 믿어지지 않아서 그랬는지 의외로 제법 오래 정신을 빼놓고 있었던 것 같았다.

"그래도…… 나가야지……."

왜 클로에를 보러 오지 않았는지에 대한 의문이 풀렸다. 형제가 다쳤다니 정신이 없었으리라. 다르게 말하면 지안니에게 시선이 쏠려 있는 지금이 도망갈 기회였다. 걱정은 미루는 한이 있어도.

"이제 위험하진 않댔잖아."

무의식적으로 스스로를 안심시키려는 것처럼 중얼거렸다. 고용인들도 가십처럼 떠들 정도니 걱정하는 것보다는 용태가 대수롭지 않아 보였다. 목숨이 경각에 달려 당장이 고비라면 아무리 남이라 해도 이렇듯 재미 삼아 떠들 화제로 삼을 리는 없다고 믿기도 했지만. 제 코가 석자인 클로에가 이 자리에서 발을 동동 구르며 지안니를 걱정한들 상황이 바뀌지도 않는다.

성의 내부 구조를 완벽하게 파악하고 있지는 않았기 때문에 한 가지 원칙을 따라 움직였다. 아래로 내려가는 계단을 찾을 것. 미타이와 다니엘레가 수도의 저택에 가 있으리라는 가정 아래 고용인이 드나들지 않는 길로 이동했다.

층마다 대부분의 방은 잠겨 있지만 간간이 청소를 하느라 열려 있는 방이 있었다. 계단이 쭉 아래로 계속 이어지지 않고 끝나면 다른 계단을 찾을 때까지 가까이 있는 방에 숨었다가 복도를 확인하고 나왔다.

징검다리 건너듯 방과 방을 뛰어넘다 쓰이지 않는 옛날 옷을 모아둔 옷방에 들어가게 되었을 땐 반가움마저 들었다. 염치불구하고 보관되어 있는 옷 사이를 뒤져 방한 목적으로 걸칠 망토형 케이프를 찾아낸 클로에는 안도의 한숨을 내쉬었다. 마음 같아서는 빌린다고 하고 싶은데, 허락을 해줄 상대가 옆에 없다. 있어서도 안 되지만.

"옷이랑, 외투랑, 신발이랑."

털이 달린 여성용 겨울 부츠도 찾아냈다. 한밤중의 숲에서 헤매더라도 버틸 수 있으려면 따듯하게 입어야 한다. 수북한 드레스의 산 속에서 겨우 잠옷 대신 입을 만한 옷도 발견할 수 있었다. 여성용 옷만 모아둔 방인데도 귀족가의 옷장이라 그런지 바지는 승마복 외에는 보이질 않아서 여전히 드레스에 가까운 의상을 벗어날 수는 없었지만 하늘하늘한 잠옷보다는 훨씬 나을 터였다.

이왕 무단으로 빌리는 김에 풀 세트로 빌렸다. 망토 케이프와 자수가 들어간 조끼, 발목까지 내려오는 붉은 스커트, 신발 외에도 귀마개와 장갑, 목도리까지. 공작가의 성에 있는 옷이 저렴할 리도 없고 자신의 안목을 확신할 수도 없어서 불안하긴 했지만 가능한 한 평범해 보이는 디자인으로 고른다고 골랐다.

"내가 살고 봐야지 않겠어."

보온에 중점을 두고 무장을 한 후에 탈출 작전을 재개한 클로에는 인기척을 살피며 밖으로 나갈 틈을 노렸다. 여기까지는 순조로웠지만 아래로 갈수록 돌아다니는 사람은 많아지고 들킬 위험도 늘어난다. 실패할 때마다 리셋해서 처음부터 다시 시작할 수 있는 게임이면 차라리 좋았으련만, 안타깝게도 꼬집어본 볼에서 느껴지는 얼얼한 아픔은 지금이 현실임을 알려주고 있었다. 클로에는 사람이 아무도 없는 것을 확인하고 방을 나와 쪼르르 건너건너 열린 방으로 구르듯 들어갔다.

"와. 계속 이러니 살 떨리긴 하지만 게임 같다. 실패는 용납되지 않는 탈출 게임?"

비록 퇴치하진 못하지만 몬스터 역할은 고용인들. 어엿한 사람이라 미안하지만 마주치는 순간 몬스터나 다름없는 존재가 될 것이 분명하기에 거리낌 없이 몬스터로 명명했다. 보스 몬스터는 다니엘레나 미타이겠지. 지안니는 못 올 테니까. 플레이어인 클로에가 해야 할 일은 자잘한 부하 몬스터를 피해 성을 탈출해 무사히 집으로 돌아가는 것.

"퇴치도 못 하고 경험치도 못 쌓고 고급 장비도 없고 레벨업도 못 하는 페널티를 가지고 과연 어느 한국인이 클리어를 할 수나 있겠느냐마는."

물론 플레이어 클로에에겐 마법이라는 돌파구가 있긴 하다. 연약한 플레이어에게 주어진 페널티가 너무 커서 그렇지. 레벨 1로 레벨 100짜리 던전을 뚫고 탈출해야 하는 미션이 주어진,

마법을 쓰지 못하는 플레이어 클로에는 방에 숨어서 애꿎은 바닥을 차며 원망했다.

데구루루, 청소가 깨끗하게 되지 않은 바닥에 굴러다니던 작은 덩어리가 클로에의 발에 차여 소리를 내며 굴러갔다. 신경을 잡아끄는 미세한 소음에 클로에가 시선을 이동했다. 홀린 듯이 앞으로 발을 내디뎠다. 소음의 원인은 단순히 굴러간 덩어리 때문만은 아니었다. 청소를 하기 위해 환기를 시키느라 활짝 열어놓은 창문 밖에서 들어오는 소음도 한몫했다.

클로에가 있는 층은 높이로 따지면 3층쯤 될까, 제법 높아서 이제 막 들어오고 있는 마차가 훤히 내려다보였다. 마차의 외관은 눈에 많이 익어서 안에 누가 타고 있는지 뻔히 짐작이 갔다. 지안니 때문에 저택에 계속 붙어 있을 줄 알았던 형제가 이렇게 빨리 성으로 돌아올 줄은 몰랐다. 다급하게 본능적으로 숨을 곳을 찾던 때였다.

"오빠?"

아무리 원한다면 얼마든지 새장에서 나와도 된다고는 했다지만 몰래 빠져나왔다는 기분은 가시지 않은 터라 숨고자 한 행동은 본능에 가까웠다. 그런데 마차에서 내리는 사람은 한 사람이 아니었다. 클로에는 화들짝 놀라 창문에 매달리며 찰싹 달라붙었다. 다니엘레의 뒤를 따라 또 한 사람이 내렸다. 예상했던 큰 체구의 남자가 나오지 않아 미처 눈을 떼지 못하고 계속 보는데 미타이만큼 익히 잘 알고 있는 또 한 명의 남자가 마차에서 나왔다.

"오빠가 여길 왜? 아니, 생각보다 멀쩡하잖아?"

범인 취급을 받으며 끌려왔다고 보기엔 네르딘을 맞이하는 고용인의 태도가 정중했다. 다니엘레도 딱히 그를 죄인으로 대하는 것처럼 보이진 않았다. 지안니 걱정으로 바쁠 텐데도 딱딱하지만 예의 바르게 손님으로 예우하고 있는 모습이었다. 다니엘레가 집사에게 무어라 말을 건네고 천천히 고개를 들었다.

"헉."

탑을 보려던 것이었을까, 그저 습관이었을까. 다니엘레가 무심히 위를 올려다보았다. 간발의 차로 숨는다고 숨었으나 눈이 마주친 것만 같았다. 놀란 가슴이 콩닥콩닥 뛰었다.

"오빠가 마구잡이로 찾아온 건가? 초대받았나? 아니지, 오빠를 초대할 맹수들이 아닌데. 그럼 역시 막무가내로 성으로 오는 마차에 뛰어들어서 데려가달라고 조른 건가? 아닌데, 오빠가 그럴 깜냥은 안 될 텐데……."

원을 그리며 정신없이 돌아다니며 중얼거렸지만 의문은 쌓이기만 할 뿐 풀리지 않았다. 정중한 태도에 네르딘도 끌려왔으리라는 가정은 일찌감치 지워졌고 클로에는 도망가려던 차에 등장한 네르딘의 존재에 머리를 싸맸다.

"……그냥 버리고 도망가버려? 보아하니 무사히 돌려보내줄 것 같은데. 아닌가? 내가 달아난 걸 알게 되면 오빠를 인질로 삼으려나?"

쉴 새 없이 중얼거리면서도 다리는 착실하게 움직였다. 성의 주인이 돌아온 이상 한시라도 빨리 출구에 가능한 한 가까이 다가가둬야 했다. 돌아온 지 얼마 되지도 않았고 다니엘레가 손님인 네르딘을 혼자 두고 여기저기 돌아다닐 가능성이 낮은 지금이 적기였다.

아래층으로 내려갈수록 확연히 성의 주인이 돌아왔다는 공기가 감돌았다. 차분하지만 빠르게 걸어가는 인기척을 듣고 층계참에서 물러나 몸을 숨겼다. 경황이 없는 집 안에 예의도 없이 예정에 없는 손님이 오더니 식사까지 하고 간다며 메이드가 투덜거리며 지나갔다.

귀족의 식사는 별일이 없으면 하루 두 번이 보통이다. 아침, 점심, 저녁 세 번을 부지런하게 챙기는 경우는 정기적으로 출근해야 하는 직장이 있는 경우고 그 외에는 브런치와 저녁으로 마무리되곤 했다. 브런치와 저녁 사이에 오후 티타임이 있고, 저녁 이후에는 야식이 나오거나 새벽까지 진행되는 파티가 있기 때문에 실질적인 양으로 따지면 결코 적다고 볼 수는 없지만 식사로만 따지면 그러했다.

해가 뜬 높이로 보아 아침 겸 점심은 지나갔다. 식사를 하고 간다면 저녁까지 머물렀다 간다는 뜻인데 이는 네르딘의 의지일까 다니엘레의 계산일까. 마음 같아서는 훌쩍 쳐들어가 네르딘을 뒤에 숨기고 다니엘레에게 무슨 꿍꿍이냐고 물어보고 싶다. 그렇지만 그리해서는 안 된다는 사실을 잘 아는 이성이 욕망을 말렸다. 클로에는 깊은 한숨을 내쉬며 살금살금 계단을 내려갔다.

"이상하다. 분위기가 심상치 않은데."

새로 도달한 층에서도 지금까지 해왔던 것처럼 사람이 없는 틈을 타 가장 먼저 찾아낸, 잠겨 있지 않은 방으로 숨어든 후 문을 닫았다. 닫히는 소리가 나지 않도록 힘을 주어 부드럽게 닫히게 만든 후 숨을 돌리는데 문밖에서 이리저리 뛰는 소리가 들렸다. 아무리 급한 일이 있어도 경보를 하되 절대 뛰지 말라는 엄포를 잊은 듯한 뜀박질이었다.

방으로 숨어드는 그녀를 발견하고 쫓아오는 줄 알고 가슴이 터질 뻔하기도 했지만 이내 방 앞을 지나쳐 가버렸더랬다. 들키지 않았다는 안심을 하는 것도 잠시, 소란스러워진 바깥 때문에 이젠 방을 나갈 수도 없게 되어버렸다. 발을 동동 구르다가 초조하긴 하지만 지금 무리해서 나가느니 다시 조용해졌을 때를 기다리는 것이 낫겠다 판단한 클로에는 뒤늦게 들어오게 된 방을 둘러보았다.

밝은 톤의 벽과 바닥이지만 걸릴 것이 없어 휑한 방 중앙에는 한 개의 이젤이 세워져 있었다. 목재 이젤은 떠받치는 작품

없이 홀로 덩그러니 서 있었다. 볼만한 것도 없이 비어 있는 공간을 홀린 듯이 응시하는 사이 바깥의 잡음은 점차 귀에 들어오지 않았다.

"이 방은 대체……."

한참 바라보고 있으려니 이젤 주위의 풍경도 조금씩 시야에 잡혔다. 벽에 걸린 네 개의 그림은 빈 이젤을 에워싸고 있는 느낌을 주었다.

역사가 깊은 가문이니 본성쯤 되면 가치가 높은 예술품들이 성 곳곳에 있다 해도 이상할 연유는 없다. 작품들을 이처럼 방마다 걸어두었다 해도 역시 어색할 이유는 없었다. 그럼에도 클로에가 보고 있는 네 개의 그림은 무척 이질적으로 느껴지면서도 무척 익숙하게 느껴졌다.

"이거 설마."

찬찬히 보고 있노라니 자연스럽게 그림의 이름이 떠올랐다. 정확히는 벽에 걸린 네 점을 한 번에 아우르는 작품명이 떠올랐다. 미술에 조예가 없다 해도 알 수밖에 없는 이름이자 소설에서 여주인공과 얽힌 작품, 「구름 연작」이 오르시니의 성에 있었다.

"아니야, 그럴 리가……."

머릿속에 떠오른 이름을 떨쳐내려 고개를 세차게 가로저었다. 차마 속단을 내릴 수 없게 만드는 가장 큰 요소가 바로 그림 안에 있었다.

봄날의 하늘. 만물이 태동하는 계절. 잠들어 있던 대지가 깨고 곳곳에서 연한 녹색의 새잎이 돋아난다. 하늘에 드문드문 양털과도 같은 구름이 보이지만 양은 많지 않다.

그림 속에는 작게 한 소녀가 그려져 있다. 살랑거리는 봄바람을 등지고 덤불 옆에 위풍당당하게 서 있는 소녀의 옆얼굴은 제법 어려 보였다. 여덟, 많아야 열. 잔디밭에서 뒹굴었는지 까치집처럼 산발이 된 머리카락의 색은 적금색이었다.

여름의 바다. 햇빛을 받은 바다의 잔물결이 반짝인다. 백사장의 한두 군데 굴러다니는 자갈도 크게 눈에 띄지는 않는다. 바다와 붙어 있는 하늘에 떠 있는 구름의 양은 조금 더 많아지고 선명해졌다.

두 번째 그림에도 풍경과 함께 사람이 그려져 있었다. 첫 번째 그림보다 조금 더 나이가 든 소녀였다. 어렸을 적의 활달함은 다소 가라앉고 제법 숙녀 티가 나는 소녀는 누군가를 보며 환하게 웃고 있었다. 소녀의 눈동자 색은 모래를 닮았다고도 할 수 있는 연갈색이었다.

가을의 단풍. 가을 하면 떠오르는 색색깔의 단풍이 바닥에 떨어져 있기도 하고 나뭇가지에 걸려 있기 하다. 가을 하늘은 보통 높고 새파랗지만 그림 속의 하늘은 뚜렷한 구름을 품고 있다. 별처럼 수놓인 단풍잎이 바람에 흩날려 하늘로 떠오른다.

세 번째 그림의 소녀는 성인에 가까웠다. 두 번째 그림에서의 밝은 미소는 온데간데없었지만 그래도 의연함을 잃지 않았다. 아니, 의연하다고 해야 할까, 초연하다고 해야 할까. 어딘가 익숙한 얼굴의 소녀는 허공의 단풍잎에 감싸여 있었다.

겨울의 백색. 세상이 고요히 잠드는 시간. 하얗게 전부 덮어 가린 색 때문에 보이는 것은 없었다. 그나마 색을 지닌 부분이라곤 하늘뿐이었지만 하늘색도 옅었고 많아진 구름의 양이 하늘을 대부분 가려버렸다.

네 번째 그림에서 소녀는 여인이 되었다. 뒤돌아보고 있어 얼굴이 보이지 않았지만 훌쩍 큰 키와 긴 머리카락, 여인의 면모를 드러내는 체격은 그것만으로도 충분히 나이를 짐작하게 했다. 기묘하게도 하늘로 올라가는 것처럼 보이는 눈에 둘러싸인 탓인지 곧 사라질 것처럼 느껴졌다.

네 작품에서 겹치는 점을 꼽자면 사계절을 그려낸 풍경화 속의 구름. 가운데에 덩그러니 놓여 있는 이젤을 보고 있노라니 마치 하나가 더 존재하고 있다는 의미로 보였다. 네 점의 그림과 구름이 들어가는 또 다른 작품이라면 아마도 「구름 연작」이 아닐까. 그림 속 여자의 존재만 제외한다면 맞아떨어진다. 클로에는 손을 뻗었다. 여자의 머리색과 눈 색과 얼굴이 이상하게도 익숙했다.

그때 덜컹, 문이 흔들렸다. 안에서 잠근 문을 밖에서 누가 강제로 열려고 하고 있었다. 생각에 잠겨 있다가 깜짝 놀라 숨을 곳을 두리번두리번 찾았지만 그림만이 존재하는 방에는 몸을 가릴 것이 없었다. 달그락 달그락. 거칠게 갉작거리는 소리가 나더니 기어코 열리고야 말았다.

"클로에."

터져 나올 것처럼 뛰는 가슴을 움켜잡고 바짝 얼어서 서 있는데 야속하게 너무 쉽게도 열린 문 뒤로 한 남자가 나타났다. 클로에의 눈이 휘둥그레 커졌다. 어떻게 여기에 있는지 알았는지, 어떻게 왔는지 묻고 싶은 말이 산더미 같은 순간에 너무 놀라 되레 한마디도 나오지 않았다. 소리 없이 입만 뻐끔거리는 클로에를 향해 남자가 성큼성큼 다가왔다. 훅 앞으로 끌려가고 남자의 품에 안길 때까지도 놀란 몸은 뻣뻣하게 굳어 있었다.

"여기 있었구나."

"……오빠."

클로에를 안고 안도의 한숨을 내쉬는 남자는 네르딘이었다. 얼어붙어 있던 몸과 성대는 그녀를 안은 사람의 정체를 확인한 후에도 한참 풀리지 않았다. 어렵사리 목소리를 쥐어짜냈을 땐 안도의 기운이 가득하기도 했지만 의아함이 혼재되어 있기도 했다.

"내가 여기 있는지 어떻게 알았어?"

“지금 성이 뒤집어졌어. 너 없어졌다고.”

“응?”

오르시니의 성에 있는지 어떻게 알았느냐는 의도였는데 네르딘은 어떻게 이 방에 있는지 알았느냐는 뜻으로 알아들었다. 클로에는 가만히 두 눈을 깜빡거렸다.

“내가 없어졌다니?”

새장에 숨겨져 있었는데 그녀의 존재를 누가 안다고 성에서 찾아다니겠는가. 알고 있을 사람도 성을 뒤집을 사람도 없지 않던, 아니다, 한 사람이 아까 전에 네르딘과 함께 있었다.

“나 때문에 놀랄 리가 없…… 아니, 그보다. 오빠야말로 여긴 웬일이야?”

다만 다니엘레라는 맹수가 그녀가 빠져나갔다고 해서 성을 뒤엎어가며 찾을 성격이냐 하면, 글쎄였다. 미타이라면 몰라도. 혼잣말을 중얼거리던 클로에는 황급히 고개를 젓고 네르딘에게 자초지종을 알아내려 했다. 정황상 네르딘은 오해를 받고 있다면 이렇게 성으로 초대를 받아 들어올 수 없는 입장이다.

“웬일이라니? 너야말로 나은 지 얼마나 됐다고 집에 또 안 들어와, 안 들어오길!”

“아?”

그러나 정작 네르딘은 동생의 의문을 풀어주기는커녕 타박만 했다. 오랜만에 동생을 보자마자 화부터 내며 꾸중을 하는 오라비였다. 그녀를 향한 걱정 때문에 터져 나오는 잔소리라 클로에는 차마 반박을 하지 못하고 끙, 목을 쑥 집어넣기만 했다.

"마법사가 되겠다는 걸 반대하는 게 아니야. 나야 오히려 네 꿈을 응원하지. 그래, 아프기 전에는 한동안 꿈도 포기하고 지내기에 나 때문인 것 같아 쭉 미안했어."

"으응."

"다시 하고 싶었던 걸 하려는 건 좋아. 좋은데, 그래도 그렇지. 난데없이 여기 놀러 와 있다고 하질 않나."

꼼지락꼼지락 손가락을 꼬물대면서 눈치를 보고 있으려니 네르딘은 제 풀에 지쳐 푹 한숨을 내쉬었다. 과거의 클로에가 대체 얼마나 예고도 없이 자주 집에 안 들어왔었는지, 네르딘이 가장 한숨을 푹푹 내쉬게 하는 부분은 동생의 외박보다 동생이 머무르고 있는 장소였다.

"뭐…… 유모는 오매불망 네가 빨리 결혼하길 바란다지만. 아프기 전에는 눈여겨보고 있는 남자도 있었다며."

"응? 내가? 아……. 오빠. 사실 나 결혼은 생각 없는데. 애초에 돈 때문에 하려던, 윽!"

"뭐? 돈? 돈 때문에 원하지도 않는 결혼을 하겠다고 한 거였어? 그까짓 게 뭐라고!"

네르딘의 얼굴에서 제가 유모에게 밝혔다는 눈여겨보고 있는 남자가 누구인지를 읽어내려 애를 썼다. 그러나 과거의 클로에가 했던 일이나 말은 당연히 기억하지 못한다. 네르딘을 마주 보며 멍하니 있는데 문득 짐작 가는 부분이 떠올랐다. 과거의 클로에는 소설에서처럼 집에 보탬이 될 결혼을 하려 하지 않았을까.

그렇다 해도 지금의 그녀는 결혼을 할 마음이 없었다. 걱정하지 말라며 웃어넘기려는데 네르딘은 안았던 동생을 놔주기가 무섭게 어깨를 다시 잡고 흔들었다. 과거 클로에의 속내를 전혀 짐작도 못 했던 오라비는 충격을 받은 모양이었다.

“돈 몇 푼 때문에 널 팔 생각은 없어! 부모님도 그걸 바라실 것 같아? 차라리, 차라리 내가.”

“내가 받고자 했을 돈은 고작 몇 푼이 아니었을걸. 수도에 입성한 귀족의 격에 맞는 파티를 열고 사치를 할 수 있는 수준은 불가능할지라도 오빠가 최소한 제대로 된 결혼을 할 수 있도록, 작은 사업을 유지할 수 있는 최소한의 자본금을 마련할 수준을 원했을 텐데.”

“넌…… 지금 그걸 말이라고.”

차분하게 원작의 클로에가, 과거의 클로에가 제게 닥칠 비참한 미래를 모르고 섣부른 길을 선택한 이유에 대해서 늘어놓는 중에 네르딘이 비틀거리며 뒤로 물러섰다. 화를 내던 것도 잊고 얼굴을 일그러뜨렸다. 네르딘의 슬퍼 보이는 표정을 본 클로에는 지금의 자신은 그럴 생각이 없으니 걱정하지 말라는 말을 덧붙이려던 것도 잊었다.

소설 속 네르딘과 지금의 네르딘을 비교할 기회는 없었다. 하지만 동생을 희생시키느니 자신이 고생하겠다는 오빠와, 오빠와 가족이 힘들어하는 모습을 보느니 조금이라도 더 빠르게 도움이 되는 길을 고르려 했던 동생은 확실히 닮은 구석이 있는 남매다웠다.

"왜 말이 안 돼. 오빠도 오르시니에게 애원하러 왔었잖아."

"너, 그, 그 말은 누구한테서……."

소설과는 다른 세상이라고 인식하고 있는 지금, 현재 클로에 앞에 서 있는 네르딘은 동생을 아끼고 걱정한다는 사실이 내심 불안했던 마음을 꽤 편하게 해주고 있음을 알았다. 클로에는 쓴웃음을 지으며 이번에는 반대로 제가 네르딘을 타박했다.

"알고 싶으면 오빠야말로 왜 여기에 왔는지부터 말해줘."

"왜긴 왜야. 초대를 받았으니까."

"응?"

"이 성에 초대도 받지 않고 올 수나 있겠니. 나야말로 네가 여기에서 머무르고 있었단 이야길 듣고 놀랐다."

"어?"

"더 이상 모른 척하지 않아도 돼. 다 들었어."

"뭐, 뭘 다 들어?"

"네가 성에 있는 이유."

빠르게 그간의 나날이 필름처럼 스쳐 지나갔다. 클로에가 겪었던 일 중 네르딘이 듣고도 침착할 수 있을 만한 일은 없었다. 오라비의 슬퍼 보이는 얼굴도 조금 전 동생의 고백 때문일 뿐, 불안해하거나 초조해하지 않는 태도를 보아 아무래도 네르딘은 적당히 둘러댄 이유로 들었음이 분명했다. 혼자만의 회상에 또 달아오르려는 뺨의 열기를 식히며 슬쩍 네르딘이 어디까지 알고 있나 운을 띄웠다.

"맹…… 다니엘레님께서 뭐라셔?"

"네가 신변 보호를 요청했다고. 그리고…… 음……."

"그리고? 뭔데 뜸을 들여."

"음, 이건 미타이님께서 하신 말씀이지만. 오르시니와 그, 긍정적인 관계라 그 문제에 대해선 거, 걱정하지 말라고."

"……그렇게 말했다고?"

"그러고 보니 호, 혹시 설마. 네가 눈여겨보고 있다고 하던 상대가……."

다행히 맹수들도 사실대로 다 밝히지는 않았다. 그렇지만 무슨 속셈인지 틈을 타 클로에와의 관계에 대해 쐐기를 박으려 한 미타이 덕분에 네르딘은 제 동생이 노리고 있었다던 남자가 오르시니라 십분 오해하고 있었다.

"아니야, 클로에. 우리 집 때문에 그럴 필요는 없어. 네가 정말 사랑하는 사람이 나타나면 그때 내가 어떻게든 보내줄 수 있어. 오르시니는 겉으로 보기엔 그럴싸해 보이지만 막상 결혼을 하면 네가 짓눌릴 수도 있어. 트, 특히나 형제는 셋 다 성격이…… 음. 세, 셋 중 누구인지 살짝만 알려주면 안 될까……?"

"셋 다 아니거든! 절대 아냐! 그런 결혼도 안 한다니까!"

"아, 그래? 다행이다. 난 또."

진지하게 동생을 타이르는 네르딘은 제 동생이 돈 때문에 오르시니를 공략하려 했다고 믿고 있었다. 그러나 아무리 들이댄다고 해서 결혼이 말처럼 쉬웠으면 소설 속에서 클로에가 그런 미래를 맞이했을까 싶었겠지마는, 콩깍지가 쓰인 오라비의 눈엔 현실적인 장애물이 보이지 않는 모양이었다. 그저 동생이 마음에도 없는 결혼을 감행하려는 줄 알고 전전긍긍할 따름이었다. 급기야 다니엘레를 어려워할 때는 언제고 심각하게 배우자감으로서의 3형제를 평가하려는 탓에 반사적으로 소리를 빽 질러버렸다. 단호한 부정에 안도의 한숨을 내쉬는 네르딘의 안색이 확 밝아졌다.

"그래서. 내가 이 방에 있는 건 어떻게 알았어?"

"널 데리고 온다고 나가셨던 분이 영 안 돌아오시기에. 슬쩍 빠져나와서 집사를 붙잡고 물어봤지. 그랬더니 널 찾고 있다더라. 그래서 나도 같이 찾겠다고 했고, 마스터키를 받아냈어. 방이란 방은 다 열어보자고."

"오빠가 나를 먼저 찾아냈네……."

"그렇지. 그러니 이제 그만 돌아가자. 집에 가야지."

"집……."

벌써 생소한 느낌이 들었다. 클로에로 깨어난 후 지낸 기간이 많이 길지 않은 탓인지 그립다는 감정이 강하게 들지는 않았다. 그래도 네르딘이 있고 부모가 있는 장소이니 자연스럽게 집이라고 표현하게 되는 것이리라. 한 글자를 혀로 굴려보며 클로에가 살포시 끄덕였다.

"네게 무슨 일이 있었는지는 모르겠지만 도리는 지켜야지. 널 보호한 데에 대한 인사는 드리고 가자."

네르딘이 나가자며 손을 내밀었다. 문을 등지고 서서 클로에 쪽으로 시선을 던졌다. 클로에도 마주 서서 네르딘을 바라보고 있었다.

"아아."

등 너머로 소리 없이 진한 그림자가 스윽 솟아났다. 무심한 듯, 차가운 듯 한 감탄이 들리고 한 발 늦게 똑 똑 노크 소리가 났다. 한 발짝 다가서려던 클로에가 멈추고 네르딘의 등 너머를 살폈다. 말투나 목소리만으로도 누군지 알았지만 무의식적으로 확인하려는 행동이었다.

"동생분을 영식이 먼저 찾으셨다니 다행입니다."

짐작대로 다니엘레였다. 집사와 함께 들어온 그가 한시름 놓았다는 듯 네르딘에게 말을 건넸다. 네르딘은 클로에에게만 보이게 눈을 감고 깊게 심호흡을 한 뒤 천천히 뒤로 돌아섰다. 클로에 때문에 본의 아니게 성에 초대받는 관계가 되었다지만 아직 다니엘레가 편할 리 없었다.

"그리고……."

서늘한 금안이 클로에의 전신을 훑었다. 새장을 빠져나와 잠시 빌린 의복을 느긋하게 훑으며 뜸을 들인 후 여느 때처럼 클로에를 불렀다.

"그대는."

지금까지 해왔던 대로 불렀을 뿐이었다. 귓가에 나직하게 속삭일 때마다 매번 목덜미가 간지러워지는 울림이어서 문제일 뿐. 이번에도 어김없이 이성의 제어를 벗어나는 솜털의 반응이 얄미울 정도였다.

그렇다 해도 이토록 네르딘이 눈을 크게 뜨고 입까지 벌릴 정도로 이상한 일일 줄은 몰랐다. 정말로, 다니엘레에게 인사를 하려던 네르딘이 클로에 쪽을 돌아보고 경악스러운 표정을 지을 정도인 줄은 몰랐다.

"오라버님을 뵈서 반갑겠군."

반면 다니엘레는 태연했다. 클로에를 부름에 있어 선택된 특정 어휘는 지금까지 그래왔듯 물 흐르듯 자연스럽게 나왔고, 오히려 그가 의도를 담은 말은 이어지는 뒷말이었다.

"아."

놀라기도 했고 물론 반갑기도 했다. 한편으로는 걱정도 되었다. 네르딘은 정식으로 초대받고 왔다고 했지만 오르시니가, 다니엘레가 호의를 베풀 만한 이유가 없는 탓이었다. 아니나 다를까 건네받은 인사에는 뼈가 있는 것 같았다. 의중을 살피느라 대답을 못하고 주춤거리는 클로에를 네르딘이 뒤로 숨기며 나섰다.

"죄송합니다. 인사가 늦었습니다. 제 동생에게 편의를 제공해주신 점, 정말 깊이 감사드립니다."

네르딘은 클로에가 오르시니에게 신변 보호를 요청했고, 오르시니가 그를 받아들여 성에서 지내게 한 것으로 알고 있다. 따라서 네르딘은 그에 대해 답례로 정중하게 허리를 숙이되, 오라비 된 입장으로서 다니엘레로부터 클로에를 보호하듯 가리고 섰다.

"당연히 해야 할 일을 했을 따름입니다."

다니엘레도 여유를 잃지 않고 응대했다. 클로에는 어떤 이유에서든 오르시니가 챙겨야 할 존재니 그토록 정중한 감사 인사를 받아야 할 이유는 없다고, 미소 지으며 돌려 말하자 네르딘의 이마가 찌푸려졌다.

"죄송합니다만. 제 동생에게 확인해본바, 제 동생은 오르시니 중 한 분과 긍정적인 관계를 맺고 있지 않다고……."

"오빠."

클로에의 보호자는 가족이다. 성인이든 아니든 나이와 상관 없이 아직 가정을 꾸리지 않았기에 보호자는 가족인 파르세 자작 부부와 네르딘 파르세가 된다. 물론 반대로 네르딘도 결혼을 하기 전까지는 그의 보호자 역시 파르세 부부와 클로에 파르세가 된다. 단지 오빠라는 위치상 네르딘이 클로에의 보호자 역할을 하는 경우가 대부분이겠지만.

다니엘레의 말은 관점을 달리해서 보자면 오르시니가 클로에의 보호자임을 자처하는 중이라고 해석할 수 있는 부분이 있었기에 네르딘의 안색이 나빠졌다. 생각으로 그치지 않고 직설적으로 지적했다. 오라비의 갑작스러운 경계심이 어디에서 나왔는지 뒤늦게 깨달은 클로에가 당황해서 네르딘을 제지했다. 다니엘레가 클로에를 보호하는 척하는 진짜 이유를 모르니 보일 수 있는 반응이긴 하지만 부끄러운 건 부끄러운 거다.

"아아."

기분이 나쁠 수도 있었을 네르딘의 예민한 반응에도 희미한 미소로 넘긴 다니엘레가 살짝 끄덕였다. 화가 나지는 않은 듯했지만, 앞으로 표현을 조심하겠다는 의미인지 아닌지는 알쏭달쏭했다.

"자세한 이야기는 석찬 때 푸는 것이 좋겠습니다."

"……앗."

대신 저녁 식사를 상기시켰다. 애초에 저녁까지 같이 하기로 수락한 초대였다. 클로에를 찾은 후 얼른 돌아가겠다는 생각에 몰두하던 네르딘은 잊고 있던 약속을 떠올리고는 낭패라는 표정을 지었다. 아무래도 네르딘에게 오르시니의 정찬 초대는 급한 일이 생각났다는 핑계 정도로 뿌리치고 돌아가기엔 힘든 종류인 모양이었다.

다니엘레는 네르딘이 숨기고 있는 클로에를 보고도, 클로에가 빌린 옷을 보고도, 새장을 빠져나왔다는 사실을 알고도 아무런 반응이 없었다. 그렇다고 그녀를 이 방에 없는 존재로 여기지도 않았다. 네르딘과 대화를 하면서도 피하기 힘든 시선으로 클로에를 올곧게 응시하고 있었다.

"그대는 옷을 갈아입는 것이 좋겠군."

빌려 입은 옷을 두고 화를 내는 대신 덤덤하게 갈아입으라고 했다. 네르딘이 있으니 눈감아주겠다는 뜻인가. 다니엘레의 손짓에, 사뿐사뿐 들어온 메이드에게 잡혀 끌려 나가는 클로에의 등 뒤에서 네르딘의 터져버린 흥분이 들려왔다.

"제 동생에게 너무 친한 척은 삼가시길 부탁드립니다."

다니엘레는 네르딘에게는 말을 높이지만 클로에에게는 맞을 낮추고 있었다. 너무도 당연하게 느껴져서 처음부터 거부감은 커녕 되레 다니엘레가 말을 높이는 모습은 상상도 해본 적이 없었는데, 네르딘이 눈을 부릅뜨며 울컥했다. 친한 척? 네르딘은 타고난 고위 귀족인 다니엘레의 일상에 밴 하대가 친한 척으로 보이는가. 클로에는 끌려가면서도 더 이상 덤비지 말라고 눈짓을 보냈다. 네르딘이 봤는지는 확신할 수 없었지만.

ଚ୍ଚ

갈아입게 된 드레스는 신기하게도 꼭 맞았다. 이 세계의 의복 중 귀족들이 입는 의상은 하나하나가 다 맞춤이어서 치수를 세세히 재야만 제작이 가능하다. 당장 클로에가 임의로 빌렸던 옷도 품이 남아 헐렁한데 예상외로 성의 주인이 정식으로 빌려준 드레스는 거짓말처럼 꼭 맞았다.

코르셋을 지독하게 조이지 않고도 허리가 쏙 들어간 드레스는 크리놀린으로 풍성하게 부풀린 치마와 대비되어 허리를 가늘어 보이게 했다. 어깨와 팔의 맨살을 다 드러내게 만드는 짧은 소매도 팔을 들기 쉽게끔 조이지 않았지만 흘러내릴 정도로 크지도 않았다. 메이드는 간편한 일상복이라며 골라주었지만 거적때기에 가까운 큰 사이즈 엠파이어 드레스를 입고도 파티에 갔던 과거에 비하면 과한 평상복이었다.

다니엘레와 네르딘과 함께 간단하게 식사를 하는 자리이니 파티에 갈 때처럼 꾸미지는 않았지만 두 가지 장신구는 본의 아니게 착용하고 있었다. 뽀얗게 드러난 가슴골 위에서 미타이가 준 목걸이가 반짝거렸다. 귀족 여성치고 간단하게 차려입은 클로에는 메이드의 뒤를 졸졸 따라갔다.

'도망은 글렀나.'

또 도망가다가 잡힌 셈이다. 먼저 발견한 사람은 네르딘이지만 최종적으로 다니엘레에게 발견됐으니 잡혔다고 봐야 하리라. 다행이라면 네르딘이 같이 있었던 덕에 그 자리에서 바로 혼나지 않았다는 점 정도일까. 다니엘레가 다른 두 형제처럼 화를 내는 모습이 상상이 되지는 않았지만 지금까지의 패턴상 좋은 결과가 나오지 않았으리라는 사실만은 자명했다.

더구나 모처럼 찾아낸 옷도 빼앗겨버렸다. 애당초 그녀의 옷이 아니었으니 빼앗겼다는 표현은 적절하지 않지만 어쨌든 그러했다. 달아나기에 굉장히 불편하고 거추장스러운 드레스를 대신 받게 되었다.

'그래도 얼굴을 보니까 안심도 되고.'

네르딘의 존재가 생각보다 꽤 안도감을 불러일으켰다. 그녀를 향해 집으로 가자며 손을 내민 덕분일까. 혹은 3형제가 네르딘에게 해코지를 할 마음이 없어 보여서일까. 무엇보다도 그를 초대하고 클로에를 대면하게 둔 이상 그녀를 숨겨둘 수는 없는 셈이 되었다.

'근데 갑자기 왜 불러냈지?'

다니엘레가, 오르시니가 네르딘에게 클로에가 어디 있는지를 알려준 의중이 아리송했다. 그뿐만 아니라 네르딘이 다니엘레를 죽이려고 했다 생각하면서도 초대까지 했다.

'내가 만나게 해달라고 해서……는 아니겠지, 설마.'

언뜻 보면 남매를 서로 만나게 해준 데에는 더 이상 클로에를 굳이 잡아두지 않겠다는 의도가 깔려 있는 듯도 했다. 더 나아가 미타이에게 했던 부탁인 오라비를 보게 해달라는 부탁을 들어주었다고도 볼 수 있었다.

'에이. 설마.'

일정한 보폭을 유지하며 앞장서는 메이드를 따라가면서도 홀로 깊은 생각에 잠겨 있던 클로에는 세차게 고개를 저어 의혹을 떨쳐냈다. 만에 하나 맹수들이 그녀에게 집착하고 있다는 가정이 맞는다 쳐도 과연 이리도 쉽게 갑자기 놓아주려 할 리가 없다. 차라리 겁을 주고 네르딘을 인질로 삼아 협박을 한다면 모를까.

혼자서 좋지 않은 방향으로 상상을 곱씹고 있으려니 불안감이 엄습했다. 메이드가 갑자기 느리게 걷는 것만 같은 착각이 일었다. 차마 그녀를 재촉하지 못하고 초조한 심정으로 종종걸음으로 따라갔다.

"오빠!"

먼저 도착해 기다리고 있던 두 남자가 응접실에서 마주 보고 있었다. 무사한 오라비를 재차 확인한 클로에는 뛰듯이 걸어가 네르딘에게 훅 뛰어들었다. 항상 그래왔던 것처럼 몸은 저절로 움직였다.

"왜 그러니."

기습적으로 안겼는데도 네르딘은 익숙한 듯 받아주었다. 예전의 클로에도 종종 이리 했었다는 것처럼.

"확실히 아까 그것보다는 이 드레스가 그대에게 잘 어울리는군."

같은 공간에 다니엘레도 있었지만 네르딘의 안부를 확인하느라 본의 아니게 맹수를 무시하는 엄청난 일을 저질러버렸다. 고막을 사로잡는 저음이 오싹오싹하게 목덜미를 두드렸다.

"아, 동생을 대신해서 감사드립니다. 이 빚은 꼭 갚겠습니다. 드레스도…… 음……."

한껏 가라앉은 저음에 담겨 있는 오싹한 낌새를 네르딘도 느꼈는지 그림이 있던 방에서처럼 다니엘레로부터 클로에를 숨기듯 가리고 섰다. 동생이 나서지 않아도 되게 선수를 치려 했지만 힐끔 본 드레스는 제법 비싸 보였을 터였다. 마지막에 덧붙일 뻔했던 비싸 보인다는 말은 간신히 꿀꺽 삼킨 네르딘이 애써 의연하게 미소를 지어 보였다. 다니엘레가 하고 싶은 대로 하라는 듯 무언을 되돌려주었다.

"아니야, 오빠. 내가 가, 갚을 수 있어."

이번에는 클로에가 앞으로 나서 네르딘을 다니엘레로부터 가리고 섰다. 아무리 상대가 맹수라 해도 오라비보다는 그녀가 방패막이가 되는 편이 나을 것 같았다. 몸을 섞은 정을 봐서라도 조금은 손속에 자비를 두지 않을까 희망을 품었다.

"오라버님에 대한 클로에의 애정은 알고 있었습니다만, 영식도 동생분을 역시, 많이, 아끼시는군요."

남매는 서로가 서로를 보호하려고 애를 쓰는 모양새가 되었다. 가만히 지켜보던 다니엘레의 입가에 미소 비슷한 것이 걸렸다. 잘 웃지 않고 항상 굳은 얼굴이었던 맹수가 풍기는 분위기에 네르딘 앞에 선 클로에의 어깨가 움찔했다. 미소는 금세 사라졌지만 곧바로 닥칠 파란을 예고하며 안심을 하지 않는 것이 좋다는 경고가 은근히 퍼졌다.

"참. 영식이 제게 주신 선물 말입니다."

한 자 한 자 또박또박 내뱉은 말은 평온했지만 그 말이 불러온 파장은 평탄하지 않았다. 선물이 무엇인지 네르딘은 알아차렸고, 안색이 새하얘졌다. 선물은 누명이라며 여전히 굳게 믿고 변호하려던 클로에가 네르딘의 변화를 보고 멈칫했다. 그의 반응은 마치 네르딘이 했다 자백하는 것과 다름이 없지 않은가.

찰나의 틈을 타 클로에의 몸이 반대편으로 끌려갔다. 누군가 움직이거나 끌어온 기미가 보이지 않는데 네르딘의 곁에 붙어 있던 클로에는 어느새 다니엘레와 가까이 밀착해 있다시피 앉아 있었다.

놀랄 겨를도 없었다. 무엇에 먼저 놀라고 충격을 받아야 하는지 갈피도 잡히질 않았다. 무심히 별일 아니라는 듯 꺼낸 화제는 청천벽력과도 같아서 의도했건 의도하지 않았건 자연스럽게 남매의 거리는 멀어졌다. 철벽방어를 하고 있던 오라비로부터 클로에를 빼 오기 위해 심리적으로 흩트려놓은 듯이.

"어떻게…… 알 수 있을 리가 없는……."

더구나 횡설수설하는 네르딘은 제 동생이 누구의 곁에 바짝 붙게 되었는지를 알아볼 정신이 없어 보였다. 황갈색 눈동자가 이리저리 흔들렸다. 똑똑히 듣고도 마냥 부정하고 보려던 입이 본능적으로 올라온 손에 가로막혔다.

"어디까지 알고……."

"제게 주시기까지 상당히 고심했다는 사실과."

네르딘이 건넸다는 선물은 찻잎이다. 마침 오르시니가의 후계자의 취미가 차라고 하니 작고 보잘것없는 선물이지만 지속적이고도 은밀한 음독을 위한 장치가 되기에 적합했다. 우습게도 다니엘레가 정말로 모를 줄 알았는지 네르딘의 얼굴색은 하얘질 대로 하얘졌다.

"동생의 부탁을 들어주고자 했다는 주장 정도."

"제 동생은 아무런 관계가 없습니다!"

오라비의 안색이 변하는 만큼 어지럽게 느껴졌다. 그나마 다니엘레가 이끄는 대로 소파에 미리 앉아 있었던 덕에 현기증이 일었을 때에도 다행히 쓰러지지 않았다. 클로에는 다니엘레만을 주시하기에 여념이 없어 보이는 네르딘의 표정을 놓치지 않으려고 애를 썼다. 얼굴빛만으로도 누명이라는 그녀의 주장은 신빙성을 지닐 수 없게 되었다.

"동생은 아무것도 모릅니다."

다행히 시간이 흐르자 네르딘도 조금씩 안정을 되찾았다. 고요히 침묵을 지키고 있는 다니엘레로부터 압박을 받아 초조해지기보다는 백지가 될 뻔했던 머릿속이 정리가 되는 모양이었다. 힐끔, 황갈색 눈동자가 클로에를 잡았던 손에 닿았다 떨어졌다.

"제 일과는 전혀 관계가 없고요."

다니엘레는 어느새 일어나 남매 가운데에 서 있었다. 교묘하게 네르딘이 클로에를 보려면 기웃거리는 자세를 취해야만 하게 했음을 눈치챘을 때에는 이미 구도가 역전되어 있었다.

"이즈리에 페인 영애가 마신 미량의 독을 쓴 사람을 목격했다는 증언이 있습니다."

"아뇨, 그럴 리가 없습니다."

독을 쓴 사람의 이름이 언급되지 않아도 누굴 지목하는지는 네르딘도 바로 알아챘다. 단호한 부정이 잇따랐다. 여동생이 오라비가 그런 일을 할 리 없다고 부정했을 때를 연상시킬 정도로 비슷한 반응이었다. 다니엘레가 클로에를 흘깃 내려다보았다.

"하긴. 폐인 영애에게 찌꺼기와도 같은 감정이 남아 있을 사람은 이 자리에 단 한 명뿐이니까요. 꽃 같은 약혼녀를 두고도 눈을 돌리고 그것으로도 모자라 파혼을 종용했다는 소문이 도는 약혼자."

"……."

"전 약혼녀가 독을 마신 장소는 하필 갈아 마셔도 시원찮을 가문의 저택. 원망스러운 전 약혼녀에게 소소한 복수를 하고 저택 주인의 명예에 흠집을 내기 위함이었다고 한다면 용의자는 쉽게 좁혀집니다."

이즈리에가 화제로 등장하면서부터 네르딘은 다니엘레의 말을 끊지 않았다. 주먹만 불끈 쥐고 서 있을 따름이었다. 클로에 역시 환청을 들은 기분에 멍하니 올려다보았다. 다니엘레는 담담하게 네르딘과 이즈리에의 파혼 이유가 오라비의 바람이었음을 밝히고 있었다. 부정할 수 없어서인지, 사실이 아니라 외칠 기력도 없는 탓인지 네르딘은 묵묵히 침묵을 지켰다.

"다만."

다니엘레는 네르딘이 입을 다물든 시선을 고정하지 못하든 신경 쓰는 기색이 아니었다. 그러거나 말거나 그저 제 할 말을 이어갔다.

"제가 아는 네르딘 파르세 씨는 그런 장난질을 할 사람도, 그럴 마음을 먹을 수 있는 사람도 아닙니다."

순간 늘어진 머리카락이 짧게 흔들릴 정도로 움찔 떨어버린 것은 손등을 덮은 누군가의 손 때문이었을까. 네르딘에게 줄곧 향해 있던 연갈색 눈동자가 옆으로 비껴갔다.

"하필 전 약혼녀가 방문한 그날에 막무가내로 저택으로 쳐들어오다시피 해서 스스로 범인이라고 외치는 것과 다름없는 행동을 한다? 아니죠. 그렇지 않아도 의아했는데 아니나 다를까, 클로에의 범행을 목격했다 주장하는 이가 나타납니다."

아주 잠깐이었다. 이름을 불린 듯한 착각과도 같은 느낌에 무심코 다니엘레를 보았을 뿐이었는데 그 이후로 그물에 걸린 듯 시선을 돌릴 수가 없었다. 네르딘에게 말을 건네는 형태를 취하고 있음에도 다니엘레는 오롯이 클로에를 보고 있었다.

"제 동생은 아닙니다. 그런 생각을 할 수 있는 아이도 아니거니와 무엇보다도 이즈리에에게 원망을 표출할 정도의 친분이 있었던 적도 없습…… 잠깐."

목격자의 등장에도 여동생을 믿는 변호의 크기가 점차 작아지더니 뚝 끊겼다. 동시에 달칵 달칵 작은 소리가 밑에서 들렸다. 갑갑했던 손가락 마디마디가 구속으로부터 풀려나고 있었다.

"그날 그 자리에 있었다고요……?"

클로에는 알고 있었지만 네르딘은 몰랐던 부분. 그 사실을 깨달았을 때, 클로에의 열 손가락 모두가 자유로워졌다.

"아아."

처음부터 말해주었어야 했는데 실수로 깜빡했다는 듯 태연하게 끄덕이던 다니엘레는 클로에의 손가락에서 빼낸 구속구를 치웠다. 다른 건 몰라도 손만은 풀어주지 않을 줄 알았던 클로에가 얼떨떨하니 멍하게 손등을 응시했다. 햇볕을 직접적으로 쬘 일이 없어서 피부색이 변하지는 않았지만 왜인지 눈을 떼기가 힘들었다.

"제 오라비를 위해 전 약혼녀에 대한 응징을 동생이 했다. 목격자도 있으며, 오라비에게 몰래 전하려던 메시지가 담긴 책도 있습니다."

"네?"

이즈리에가 건네달라 했다는 척을 하고 부탁했던 책은 네르딘에게 전해지지도 않은 모양이었다. 갈색 머리 메이드가 들고 왔을 때부터 어느 정도 짐작하고 있던 사실이었지만 역시나 책의 존재가 금시초문인 듯한 네르딘을 보니 씁쓸했다.

메시지 내용 자체는 별것 없다고도 볼 수 있지만 비밀리에 전한다는 그 행동 자체에 오해의 소지가 있는 법이다. 더구나 클로에를 용의자로 몰아가는 목격자와 네르딘이 쓴 것으로 보이는 쪽지까지 더해져 한데 엮이는 증거가 되어버렸다.

"메시지를? 내게……? 하지만 그날 내가 본 건……."
"아무것도 아니야, 오빠. 별 내용 없었고, 그 메시지는 상관없다는 건 다니엘레님도 아셔."
이에 클로에는 오라비가 더 당황하기 전에 빠르게 끼어들었다. 다니엘레가 그리했듯이 네르딘에게 말을 건네는 모양을 취하고 있었지만 실상은 다니엘레에게 하는 말이나 다름없었다.
"뭐?"
비록 네르딘 앞에서 범인인 것처럼 몰렸지만 클로에는 다니엘레의 반응이 어떠했는지를 기억하고 있었다. 이즈리에가 독을 마셨고 목격자가 그녀를 지목했음에도 불구하고 그는 클로에게 신경 쓰지 말고 쉬는 데에 전념하라 했었다. 이후에도 다니엘레의 태도는 크게 달라지지 않았다. 그가 집중하고 관심을 가진 부분은 이즈리에를 해한 범인이 누구인지가 아니었다. 오히려.
"내가 한 짓이 아니라고. 내가 알고 오빠가 믿고, 오르시니도 알아."
범인이 네르딘인 것처럼 말했지만 지금에 와서 생각해보면 과연 진짜 그리 생각하는지 확신할 수가 없었다. 오라비는 아니다, 절대 그럴 리 없다는 클로에의 외침에 다니엘레는 동조하지도 않았지만 반박하지도 않았다. 누가 했든 상관이 없다는 의미인지, 그가 범인이 아니라는 사실을 이미 알고 있다는 뜻인지, 혹은…… 오라비를 감싸려는 클로에를 더 두고 볼 수가 없었는지.

클로에에겐 범인을 네르딘으로 짐작하고 있는 것처럼 말하더니, 막상 네르딘 앞에선 대화의 초점을 은근히 흐리고 있었다. 다니엘레의 의중을 파악할 수 없었기에 클로에는 일종의 도박이나 다름없는 도전을 하기로 했다. 네르딘을 안심시키면서 동시에 다니엘레에게는 다른 의도가 있음을 알고 있다 넌지시 전했다.

"목격자는 클로에가 독을 손에 넣을 방법이 없었다는 사실까지는 알지 못했습니다."

수긍도 부정도 없이 매끄럽게 이어지는 화제에 바짝바짝 마르는 침을 삼키고 있던 클로에는 담겨 있는 속뜻을 이해하고 뺨을 붉혔다. 저택에서의 클로에는 미타이와 지안니에 의해 밤낮없이 감시당하고 있었으니 독을 구할 틈이 있으려야 있을 수 없었다. 다니엘레는 그 점을 지적했고, 그렇기에 그는 처음부터 클로에에게 모함은 신경 쓰지 말라 할 수 있었던 셈이었다.

"바꿔 말하면 목격자는 거짓 증언을 하라는 사주를 받았다는 뜻이니 처음으로 되돌아가보겠습니다."

"……."

뺨의 열기를 식히고 아무렇지 않은 척 표정을 갈무리하는 데 온 힘을 기울이고 있던 클로에는 원점으로 되돌아온 것만 같아 혀를 깨물 뻔했다. 의심이 제게 다시 돌아오자 네르딘은 되레 눈에 띄게 안심한 기색으로 묵묵부답을 택했다. 다니엘레의 눈꼬리에 살포시 희미한 미소가 접혔다.

"처음에 부정했던 가정 역시 되돌려놓아 볼까요. 네르딘 파르세는 그런 장난질을 할 사람이다. 빠져나가기 위해 비정하게 혈육도 거리낌 없이 이용하고, 전 약혼녀에게 못된 심술을 부리는 사람이라고 한다면. 과연 많은 이가 보는 곳에서 굴욕스럽게 몇 번이고 내치고 무안을 주고 끝내 가문의 사업까지 힘들어지게 만든 원흉에게는 조그만 복수도 하지 않고 넘어갈 수가 있겠습니까."

"네, 넘어갈 수가, 없었습니다."

그럴 리 없다 고개를 저으며 일어서려던 클로에를 눈빛으로 막으며 네르딘은 체념한 듯 수긍했다. 늘어놓은 가정이 맞는다는 의미일까. 다니엘레도 클로에를 제지했다. 닿을 듯 닿지 않을 듯 어깨를 가볍게 스친 손이 천근만근 무겁게 느껴졌다. 답답해서 턱 막힌 목구멍으로 겨우 산소를 삼켜 넘기고 있을 때였다.

"파르세 씨. 다른 이야기를 해봅시다. 앉으시죠."

"네?"

소리 없이 소파에 자리를 잡은 다니엘레가 갑자기 달라진 분위기에 당황해 엉거주춤 서 있는 네르딘에게 착석을 권했다.

"어떻게 갚아줄까 고민을 하던 차에 제게 차를 즐기는 취미가 있다는 사실이 떠올랐다 칩시다."

"……."

"성공 여부가 불투명하기 때문에 대상이 차를 마시는지 곁에서 지속적으로 확인을 해야 하는 번거로운 방법을, 충동적이고 생각이 짧은 네르딘 파르세 씨가 고안하고 실행했다고도 말입니다."

언뜻 들으면 면전에 던지는 악담이나 다름없었지만 막상 화를 낼 법한 이는 딱딱하게 굳은 채였다. 불쾌해하는 감정을 나타내지도 않았다. 일방적인 매도를 듣고도 반응하지 않는 네르딘에게 대체 무슨 생각을 하고 있느냐고 따지기라도 하려면 옆에 앉아 있는 다니엘레를 넘어가야 했다. 따라서 클로에는 불안하리만치 잠잠한 두 남자 사이로 섣불리 끼어드는 대신 지켜보기를 택했다.

"무언은 긍정으로 받아들이고 계속해보겠습니다."

"아뇨! 그러실 필요 없습니다. 무슨 추측을 하고 계신지 모르겠지만 제가 계획했고 저 혼자 저지른 일이라는 사실은 변하지 않습니다."

편하게 기대어 앉아 있던 다니엘레가 기습적인 자백에 한쪽 눈썹을 치켜 올렸다. 조금 전까지만 해도 당황하는 태도로 미루어 짐작했을 정도의 심증뿐이었는데 끝내 스스로 범인이 맞는다 밝히고 말았다. 클로에가 작게 탄식했다. 잠잠했던 이유는 털어놓기 위해서였던가.

"제가 그랬습니다. 제가…… 동생에게 누명을 씌우고, 질투와 자격지심에 눈이 멀어서."

아무 말도 못 하고 있더니 한 번 둑이 터지자 막혀 있던 물이 콸콸 쏟아져 나오듯 고백을 털어놓았다. 두 손을 마주잡고 고개를 숙이고 시선을 피한 채 자신이 했노라고 주문을 외우듯 중얼거렸다. 어떤 심정의 변화를 겪다가 계획을 어떻게 세웠는지, 독을 어떤 경로로 구했는지를 막힘없이 줄줄 늘어놓는 네르딘의 모습은 피해를 입은 입장에서는 꽤나 뻔뻔스러워 보일 텐데도 다니엘레는 평온했다.

"파르세 씨."

"동생은 아무것도 모르지만, 모든 일은 제가."

"파르세 씨."

충격적인 자백을 하는 와중에도 동생은 지켜보겠다는 꼴을 우습다고 할지, 가소롭다 할지. 첫 번째 제지를 듣지 못하고 제 하고 싶은 말만 늘어놓는 네르딘을 향해 또박또박, 한층 더 강한 어조로 말을 끊으며 제지하자 그제야 네르딘의 입이 다물어졌다.

"다시 조금 전의 주제로 돌아가봅시다."

"……."

"말씀드렸듯이 마침 준비되어 있던 목격자는 그 자신이 지목할 대상을 알고는 있었지만 심층적인 정보는 몰랐습니다."

이즈리에가 입을 댄 찻잔에 마지막으로 손을 댄 사람이 클로에였다고 증언한 갈색 머리의 메이드. 네르딘을 의심하고 있었을 다니엘레는 메이드의 진술을 오롯이 진실로 받아들이지 않았다는 이야기로 들렸다. 클로에의 시선이 다니엘레의 입술에 닿았다.

"네르딘 파르세 씨가 위증을 하라 사주하면서도 오르시니의 저택에 머무르고 있던 여자가 자신의 동생이라고는 말을 하지 않았기 때문일까요. 때문에 목격자는 범인의 동기가 페인 영애에 대한 질투이자, 그녀의 자리를 넘보는 욕심 때문이라고 밝힙니다."

네르딘은 이해가 되지 않는다는 표정이었다. 당연했다. 클로에가 저택에 있었다는 사실도 몰랐던 사람이다. 메이드가 클로에를 지목하며 외쳤던 내용에 대해서도 알 수 있을 리 없었다.

"목격자가 믿고 있었듯이 페인 영애가 정말로 조만간 제 프러포즈를 받을 예정이었을까요."

동시에 명확해졌다. 네르딘은 이즈리에에게 질 나쁜 짓을 저지르지도 않았고 다니엘레에게 의도적으로 찻잎을 선물하지도 않았다. 무슨 연유로 꿋꿋하게 자신이 한 일이라 주장하는지는 모르겠지만 지금 다니엘레는 네르딘이 아니라는 전제하에 이야기의 타래를 펼치는 중이었다. 그리고.

"제가."

네르딘의 얼굴이 끝끝내 슬프게 일그러졌다. 다니엘레가 그의 말을 믿지도 않고, 그의 주장을 들어줄 생각도 없다는 사실을 확인한 후였다.

“단도직입적으로 말씀드리겠습니다, 파르세 씨. 아직 외부로는 새어 나가지 않게 해두라 일렀지만 그것도 한계가 있겠지요. ……지안니가 다쳤습니다.”

“네?”

“동생을 다치게 한 자는 아직은 잡지 않았으니 원하신다면, 이 또한 파르세 씨가 한 일로 만들어드릴 수는 있습니다만.”

“…….”

다니엘레는 너무나도 태연하게 네르딘을 다니엘레와 이즈리에의 독살 미수 건으로도 모자라 지안니 상해 건까지 모두 엮어 범인으로 만들어주겠다는 제안 아닌 제안을 하고 있었다. 네르딘이 하지 않았다는 것은 알긴 알지만 정 원하니 범인으로 몰아주겠다.

숨을 쉬는 것처럼 당연하고 스스럼이 없이 꺼낸 말이라 협박인지 제안인지 헷갈릴 정도였다. 그런데 대꾸를 하지 못하는 오라비를 향해 클로에가 아무리 끄덕이지 말라 눈치를 줘도 네르딘에게선 그럴 필요 없다는 등의 대답이 나오질 않았다.

“누구를 대신해서 희생하시려는지 묻어두겠습니다. 대신 드리고자 했던 이야기는 클로에에 관해서입니다.”

"……제 동생 말씀이십니까."

"네, 클로에를 저희 쪽에서 보호했던 문제에 대해서."

네르딘은 자신의 동생이라 선을 그었고 다니엘레는 아무렇지도 않게 클로에의 이름을 스스럼없이 부르는 방법으로 응수했다. 착각일 수도 있으나 두 남자가 어쩐지 서로가 서로에게 클로에를 이유로 날을 세우고 있는 기분이 들었다. 정작 날카롭게 굴 만한 다른 이유들은 버려두고.

"아무래도 보호자께도 알려드리는 것이 맞는다 여겨 대화를 나눌 자리를 마련하고자 초대를 드렸습니다."

네르딘을 초대한 이유는 클로에의 보호자로서 공식적으로 오르시니의 거주지에 머무르는 것을 허락하게끔 하기 위함이었다.

어떤 면에서는 제안의 탈을 쓴 협박에도 가까웠다. 요청을 거절하고자 한다면 네르딘이 감싸고 있는 배후를 밝히라는 종용. 배후를 드러내는 것조차 거부한다면 남은 길은 네르딘이 처음에 각오했던 대로 스스로 죄를 뒤집어쓰는 것뿐.

다만 그가 감수하려고 했던 부분에 추가로 지안니의 일까지 더해질 터, 미수로 끝난 다니엘레나 눈감아주겠다고 한 이즈리에와 달리 지안니는 실제로 다쳤으니 처벌은 더더욱 피해갈 수 없을 터였다.

더구나 클로에에게 혐의를 두고 있노라 말로는 몰아세우되 외부에 공표할 생각이 없는 듯이 행동했었으나 이제부터는 숨겨주지 않겠다고 암시하는 것이기도 했다.

"하지만……."

진짜 범인이 누구인지를 알고 있는 듯한 네르딘이 내놓아야 할 대답은 하나뿐인데도, 그는 입을 떼지 못하고 있었다. 높은 확률로 다니엘레는 네르딘이 이렇게 나오리라는 것까지 예측하고 유도했으리라는 의구심도 들었다.

"오빠. 난 오빠가 한 것이 아니라면 그걸로 만족해. 그러니까 하고 싶은 대로 해."

"……클로에."

대체 네르딘은 무슨 일에 휘말린 걸까. 누구를 왜 그토록 숨기고 대신 누명을 쓰는 것을 마다하지 않는 걸까. 이해할 수 없는 일들 속에서 클로에가 할 수 있는 일이 하나 있었다.

"나 당분간 외박 좀 더 하다 갈게. 부모님껜 잘 둘러대줘."

"……."

힘들어 보이는 오라비의 마음의 짐을 덜어주기 위해 동생은 자기 의지로 남기로 한다는 형태를 취했다.

"내가 어디에 누구랑 있는지 아니까 별일 없을 거야. 안 그래도 여기가 안전해서 지내고 있었다고 했잖아?"

갈팡질팡하면서도 동생을 놓지 않으려 하는 오라비에게, 그가 전해 들었던 핑곗거리를 상기시켜주었다. 오르시니는 네르딘에게 그리 말했었다. 클로에가 신변 보호를 이유로 몸을 위탁했었다고.

"그러니 내 걱정은 하지 말고."

다니엘레는 여기까지도 계산했을까. 설마 그 정도까지는 아니리라. 속으로 부정하며 클로에는 입가에 네르딘을 안심시키기 위한 미소를 띠었다.

ℭ

—참, 이 조언을 해준다는 것을 깜빡할 뻔했습니다. 파르세 씨. 약속드리죠. 파르세 씨가 지키려는 이는 지킬 수 없을 겁니다.

만찬을 끝내고 해가 져 어둑어둑해진 시간에 클로에를 두고 떠나는 마차에 올라타는 네르딘을 배웅하던 다니엘레가 알 수 없는 미소를 지으며 인사를 건넸다. 클로에는 네르딘의 창백해진 얼굴을 뒤로하고 성으로 끌려 들어오다시피 했다.

"으으. 큰일 났다."

클로에를 듬직하게 지켜주던 가족은 돌아갔다. 동생과 저울질하면서까지 지키려던 사람이 누구냐고 캐묻고 이게 고민이

나 할 문제냐고 원망하기에 앞서, 넓은 시야로 볼 때 차라리 그를 돌려보내고 자신이 남는 쪽이 둘 모두의 신상에 이롭겠다는 판단이 들어 남기로 했지만 막상 성으로 돌아오고 나니 묻어두었던 문제가 생각났다. 새장에서 결국 탈출했고 옷을 무단으로 빌려 입고 도망가려다 걸렸었다.

"무서운데. 화내려나……?"

상대는 무려 다니엘레다. 차라리 지안니가 덜 무서우려나. 아니다. 솔직히 지안니는 다른 의미로 무섭기는 마찬가지다.

잠깐 쉬고 있으라며 그의 개인 서재로 안내를 한 다니엘레가 나간 이후로 얼마만큼의 시간이 흘렀는지는 알 수 없었지만 콩닥콩닥 뛰는 심장을 가라앉히기에는 조금이나마 도움이 되는 정도이긴 했다. 서재 안을 초조하게 돌아다니던 클로에는 한쪽 벽면을 가득 채우고 있는 책장에 스륵 기댔다.

"나 죽을까……?"

미타이처럼 막무가내로 달려들거나 지안니처럼 싸늘하게 압박하지는 않을 테니 대화를 시도해볼 가치는 충분히 있다고 생각하기 무섭게 입을 다물고도 누구보다 무서운 다니엘레의 얼굴이 떠올랐다. 생길 뻔했던 자신감은 전광석화로 사라졌다.

혼나는 정도가 아니고 이번엔 정말로 죽을 정도로 울부짖게 되는 거 아닐까. 죽을지도 몰라. 혼난다는 행위가 일반적인 의미 대신 야릇한 뜻을 동반하고 있다는 것을 어느새 자연스럽게 받아들이고 있었다. 그러나 스스로 그 사실을 눈치채지도 못한 클로에는 힘없이 훌쩍였다.

"죽어?"

문이 열리는 소리나 발걸음 소리 따윈 전혀 나지 않았는데 어느새 들어온 남자가 클로에의 혼잣말을 가만히 되뇌었다. 소스라치게 놀라는 대신 바닥의 양탄자를 보고 있던 시선을 위로 들었다.

"어, 어서 오세요?"

예상했던 대로 서재의 주인이 앞에 서서 손을 내밀고 있었다. 책장에 엉거주춤하게 기대고 있던 클로에를 일으켜 세우려는 몸짓이었다.

다니엘레에게 본능적으로 손등이 보이게끔 오른손을 건네는데 입에서는 의도하지 않은 인사가 튀어나왔다. 아차. 이래서야 그를 기다리고 있었던 것으로 보이지 않을까. 그런데 낭패감에 뒤늦게 다급히 입을 다무는 바람에 정작 다니엘레의 질문은 회피한 셈이 되었다.

"오래 기다리게 했군."

어디까지 들었는지 모를 혼잣말을 못 들은 척해주기로 한 모양이었다. 한 번 물었을 때 바로 답을 하지 않으니 두 번 세 번 추궁하는 일은 없었다. 그저 손을 잡고 일으켜 세워주며 늦는 바람에 기다리게 한 것에 대해 덧붙여 사과할 따름이었다.

"괜찮아요. 진짜로. 정말로."

클로에는 엄청난 말이라도 들은 듯 이제야 화들짝 놀라 펄떡 뛰어오르며 극구 겸양의 인사를 건넸다. 다니엘레는 세게 힘을 쥐고 있는 것 같지 않은데도 잡혀 있는 손은 통 빠지질 않았다.

"기다린 건 괜찮은데."

꿀꺽, 침이 소리까지 내며 넘어갔다. 긴장으로 빳빳하게 굳은 손은 다니엘레도 아주 잘 느끼고 있으리라. 중요한 순간에 말을 더듬어버려 부끄럽기도 했지만 지금은 부끄러운 감정을 신경 쓸 때가 아니었다.

"다른 걸 사과……하셔야죠."

해냈다. 해버렸다. 방어 차원에서 먼저 공격에 나선다는 것이 저질러버렸다. 상대가 미타이였다면 보다 편하게 명령하듯 혹은 칭얼거리듯 요구할 수 있었을 텐데, 현실은 다니엘레이다 보니 굉장히 긴장할 수밖에 없었다. 대담하게 툭 말을 던져놓고도 휙 시선을 피해버렸다.

"흠."

웃은 걸까. 아닐까. 묘한 의미가 압축해서 담긴 한마디였다. 클로에의 드러난 어깨에 숄을 둘러주고 있던 다니엘레는 한동안 가타부타 말이 없었다.

"저도 아니었고, 오빠도 아니었다고. 그리 말씀하셨으니까."

"그대의 오라비가 이미 고백했었지 않나. 자신이 저지른 짓이라고."

"그야! 상황을 그렇게 몰아갔으니까! 믿지도 않으시면서."

비록 네르딘은 자신이 저질렀다 자백하긴 했다. 클로에도 똑똑히 들었지만 동시에 다니엘레가 함께 밝힌 또 하나의 가능성 또한 분명 들었다. 오라비를 구석으로 몬 당사자가 먼저 네르딘 역시 클로에와 마찬가지로 함정에 빠졌을지도 모른다는 가정을 제시했었다.

"미안하다."

"그리고 우……리가 그렇고 그렇긴 했지만 그렇다고 오빠 앞에서 제 이름을 막…… 네?"

"어느 정도 짐작은 하고 있었지만, 짐작과 별개인 사감으로 그대의 오라비를 일부러 몰아붙이긴 했지. 따로 사과는 확실히 하겠다."

예상보다도 빠르고 순순한 시인이었다. 목적을 가지고 네르딘을 괴롭힌 셈이라는 인정이었다. 혹여나 시치미를 뗄까 바짝 경계의 날을 세우고 하나하나 따질 준비를 하던 차였으나 그만 맥이 탁 풀려버렸다.

"오빠도 아니라는 거…… 언제부터 알았어요?"

"시기가 중요한가?"

긴장이 풀리면서 늘어진 어깨의 숄을 가지런히 정리해준 다니엘레가 클로에를 이끌어 의자에 앉혔다. 소파가 아닌 책상

의자였기 때문에 아무리 크고 푹신해도 결국 1인용이라 다니엘레는 서 있게 되었다. 따라서 고개를 한껏 뒤로 젖혀야 그를 올려다볼 수 있었다.

“당연히…… 난, 저는 그런 줄도 모르고 오빠가 어떻게라도 됐을까 봐…….”

“그래, 그런 사람이었지, 그대는.”

“네?”

“제 걱정보다도 가족 걱정. 차라리 가족이라면 이해를 하겠어. 항상, 언제나, 매번 오라비. 그대가 사과를 요구할 문제는 따로 있을 텐데.”

왜 화가 나 있을 다니엘레가 오히려 지쳐 보이는 걸까. 정작 제일 처음 걱정했던 추궁 대신 다른 지적이 튀어나왔다. 지적이라고 하기에도 부족한, 비난과 원망. 언제고 본 듯한 기시감이 다시 긴장으로 굳은 클로에를 감쌌다. 해야 할 말을 찾지 못하고 한참을 시선을 이리저리 옮겼다. 벌을 서듯 세워둔 꼴이 된 다니엘레를 똑바로 보기가 힘들었다.

“그대가 날 비난하고 두려워하고 싫어해도 상관없다. 공포에 잠식되어 차라리 새장 밖으로 나올 생각을 하지 못하게 된다면, 그래, 불완전할지언정 우리만을 바라보게 만들 수 있으니 다행이며.”

“…….”

"혹은 저주를 퍼부으며 끝없이, 말라붙어 핏방울이 비칠 때까지 무릎을 꿇고 잘못을 빌라고 하면, 그래, 기뻐할지도 모르지."

"……."

"그만큼 그대는 나를, 우리를 보면서도 보질 않으니."

분명 다니엘레를 휘두르고 있어야 하는 상황인데 정작 들으면 들을수록 조마조마해지는 사람은 클로에였다. 왜 고백 같을까. 왜 그녀를 좋아해서 원망하는 것처럼 들릴까. 왜 네르딘과의 관계를 질투하는 것처럼 보일까. 왜……. 방이 덥게 느껴지고 머릿속이 뒤엉켰다.

"클로에 파르세."

조용하지만 또렷하고 낮은 음성이 클로에의 이름을 불렀다. 속내를 읽을 수 없는 금안이 뚫어지게 응시했다. 적금색 머리카락 한 다발이 다니엘레의 입술에 닿았다가 그의 손에서 스륵 미끄러져 빠져나갔다.

"그대는 거래를 하려고 하지 않아도 되니."

속마음을 꿰뚫어보고 있는 것만 같은 속삭임이었다. 힘이 빠져 있는 손등에 부드러운 입술이 닿았다 떨어졌다.

"이렇게 앉아서 내게 요구하면 된다."

"네……?"

"내가 어떻게 해주었으면 하는지. 조건 없이."

무슨 말인지 이해를 하기도 전에 어둑한 그림자가 스륵 다가왔다. 처음에는 입술이었다. 쪽, 벌어진 입술에 살포시 닿은 부드러운 감각이 위로 전이됐다. 인중을 스치고 콧등을 삼켰다. 더 질척하고 적나라한 키스도 여러 번 해봤건만 새삼 간질간질하고 아슬아슬한 입맞춤에 빻이 붉어져서 클로에는 무심코 두 눈을 감아버렸다.

눈꺼풀에도 후끈한 입김이 지나갔다. 무릎 위에 모아둔 손등을 묵직한 무언가가 덮었다. 애태우는 키스가 얼굴 이곳저곳을 지나쳤다.

"으으."

그러나 그뿐이었다. 클로에의 얼굴이 일그러졌다. 보기 흉할 텐데도 다니엘레는 희미한 미소를 띤 채 미동도 없었다.

—이렇게 앉아서 내게 요구하면 된다.

무서운 사람을 안 무섭게 만들어보고자 어설프게 시도한 결과였다. 구차한 변명 없이 깔끔하게 잘못을 인정하고 사과를 하는 것도 당황스러웠던 데다 클로에가 원하는 대로 관계의 우위를 점하게 된 것 같은데 영 불안함이 가시지 않았다.

그뿐이랴. 바닥에 무릎을 대고 클로에와 마주 보는 자세로 정중하게 키스를 하는데, 딱 거기까지였다. 간지러운 스침 하나하나에 온몸의 솜털이 곤두서고 얼굴이 달아오르고 있는데 다니엘레는 그 상태에서 멈췄다. 지안니나 미타이였다면 정신을 쏙 빼놓자마자 달려들었을 텐데, 다니엘레는 이어질 행위를 기대하고 있는 클로에의 몸으로부터 모르는 척 담백하게 떨어졌다. 그제야 클로에는 그가 말하고자 하는 바를 확실하게 알아들었다.

키스 이상의 것을 바란다면 요구하라는 뜻이었다.

—조건 없이.

단, 요구할 때 걸어야 하는 조건은 없다. 클로에가 원하는 것을 말하기만 하면 들어주겠다. 그러니 거래를 할 필요는 없다는 말을 했으리라.

"……."

참지 못하고 뜨인 갈색 눈동자가 흔들렸다. 네르딘과 함께 돌아가지 못하게 잡아둘 때만 해도 새장으로 돌려보내려는 줄 알았는데. 다니엘레는 클로에가 그의 제안을 받아들이리라 생각할까, 거부하길 원하고 있을까.

「말하지 마.」

이성이 속삭였다.

「말해도 돼.」

본능이 속살거렸다.

달아오른 피부를 화끈한 열기가 유혹했다. 클로에를 올려다보는 무표정한 얼굴은 딱딱했고, 정중하게 절제된 손짓은 유혹과는 굉장히 거리가 있어 보고도 믿기 어려웠지만, 정말로 유혹 같았다.

"……뭐든지요?"

의심이 가득 담긴 탓에 목소리가 살짝 잠겨버렸다. 어렵게 꺼낸 확인이었는데 이 한마디만으로도 이성이 시끄럽게 고함을 질렀다. 아예 말을 하지 말았어야 했노라고 정신이 쏙 빠져나갈 정도로 난리를 피웠다.

"뭐든지."

"제가 무엇을 원할지 알고요?"

한편으로는 궁금했다. 다니엘레에게 푹 빠져 다른 생각을 하지 못하는 상태라면 클로에가 할 법한 요구는 하나다. 즐기게 해달라는 것. 그러나 그 반대라면 다니엘레에게 불리한 요구라면 뭐든 하려고 할 텐데, 대체 무슨 자신감일까.

"그런 말을 하는 사람이니까."

이런 와중에도 상대만을 염려하는 클로에를 꼬집는 것으로 대답을 대신하는 다니엘레였다. 클로에는 그의 지적을 듣고 나서야 아차 했다.

"그러면."

슬금슬금 손을 빼냈다. 이 이상 맡겨두었다가 온기에 익숙해져 버리기라도 하면 큰일이다. 다니엘레는 피하는 클로에를 보고만 있었다.

"내일 돌아가고 싶어요. 집으로."

"요구는 그뿐?"

"제가 돌아간다고 해서 제 오빠를 건드리진 마시고요……. 부모님도. 그리고, 어……."

"그리고?"

요구를 하는 사람은 클로에고 다니엘레는 일방적으로 대가 없이 들어주겠다고 한 사람인데, 그녀만 초조해하고 있었다. 왜인지 그라면 이 모든 것이 함정일 것도 같아서일까. 함정이라고 여길 만한 근거도 이유도 없었기에 의혹으로 그쳤지만 불안의 씨앗이 남은 탓에 마음을 놓을 수가 없었다. 그럼에도 이 기회를 놓칠 수 없어 다니엘레로부터 얻어갈 수 있을 만한 것을 떠올리기 위해 애를 썼다.

"아. 과실주. 네, 그 평판도."

"과실주? 아아. 어차피 그대의 오라비와 자리를 마련해야 할 일이 있으니. 그리고?"

너무나 순순했다. 심지어 간단한 일을 처리하는 수준이라는 듯한 반응이어서 긴장하느라 올라갔던 어깨의 힘이 빠졌다. 솔을 고쳐준 것으로 보아 다니엘레도 분명 눈치챘지만 모른 척 그다음 요구를 재촉했다.

"그대 자신을 위한 요구가 없잖은가. 집으로 돌아가고 싶다 외에는."

그 정도면 충분한 것 같은데, 듣고 있자니 마치 클로에의 소원이 따로 있는 것처럼 들렸다. 무슨 말이든 해야만 할 것 같은데 혼란스러운 머릿속에서 이거다 딱 짚이는 요구사항이 없었다. 이어서 떠오르는 문장들도 의문에 가까웠다.

그리고…….

"집으로 보내주시기만 한다면, 제 가족을 건드리지만 않는다면 더 바랄 것이 없어요."

다니엘레가 무엇을 요구하라 했는지는 알고 있다. 그러나 차마 키스 이상의 것을 해달라 명령을 할 수는 없었다. 그래서 알아듣지 못한 체했다.

"진짜로 당장은 아무 생각이 안 나서, 앗."

손등을 누르고 있는 입술이 뜨거웠다. 장갑을 끼지도 않았고 구속구가 없어 자유로운 손은 다니엘레에게 고스란히 잡혀 입술 도장이 찍히고 있었다. 이제는 빼내려고 해도 강하게 잡혀 빼낼 수가 없었다.

"잠, 잠시만요, 꺅!"

팔이 살짝 돌아가더니 그다음에는 손목 안쪽에 열기가 부딪혔다. 피부가 쪼옥 빨리고는 콰득 깨물렸다. 따끔한 감각에 안으로 당기려던 팔에서 힘을 풀었다.

"이제는 내 차례군."

"네?"

두 손목이 모두 잡혔다. 왼쪽, 오른쪽 순서대로 손목의 안쪽이 빨렸다. 피부가 쭉쭉 당겨졌고 입술이 떨어져 나간 후에도 화끈화끈한 감각은 그대로 남아 있었다. 그다음 순서로 깨물리려나 싶어 다소 긴장했지만 푹신한 입술이 손바닥을 훑었다.

클로에의 왼손 손바닥을 입에 대고 느긋하게 올려다보는 시선은 여유로웠다. 반면 클로에의 눈동자에선 다니엘레와 같은 여유는 찾아볼 수가 없었다.

분명 무릎 꿇은 자세로, 앉아 있는 클로에를 경외하는 대상을 맞이하는 태도로 고개를 들고 있건만 다니엘레의의 금안과 마주치자 옴짝달싹도 할 수 없었다. 손을 잡힌 채로 내려다보는 것이 고작이었다.

구석구석 입술로 도장을 찍은 손을 팔걸이 위로 옮겨 얹었다. 구속하고 있는 것은 아무것도 없지만 양팔은 보이지 않는 것에 묶이기라도 한 듯 얌전히 꼼짝 않고 놓여 있다가 다니엘레가 발목을 잡았을 때 잠깐 튕겨 올랐다.

큼직한 코르사주가 장식된 뮬이 벗겨져 옆으로 나뒹굴었다. 풍성한 드레스 자락 안으로 들어온 침입자가 스타킹을 아래로 끌어내렸다. 돌돌 말려서 벗겨진 스타킹도 뮬 근처로 날아갔다.

"저, 저기."

고스란히 바깥으로 드러난 발등에도 기어코 입술이 닿았다. 오른쪽이 먼저였고 왼쪽은 그다음. 순서대로 입술이 발등의 표면을 쓸었다. 손도 아니고 발이라니. 본능적으로 움찔움찔 끌어당기려 했지만 강하게 잡고 있는 힘이 놓아주질 않았다. 끝끝내 엄지발가락까지 쪽, 습윤한 폭풍에 휘말렸다.

"그만, 그만!"

발가락이 빨리는데 대체 왜 다리 사이가 젖어들기 시작한단 말인가. 아무리 다니엘레가 자아내는 분위기가 그럴듯하다 해도 그렇지. 울상을 지으며 다급하게 그만해달라 「요구」를 했다. 무거운 추가 달린 것 같은 팔을 힘들게 들었을 땐 두 발이 다니엘레의 손바닥 위에 있었다.

"지금은 그대 차례가 아니지."

미소를 보기 힘든 입의 꼬리가 조금이나마 올라간 것 같았다. 멈칫한 손끝이 반쯤 안으로 구부러졌다.

맨발이 된 덕에 감싸는 손길을 선명하게 느낄 수 있었다. 조심스럽게 발을 쥐고 발바닥 정중앙에도 키스를 했다. 쪽 쪽 가벼운 질척임과 함께 부드러운 바람이 스치자 간질간질한 감각이 피어났다. 키스 세례를 받고 있지 않은 반대편 발도 상황은 다르지 않았다. 조심스럽게 쥐느라 감싸고 있는 손끝이 발바닥을 긁었고, 양발이 동시에 잡힌 클로에는 들썩이는 엉덩이를 꾹 붙이고자 팔걸이에 팔꿈치를 대고 지탱하려 했다.

"우으응."

견딜 수 없이 간지러운 감각에 몸이 은근히 뒤틀렸다. 비부에서 망울망울 애액이 솟아나오고 있었다. 모르긴 몰라도 수풀을 적시고 속옷에도 스며들었으리라. 제 것이 아닌 옷을 적셨다는 생각이 드는 순간 뺨이 달아올랐고 부끄러운 생각에 되레 음부에서 액체를 더 잔뜩 쏟아내버렸다. 의자에 기대어 앉아 두 다리를 빼앗긴 채 움찔거리던 클로에의 입에서 순간적으로 신음이 터져 나왔다.

"듣지 마세요……."

줄곧 목이 쉬도록 질러댔던 신음 소리가 유독 부끄럽게 느껴진 데에는 다니엘레의 존재 탓이 크다.

다니엘레와 정사를 나누긴 했지만 그때마다 다른 누군가도 함께 있었다. 다니엘레와 단둘이 묘한 분위기를 만들어낸 적은 오늘이 처음이었기에, 온전히 그만을 바라보는 것도 처음이었다.

서로가 의복을 전부 갖춰 입고 책이 가득한 서재의 아른거리는 노란 불빛 아래, 클로에의 발에 입을 맞추고 있는 다니엘레의 모습에서 도무지 눈을 뗄 수가 없었다. 다른 두 형제와 다르게 색기와는 관련이 없는 남자인데도 야릇한 분위기를 자아냈다. 차라리 지안니 때처럼 미약이라도 먹은 탓이라고 생각하고 싶었다.

애처로운 요청에 잡고 있던 발을 내려주었다. 이미 빨릴 대로 빨려 이곳저곳이 화끈거렸지만 뒤늦게라도 풀려났음에 안도하던 것도 잠시, 다니엘레와의 거리가 가까워졌다.

"흡!"

그러나 전부 풀어준 것이 아니었다. 여전히 한쪽 발목을 잡은 채 입술을 복사뼈로 옮겼다. 얇은 피부가 잘근잘근 물리고 다니엘레의 머리가 천천히 위로 올라왔다. 잡혀 있지 않은 반대편 다리가 반으로 접히며 위로 밀렸고 드레스 밑단이 들렸다.

발목에서부터 만들어지기 시작한 붉디붉은 자국은 종아리로도 이어졌다. 알싸한 흔적이 점차 깊숙한 안쪽으로 들어갈 기미가 보이자 클로에가 반사적으로 붙잡히지 않은 쪽의 무릎을 기울였다.

"그대는, 내가 무섭다 했던가. 죽을지도 모르겠다 생각할 정도로."

가까워지던 다니엘레와의 거리가 일순간 멈췄다. 클로에 역시 놀라는 바람에 떨림이 멈췄다. 혼잣말을 처음부터 다 듣고 있었던 건가. 그렇게 일찍 왔는데 전혀 눈치채지 못하다니. 더 중얼거린 말이 없나 열심히 기억을 더듬는데 다니엘레가 평온하게 말을 이어갔다.

"지안니 녀석이야 그대가 두려워할수록 즐길 테고. 막내 앞에선 그대도 긴장을 푸는 듯한데."

클로에의 두 다리를 위자 위로 밀어 올려 두 팔을 누르며 하나씩 팔걸이에 걸쳤다. 벌어진 다리를 덮어 가리고 있는 드레스를 뭉텅이로 잡아들자 스타킹이 벗겨지고 하얀 드로어즈만이 남아 있는 하체가 드러났다.

다니엘레가 드레스의 치맛단을 물고 일어섰다. 들추어진 치마 아래 드러난 두 다리 위로 길쭉한 그림자가 다가왔다. 시선을 떼지 못하고 본능처럼 따라 고개를 치켜든 클로에의 콧등으로도 어스름이 일었다.

천을 사이에 끼우고 입술과 입술이 부딪쳤다. 살짝 벌어져 있던 도톰한 틈사이로 옷감을 앞세운 혀가 밀고 들어왔다. 당황한 클로에의 눈이 깜빡거렸다. 키스를 받으면서도 눈을 크게 뜨고 있는 바람에 나른하게 내려다보고 있는 금안을 정면으로 마주해버렸다.

"흡……."

물고 온 천을 건넨 혀가 갈팡질팡하고 있는 클로에의 혀를 잡아채며 휘감았다. 혓바닥 아래에서부터 밀어 올리며 빨아 삼킬 기세로 옭아맸다. 강한 인력에 붙어 있는 입에 삼켜진 천은 빠르게 젖어들었다.

드레스 자락을 집어 들어 입으로 고정하고 있는 덕에 하얀 속옷과 다리를 가릴 방패막이는 사라졌다. 뒤로 넘어가려는 머리를 받치며 의자로 올라와 한층 가까이 다가선 다니엘레의 무릎이 스윽 클로에의 허벅지 안쪽을 눌렀다.

맨살이 닿지 않았는데도 용수철처럼 튀어 오를 뻔했다. 그러나 무릎에서 멀어지는 대신 한층 다니엘레의 품에 가까워졌다. 뺨을 감싸고 있던 손이 스륵 아래로 내려갔다.

"……으읍."

드로어즈 너머 세 개의 손가락이 완만하게 타원을 그리고 있는 둔덕 부근을 쓸어내렸다. 그렇지 않아도 어른어른 다가오는데 천이 전해지는 촉감까지 둔화시켰다.

"젖었군."

입술을 거의 떼지 않고 바짝 붙인 채로 낮게 뇌까리는 음성이 귓가에 바로 속삭이는 것처럼 또렷하게 들렸다. 생각보다 액이 많이 나왔는지, 손끝으로도 알 수 있을 만큼 속옷을 적신 모양이라 클로에는 후다닥 시선을 피했다. 어쩔 수 없는 몸의 반응이라곤 해도 이렇게 적나라하게 듣고도 뻔뻔해할 여유는 없었다.

"아니……."

둔덕을 누르는 손에 슬금슬금 힘이 가해졌다. 천천히 속옷 너머로 손톱으로 그리고 있는 원의 크기를 키웠다. 둔하지만 무시하기는 힘든 저릿한 감각에 엉덩이가 들썩였다. 손가락은 어디까지나 간지러울 듯 말 듯 아슬아슬한 경계까지만 오르내렸다.

"흣!"

팔꿈치로 의자를 세게 누르며 버텼지만 들썩임은 억누르기 힘들었다. 맑은 꿀을 한 방울씩 내보내 터트리던 음부는 이내 흘리는 양을 늘렸고 마를 새도 없이 젖어버린 하얀 천은 입에 물린 옷자락처럼 물기를 흡수하고 흐물흐물해졌다.

"으, 흡."

속옷이 흠뻑 젖는 바람에 뭉근하게 전달되던 감각이 또렷해졌다. 속옷을 적시고도 모자라 달큼한 냄새가 다니엘레의 손에까지 옮을 것만 같았다. 다니엘레가 입술을 떼자마자 떨어뜨릴 뻔한 치맛자락을 재빠르게 잡아 도로 물렸다.

"물고 있으면……."

자신에 대한 공포가 조금이나마 덜어질지도 모른다고, 다니엘레가 유혹하듯 속삭였다.

드로어즈가 휙 위로 당겨졌다. 다리를 벌리고 있어 전부 벗겨지진 않았지만 숨겨져 있던 비밀의 장소를 드러내게 하는 데엔 충분했다. 화하게 다가온 찬 공기에 속살이 잠시나마 떨었으나 금세 따듯한 손에 덮였다.

둔덕을 양옆으로 벌리며 갈라진 계곡으로 중지가 쑤욱 뻗었다. 드레스를 물고 있는 윗입술에 쪽, 가벼운 입맞춤이 떨어졌다. 틈을 파고들어 골짜기 안으로 들어간 손가락이 꿀물을 내보내고 있는 근원의 샘을 찾아 더듬었다. 이번에는 천으로 덮인 아랫입술을 잘근잘근 물면서 윗입술을 핥았다. 동시에 도톰하게 자리 잡은 핵을 살살 비틀고 촉촉하게 젖어 있는 샘으로 들어가 치는 손장난에 클로에는 눈을 질끈 감았다.

"쉬이."

샘을 비집고 들어오는 손가락의 개수가 천천히 늘어났다. 하나에서 둘로. 좁게 오므렸던 입구가 벌어지며 단단한 손가락을 꿀꺽 삼켰다. 둘에서 셋으로. 질구에서는 체내 윤활유를 끊임없이 쏟아냈다.

신음이 나오지를 못하고 막혔다. 안으로 침입한 손가락이 말리듯 구부러지며 내벽을 긁었다. 손가락이 들어온 것만으로도 이미 꽉 들어찬 느낌인데, 안에서 말리며 차지하는 공간이 늘어나니 내부가 꽉 차버렸다. 옷을 물고 있는 입술이 파들파들 떨렸다.

감고 있느라 아래로 향한 눈썹에 부드러운 입술이 톡 톡 닿았다 떨어졌다. 뒤통수를 감싸고 있던 손이 움직여 한쪽 뺨을 어루만졌다. 떨고 있는 클로에를 달래는 듯한 손길이지만 떨림은 멈추지 않았다. 마침 음핵이 세게 눌린 탓이었다.

부푼 꽃눈이 이상 뒤로 밀려날 수 없을 때까지 한껏 밀려나다 강한 압박감에 비틀렸다. 찌릿찌릿 피어오르려는 야릇한 느낌에 클로에는 손가락에 발가락에 힘을 주었다. 이리저리 짓눌리고 튕겨 불그스름하게 부은 음핵을 이번에는 힘을 빼고 간질이자 안달이 난 질구가 삼키고 있는 손가락을 조였다.

"흐……."

일부러다. 쾌감의 씨앗을 맛만 보게 하고는 클로에가 받아들일라치면 가차 없이 빼앗아버린다. 클리토리스를 괴롭히다가도 짧은 절정을 맞이하고 싶어지면 손을 떼고 소담히 솟아 있는 둔덕을 벌려 열기를 식힌다. 흘러나오고 있는 끈끈한 액에 젖은 질구가 오물오물 손가락을 조이고 내벽을 비비고 안쪽 깊은 곳까지 쑤셔달라 애원하려고 하면 손을 반쯤 빼내고 끄트머리만 허전하게 삼키고 있도록 걸쳐두었다. 눈과 뺨과 코와 입술에 쏟아지는 키스 세례가 멀게 느껴질 만큼 아래를 안달 나게 만드는 이유는 뻔했다.

"너무……해."

툭, 침에 잔뜩 젖은 치맛자락이 아래로 떨어졌다. 풍성한 드레스가 벌어진 다리는 물론 음부를 괴롭히는 손까지도 가려주게 되었다. 벗은 옷은 없다. 속옷도 반쯤 벗겨져 있을 뿐, 전부 벗겨지진 않았다. 그럼에도 다니엘레 앞에서 알몸으로 있는 것과 다름없는 느낌이 들었다. 어지러워진 탓에 눈을 천천히 감았다 뜨며 중심을 잡으려 애를 썼다.

"저는……."

다니엘레가 의도한 결과는 하나뿐일 터다. 클로에가 그에게 박아달라고 요구하는 것. 이마에 땀방울이 송골송골 맺히고, 질 안에 박혀 있던 손가락이 스르륵 빠져나갔다. 뻐끔 뻐끔 질구가 아쉬운 소리를 냈다.

"아니, 나는. 무서운 게 아니고……."

몸이 잔뜩 들떠 의식이 몽롱해지려는 와중이라 제가 어떤 태도가 되었는지도 모르고 중얼거리는데 순간 잘못 보았는지, 다니엘레의 입가에 짧은 미소가 스쳐 지나갔다.

엉덩이가 높이 들렸다. 충분한 포만감을 얻지 못해 바들바들 떨고 있던 두 다리가 강한 힘에 잡혔다. 손가락과 비슷하면서도 많이 다른 것이 비밀의 문을 찾아 두드렸다.

"……무섭지 않다면."

마치 이 순간을 기다리고 또 기다려왔다는 듯, 언제나 차분하기만 했던 울림이 지금 이 순간만큼은 다르게 들렸다. 들뜬 듯, 초조한 듯. 오래도록 참고 억눌러왔던 감정을 터트리기 직전인 것처럼 고양된 한숨이 속삭임에 섞여 있었다.

감질나게만 만들더니 도통 시작을 하려고 하질 않았다. 고대하던 순간을 앞두고 마지막 계단을 오르기 직전에 멈추고 싶었던 이는 그녀였을까, 그였을까. 입구 언저리에서 배회하기만 하고 좀처럼 들어오질 않는 탓에 초조해지려는 쪽은 오히려 클로에였다. 다니엘레와 맞닿아 있는 손에 힘을 주었다.

드디어.

목소리의 주인은 누구였을까. 언제 안달을 냈느냐는 듯 그녀를 응시하는 단정한 얼굴은 평온을 되찾은 채였다. 다만 기대가 섞인 환희가 금안에 깃드는 것까지는 가리지 못했다. 잠시나마 다니엘레의 눈동자에 사로잡힌 사이, 그가 클로에의 비좁은 틈을 빼근하게 벌리고 침입했다.

"아……앗."

말끔한 거죽 아래 숨기고 있던 이글거리는 불꽃을 재현한 중심이 밀부를 파고들었다. 반사적으로 엉덩이를 뒤로 빼려 했으나 손아귀의 힘이 강해 옴짝달싹할 수가 없었다. 말캉한 피부에 달라붙어 있는 단단한 손가락이 그녀를 놓아주지 않았다. 조그만 틈 하나도 놓치지 않으려는 진득한 움직임이었다.

굴곡이 있고 울룩불룩한 기둥에 밀려 꽃잎이 만개하더니 붉은 입구가 열렸다. 성기가 느긋하게 자리를 잡아갔다. 의도했는지는 모르겠으나 클로에는 그를 온몸으로 고스란히, 밀부로 세세히 느낄 수밖에 없었다. 내벽이 그의 성기를 휘감았는지, 되레 그녀가 그의 성기에 사로잡혔는지도 헷갈렸다. 꿈틀거리며 깊숙한 곳까지 들어온 후에야 다니엘레가 그녀를 먹어치우기를 일시적으로 멈추었다.

두 사람의 하체가 딱 맞게 맞물렸다. 누가 먼저라고 할 것도 없이 동시에 살포시 일그러진 입술 사이로 희미한 신음이 흘러나왔다. 다리 사이가 그의 뜨거운 중심에 데여 홧홧했다.

찰싹 부딪히는 소리가 났다. 자리를 잡은 다니엘레가 움직이기 시작했다. 일견 금욕적으로 보이기까지 하는 무표정이었으나 클로에를 집요하게 채우는 몸짓은 두려울 정도로 뜨거웠다. 그녀의 손끝, 발끝, 머리끝까지 잠식한 불꽃이 식지 않도록 불씨를 지피기 시작했다.

"으, 으응! 응! 흐응!"

어깨에 매달려 있던 팔이 자꾸 아래로 미끄러질 때마다 다니엘레가 잡아서 제게 걸친 후, 다시 쿵 쿵 허리를 쳐올렸다. 클로에는 다리를 팔걸이에 걸친 채 세찬 힘에 밀릴 때마다 등이 의자에 세게 부딪혔다.

"아파, 아프……응!"

머리는 박지 않도록 커다란 손에 보호되고는 있었지만 등과 팔이 욱신거리는 것까진 막을 순 없었다. 꿰뚫린 하체가 들썩들썩 크게 흔들릴 때마다 몸이 위로 붕 떠올랐다가 아래로 끌어내려졌다. 아찔한 열기가 모이고 있는 비부에서 느껴지는 감각과는 대조적이어서 자신도 모르게 내뱉었을 뿐인데 다니엘레가 우뚝 움직임을 멈췄다.

"흐으……."

또다. 몇 번째인지 모르겠다. 배를 잔뜩 죄던 쾌감이 용솟음치기 바로 직전에 다니엘레가 멈춘다. 질척해진 수풀로 덮인 여린 속살은 예민해질 대로 예민해져 조금만 쓸려도 부르르 울음을 토해냈다.

"아픈가."

다니엘레는 차분하게 묻고 있었다. 클로에의 다리 사이에 박혀 있는 기묘하게 흰 성기는 잔뜩 부풀어 흥분해 있었지만 그의 음성은 섬뜩할 정도로 차분했다. 클로에가 땀과 눈물로 범벅이 된 눈꺼풀을 겨우겨우 들었다.

"네…… 히익!"

아직도 다니엘레가 종용했던 요구는 하지 않고 버티고 있었다. 그래서인지 공세가 시간이 지날수록 더욱 심해졌다. 그는 힘없이 끄덕이는 클로에의 몸을 훌쩍 들어 올렸다.

"여전히 무서운가 보군."

"아, 아니, 아뇨! 잠……!"

바람 빠지는 듯 쉰 비명은 충족되지 못한 몸에서 불기둥이 자극에 약한 내벽을 긁으며 빠져나가는 바람에 저절로 나왔는데 다니엘레는 무서워서 내는 소리라고 판단했다. 클로에는 화들짝 놀라 도리질을 했다.

"읍!"

책상을 짚고 선 클로에의 입이 막히고 다니엘레의 손가락이 퉁퉁 부어 있는 꽃눈으로 다가가기 시작했다. 클로에가 다니엘레를 겁낼 때마다 진행되던 의식이 다시 시작되려 하고 있었다.

힘이 빠진 팔이 무너지고 책상으로 엎드리며 쓰러질 뻔했으나 클로에의 입을 막고 있던 손 덕에 아플 만한 일은 일어나지 않았다. 그저 휘청인 탓에 살포시 흔들린 머리카락이 땀방울에 채여 피부에 들러붙었을 뿐.

"아아……."

오른쪽 무릎이 책상 모서리에 걸쳐졌다. 아직도 벗기지 않은 드레스의 풍성한 치마가 펄럭였다. 왼다리 하나로 겨우 서 있었지만 스스로 중심을 잡고 있는 것은 아니었다. 클로에의 뒤에서 다니엘레가 감싸 안지 않았다면 진작 바닥으로 넘어졌을 터였다.

"이렇게 흥건하게 손가락을 적시고선."

벌어진 입 사이로 손가락이 매끄럽게 파고들었다. 몇 차례 그녀의 음부를 들락날락했던 손에선 열기가 훅 끼쳤다. 인중을 누르며 촉촉한 점막을 밖으로 밀어내듯 누르는 움직임에 기습적인 체향을 피할 수가 없었다.

눈을 내리까니 곧고 하얀 손가락들이 보였다. 클로에의 입속을 질척하게 드나드는 손가락은 그전에 묻혀온 체액 때문인지 침 때문인지 젖어서 빛을 되받아치고 있었다. 귓가에 속삭이는 나른한 어조에 비웃는 투가 아닌데도 무척 부끄럽게 느껴졌다.

"여기는, 만져달라고 안달이 났는데."

옷을 입고 있는데도 발가벗겨진 기분이 드는 것은 가림막의 구실을 전혀 못하기 때문일 거다. 치렁치렁하게 늘어진 치마 속으로 들어온 다니엘레의 손이 더듬지 않고도 곧장 음핵을 찾아냈다. 다리 한쪽은 들려져 있고 속옷도 없으니 다니엘레를 막을 만한 것은 없었다. 무엇보다도 지속된 흥분과 직접적인 괴롭힘으로 아플 정도로 부풀어 오른 발간 구슬은 차가운 공기가 닿는 것만으로도 클로에를 움신거리게 만들었다. 다니엘레가 놓치지 않고 지적했다.

"아으……."

"고작 입술을 댄 것만으로도 엉덩이를 흔들어대질 않나."

목덜미에 숨결이 닿았다. 민감한 부위가 이리 많을 줄은 몰랐다. 세게 물지 않고 입술을 대고 속삭이는 것만으로도 간질간질한 느낌이 타고 내려와 등 전체를 움찔거리게 만들었다. 뒷목이 미치도록 간지러워 꺄흐, 흐, 으, 비명을 삼킬 정도였지만 그 감각이 결코 고통으로 이어지지는 않았다. 찌릿찌릿한 전류는 주욱 내려가 엉덩이를 움직였다.

"흐읏! 거긴, 제, 제발……."

퉁퉁 부은 클리토리스를 지분거리던 손끝이 뱀처럼 기어 질구를 만지작거렸다. 이어서 무슨 일이 벌어질지 너무 잘 알고 있는 클로에는 가쁜 숨을 쉬며 애원했다. 힘이 빠져 미끄러지기만 하는 손이 더듬더듬 제 다리 사이를 향했다. 가늘고 뽀얀 손등이 다니엘레의 손목을 덮었다.

"제발?"

"아……."

애원 때문일지, 그의 손목에 닿은 꺼질 듯한 체온 때문일지. 제발? 그다음에는? 움직임을 잠시 멈춘 손은 육성으로 미처 화하지 않은 말이 무엇인지 알면서도 약을 올리는 듯했다. 클로에는 대답 대신 신음을 뱉었다.

"클로에, 난 그대를."

어느새 가까이 다가온 입술이 그녀의 신음을 받아 마셨다. 나지막한 음성이 이름을 한 음절씩 끊어 불렀다. 따듯한 한숨이 그녀의 아랫입술을 간질였다. 다른 어느 누구의 이름도 아닌 바로 그녀의 이름이 불리고 있음을 도저히 외면할 수 없었다.

"그대의 그림자까지도."

삼키고 싶었다. 속살거리는 환청은 집요하게 따라붙는다. 다니엘레라는 사람과는 어울리지 않는 단어이기도 했다. 클로에는 흐릿한 눈을 떴다. 맹수의 눈꼬리가 살포시 휘어 있었다. 그가 웃고 있었다. 만족스러운 기쁨에 가득 찬 금안에 들어찬 그녀의 얼굴이 커지고 가까워진다 싶더니 채 다물지 못한 입술이 쪼옥 빨렸다.

징벌과도 같은 손가락이 아까처럼 또 하나 쑥 들어갔다. 애액이 얼마나 넘쳤으면 허벅지까지 흘러서 말라붙었다. 이젠 손가락 하나 정도는 거뜬히 삼켰다. 두 개도 통증은 없었다. 좁은 입구 때문에 두 개째부턴 뻐근한 느낌이 들었지만 고통스럽진 않았다.

"하으응!"

내부로 들어온 두 개의 손가락이 집게처럼 양옆으로 벌어졌다. 동시에 좁다고 생각했던 질구도 빠끔빠끔 입을 벌렸다. 들어오는 것도 없이 입구만이 벌어지며 찬 공기가 들어오는 것 같은 느낌이 들자 버티고 선 다리가 떨렸다.

"제발?"

지치지도 않는 샘물이 짧은 속삭임에 한 움큼 터져 나왔다. 손가락으로도 타고 흘렀다. 천천히 벌리며 다니엘레가 여전히 나른하게 뇌까렸다. 그가 하고 있는 행동과는 상반된 어조는 오히려 어절 마디마디에 유혹적인 분위기가 섞이게 했다.

제발 뒤에 이어질 말을 종용하며 귓불을 문 순간 저도 모르게 박아달라고 외칠 뻔했다. 겨우 내쉬는 호흡이 점점 감당하기 힘들어졌다. 다니엘레가 단단하게 잡아 벌리고 있는 질은 한참 전부터 굵은 무언가로 쑤셔달라고 애타게 외치고 있었다. 음부의 간지러움은 다리를 잡아 뽑고 싶을 만큼 참기 힘들어졌다. 클로에는 헐떡이며 울었다.

"가…… 시, 심한 말…… 하지, 말아요……."

제발 가게 해주세요……. 목 끝까지 올라왔던 호소는 간발의 차이로 도로 삼켰다. 부들부들 떨리는 목소리를 쥐어짜 다른 요구로 대신했다. 이대로 버텼다간 다니엘레가 뱉는 음란한 말의 수위가 높아질 기세였는데, 절대 그런 말을 하지 않으리라 생각한 남자의 입에서 나올수록 정신을 차릴 수 없을 것만 같아 쥐어짜낸 부탁이자 요구였다.

그를 받아들이고 싶다. 정욕에 휩싸인 본능에 이성이 진 탓만은 아니었다. 다니엘레의 처음 보는 표정을 본 순간 세웠던 벽은 이미 반쯤 허물어졌었다. 아니, 어쩌면. 그전부터……. 몇 번이고 다니엘레의 원망이 어린 듯한 시선을 받으면서부터.

그리고 후끈한 한숨에 섞여 있던 아주 작은 고백을 들은 것 같았을 때, 벽은 전부 허물어져 버렸을지도 몰랐다. 다만 스스로 다리를 벌리며 박아달라 외칠 용기가 나지 않을 뿐이었다. 대신 머뭇거리며 다니엘레의 어깨에 손가락 끝을 걸쳤다. 꼼지락꼼지락 손가락들이 애벌레처럼 기어가더니 어깨를 전부 감쌌다.

"그대가."

시간은 제법 걸렸으나 어깨를 짚은 두 손이 의미하는 바는 명확하게 하나다. 다니엘레에게 몸을 맡기겠다는 허락이었다. 맹수에게서 날아올 거친 폭풍우가 두렵지 않은 건 아니지만.

"명령한다면 따라야지."

그리고 클로에 스스로가 자신을 위해서 처음으로 다니엘레에게 한 요구이기도 했다. 클로에의 말을 듣느라 잠시 멈추었던 다니엘레가 웃으며 키스했다.

그가 밝게 웃었다는 사실에 놀라기도 전에 목의 살결이 깨물렸다. 잘근잘근 물고 쫍쫍 빨다가 놓는 사이 비부에 후끈한 열기가 다가왔다. 다니엘레의 페니스였다.

"아…… 아……! 아으으!"

미타이만큼 팔뚝만 한 굵기는 아니라고 안심했던 것도 찰나,

단정한 얼굴을 봤을 땐 결코 연상할 수 없는 기묘한 형태의 성기가 촉촉하게 젖은 채 열려 있는 문으로 느린 속도로 들어갔다.

"흐, 소, 손…… 아흥!"

문을 열어두느라 먼저 들어가 있던 손가락을 빼지 않은 상태에서 성기의 머리가 후벼 파자 질구가 뻐근하게 벌어지는 느낌에 다니엘레의 손목을 잡으려 허공을 휘저었다.

"그대와 난, 여기로는 처음이었던가."

의문형이지만 답을 듣기 위함은 아니다. 다니엘레는 이미 답을 알고 있었다. 몇 차례의 관계가 있었지만 클로에의 여성과 다니엘레의 남성이 둘이서만 조우한 것은 지금이 처음이었다. 허공을 휘젓던 팔이 우뚝 섰다.

"난 그대가 내 동생들보다 더 확실하게, 잊을 수 없게. 내 것을 기억해주었으면 한다."

고막에 새겨지는 악마 같은 속살거림에 솜털이 곤두섰다. 곧지 않은 기둥이 스윽스윽 뱀처럼 내벽으로 미끄러져 갔다. 울룩불룩한 표면이 민감해진 내벽을 자근자근 긁었다. 쾌감의 원천이 모여 있는 지점을 가볍게 치고 지나간 것만으로도 두 손가락과 성기를 함께 삼키고 있는 질이 조여들었다.

숨이 턱턱 막혔다. 바닥을 짚고 선 발이 약간 공중으로 떴다. 다니엘레가 페니스를 뿌리까지 넣고 클로에를 밀자 다리가 붕 뜬 탓이었다.

"응, 으응, 응! 흐응!"

자지러지게 느끼는 지점을 집요하게 비비며 손가락으로도 수걱수걱 휘젓자 지금까지와는 다른 폭풍이 휘몰아쳤다. 계속 고문하기 위한 목적의 쾌감만 심었다 뺐었던 때와는 다르게 클로에를 진짜 쾌락의 바다에 던져놓기 위함이었다.

"힘들면, 물고 있어."

입에 물려준 손가락으로 치열을 훑으며 다니엘레가 속삭였다. 알겠다며 행동에 옮기기도 전에 혀를 깨물까 싶어 제 손가락부터 이 사이에 끼워놓았다. 그리고 내벽을 괴롭히던 두 손가락을 예고도 없이 푹 빼냈다. 형언할 수 없는 이상한 감각에 클로에는 소리 없는 비명을 지르며 다니엘레의 손가락을 콱 깨물었다. 따끔했을 텐데도 다니엘레로부턴 작은 신음조차 나오지 않았다.

뒤에서 클로에를 품에 가두고 배를 감싸듯 안은 다니엘레가 몸과 몸을 딱 붙이고 본격적으로 허리를 쳐올리기 시작했다. 두 다리가 바닥에서 뜬 채로 속절없이 흔들렸다. 손가락을 깨문 이 사이로 신음이 흘러나왔다.

"흡! 흐읍, 읍! 으으응! 흐읍!"

내벽이 거칠게 비벼지고 폭풍 속의 조각배처럼 흔들렸다. 샘물을 정신없이 쏟아내는 질구와 성기가 마찰되면서 나는 끈적끈적한 소리가 자신의 신음과 섞여 청각을 마비시키며 정신을 몽롱하니 들뜨게 만들었다.

"클로에."

이름이 불리니 쭈뼛쭈뼛 감각이 곤두섰다. 배 속에 오랜 시간 응축되어 있던 폭발이 예기치 못한 공격에 투두둑 연쇄적으로 터져 나갔다. 아! 아아! 아! 깨물고 있던 손가락도 놓아버리고 울면서 비명을 터트렸다. 아까부터 그토록 기다렸던 절정이 찾아왔지만 잔열감은 사라지지 않았다. 너무 오랫동안 안달 나게 만든 탓일까.

클로에의 엉덩이가 꿈틀꿈틀 움직였다. 미세하게 남아 있는 불꽃에 타닥타닥 타는 바람에 반사적으로 흔들렸다. 클로에의 다리 사이를 가르고 휘젓고 있는 성기의 부피는 그대로다. 다니엘레는 절정의 여운에 빠지지도 못하고 덜덜 떠는 클로에의 눈물을 닦아낸 후 턱을 잡고 고개를 돌려 뺨에 입을 맞췄다.

"드디어……."

이어서 무어라 말이 이어졌지만 귀에는 제대로 들어오지 않았다. 다니엘레가 다시 세차게 찔러오기 시작했다. 내벽이 다니엘레 것의 모양대로 이리저리 바뀌는 것 같다는 착각이 들 정도로 집요하고 선명한 감각이었다. 허억 허억 간신히 숨을 들이쉬는데 절정의 폭풍이 또 밀고 들어오려 했다. 눈을 감고 있는데도 아찔했다. 클로에는 더듬더듬 다니엘레의 손목을 잡았다. 그 순간 귀를 먹먹하게 하는 무음의 폭발음이 터졌다.

ഇ

"더 쉬어야 할 텐데."

표정의 변화는 미미하지만 포만감으로 가득한 속삭임이 울렸다. 정사를 치르고 난 탓인지는 몰라도 미미한 감정의 차이가 보이는 것 같았다.

하루가 바뀌었다. 날이 밝았다. 어젯밤에 다니엘레의 침실로 이동한 기억은 있는데 언제 잠들었는지는 모르겠다. 어쩌면 모르는 편이 당연했다. 다니엘레가 한 번 가는 동안 클로에는 절정을 서너 번은 맛보아야 했으니까. 배출이 한 번으로 끝났으면 모르되 자리를 옮기고도 두세 번은 더 있었다. 더 일찌감치 기절하지 않은 자신이 용했다.

일어나보니 해는 떴고 잠옷이 입혀져 있었으며 땀과 액으로 범벅이었던 몸은 언제나 그랬듯이 깨끗하게 닦여 보송보송한 상태였고 침구도 교체되어 있었다. 물잔을 들고 침대 맡에 앉는 다니엘레와 거리를 벌리며 이불 안으로 숨은 클로에가 빼꼼 눈만 내밀었다.

"괜찮……."

거절하려고 하는데 목소리가 나오지 않았다. 잔뜩 쉬었는데 잠기기까지 해서 그럴 거다. 억지로 쥐어짜려다 보니 목소리가 갈라져 흉하게 나왔다. 말을 하고 보니 그제야 목이 마르다는 것도 깨달았다.

"감사합니다……. 그런데 저, 지금 바로 집에 돌아가고 싶은데……요."

물을 챙겨주는 센스에 대한 감사는 감사고, 아침부터 집으로 돌아가고 싶다는 용건을 꺼냈다. 잠옷도 갈아입지 않고 전날 밤 격한 정사를 나눈 상대를 보자마자 꺼내는 요구사항이 돌아가겠다라, 다니엘레의 표정이 미미하게 굳어졌다.

클로에는 또 느끼고 만 그의 감정 변화에 눈을 여러 차례 깜빡이고 고개를 흔드는 방법으로 떨쳐냈다. 어제 다니엘레도 분명히 약속했다. 클로에를 돌려보내주고 가족도 건드리지 않고, 네르딘과 파르세 부부의 마지막 희망이었던 과실주의 평판도 회복시켜주기로 했다.

"그대에게 부탁이 있는데."

"부탁이요?"

"동생을 잠깐이라도 보러 가주었으면 한다."

"동생? 아, 지안니님."

"목숨을 건지기야 했지만."

다니엘레가 평소답지 않게 말꼬리를 흐렸다. 클로에는 어제 우연히 엿들었던 지안니의 근황을 떠올렸다. 다쳐서 수도 쪽은 살얼음판이라고 했던가. 생명에 지장은 없다고 했었기에 벌렁벌렁 뛰었던 가슴을 가라앉힐 수 있었지만.

"네, 잠깐이라면요."

지안니 이름을 듣자마자 다시 새록새록 피어나는 불안감은 아마도 그의 안부를 직접 확인하지 못해서일까. 다니엘레가 돌려보내준다고 약속했으니 지안니나 미타이가 막아서지는 못할 터, 마지막으로 무사한지만 보고 가자는 생각에 끄덕끄덕 고개를 끄덕였다.

돌아가는 길은 신기하게도 오래 걸리지 않은 것처럼 느껴졌다. 수도에 도착했을 때 창밖으로 보이는 풍경은 낯설면서도 한편으로는 코를 간질이는 냄새가 퍽 익숙한 기분도 들었다. 그녀를 둘러싸고 있는 상황이 변해서인지, 상황을 받아들이는 마음이 달라져서인지. 조금 더 여유롭게 휙휙 지나가는 경치를 구경할 수 있었다.

다니엘레의 에스코트를 받으며 마차에서 내리자마자 본 저택의 위용 또한 전만큼 크게 다가오지 않았다. 다만 다칠 일 없으리라 생각했던 주인 중 한 명이 다친 탓인지 마중 나와 있던 고용인들의 얼굴에는 본 적 없던 감정이 스며들어 있었다. 다니엘레가 달리 반응하지 않은 덕에 클로에도 신경을 끄긴 했지만 생소하긴 했다. 특히나 정숙과 침착이라는 두 단어를 세뇌와도 같이 교육받았을 저택의 사람들에게선 보기 힘든 동요였다.

"지안니는?"

"괜찮으십니다."

집사만이 다니엘레와 비슷했다. 유일하게 안면의 근육에 희미한 변화가 왔을 때라곤 지안니에 대해 답할 때뿐, 정작 머뭇거리는 클로에로부터 당연하다는 듯 외투를 챙겨 갔다. 다니엘레에 이어 그녀의 시중도 들어주는 모양새였다. 클로에는 외투를 빼앗긴 것처럼 처량하게 뻗은 손을 슬그머니 거두었다.

"미타이는."

"당장이라도 나가려고 하시기에 말씀대로 밖에서 문을 잠가두었습니다. 문 정도는 가볍게 부수실 수 있으시지만 작은 주인님의 뜻을 이해하시곤 참아보겠다 하셨습니다."

오는 길에 간략하게 사고를 당했다고만 들은 참이라 집사와 나누는 대화에 절로 귀가 쫑긋 섰다. 누구 말마따나 어디 가서 쉬이 다쳐서 올 사람도 아니지만, 그렇다고 성을 떠나 있은 지 얼마나 되었다고 사고와 맞닥뜨리는가. 으르렁거릴 땐 언제고 딴엔 형제가 맞는지 미타이가 날뛸 뻔하기도 했고. 들리지 않는 척하면서 귀를 기울이고 있는데 힐끔 그녀 쪽을 본 다니엘레와 그만 눈이 마주치고 말았다.

"그날 호위는 역시?"
뛰어난 마법사든 훌륭한 기사건 상관없이 항상 호위가 붙는다고 했다. 미타이가 머리카락을 쥐어뜯으며 짜증을 냈던 적이 있다. 걸리적거리는 것을 성가셔하는 두 사람의 기호에 맞추어 눈에 띄지 않게 따라다니긴 했지만, 지안니가 설령 기습에 당할 뻔했다 하더라도 호위가 자리를 지키고 있었다면 다칠 일은 없었을 터였다. 다니엘레가 가만히 클로에에게 손을 내밀었다. 딱 대화가 들릴 만큼만 떨어져 걸으려던 꿍꿍이를 단박에 들킨 기분이었다.
"둘째 도련님의 요청이었습니다."
"해고는 면했군."
이유를 막론하고 지키려던 대상을 다치게 한 책임은 물어야 하는 법, 다니엘레가 대수롭지 않다는 듯 해고라는 단어를 입에 올렸다. 집사는 조용히 동조했다. 그나마 지안니의 명령으로 전부 책임을 지우지 않겠다는 것은 다행히 그가 살아 있기 때문이리라.
"도련님, 들어가겠습니다. 첫째 도련님과 클로에 파르세 영애이십니다."
숙련된 이답게 클로에를 에스코트하고 있는 제 주인을 보면서도 노회한 얼굴엔 그 어떤 감정도 떠올라 있지 않았다. 안에서 들어오라는 허락이 떨어지자 차분하게 열어준 문을 지키고 섰다. 스스럼없이 성큼 발을 내딛는 다니엘레의 옆에서 방을 확인했다.

"고작 이틀 만인데 반갑…… 뭐야, 두 사람."

인테리어의 방 내부는 익숙했지만 퍽 환자다운 지안니의 모습은 생소했다. 제 동생을 걱정하던 형보다도 클로에부터 반기던 맹수의 말꼬리가 흐려졌다. 노란 눈동자가 다니엘레의 손아귀에 감싸인 손으로 향했다.

"아가씨. 이리로 와요."

마지막으로 클로에를 보았던 장소가 잠겨 있는 새장이었는데도 이렇게 밖으로 나와 제 발로 걸어 다니는 모습에는 딱히 별말이 없었다. 아무렇지도 않게 클로에에게만 손을 내밀었다. 두 맹수가 싸우기라도 했나 싶었으나 지안니는 평소와 똑같이 비웃는 듯한 미소를 띠고 있었고 다니엘레 역시 기분이 나빠 보이지는 않았다. 집사조차 익숙해 보였다.

"괜찮아요?"

"흐응. 피가 많이 나긴 했지만 몇 배로 피를 뽑아줬으니까. 네, 괜찮네요."

당하고만 있지 않았다. 그가 누군가. 그 자리에서 즉각 반격하다 못해 제가 선호하는 방식으로 보복을 했다는 소리다. 지안니와 다니엘레가 에스코트하는 대로 무심코 앉으려던 클로에의 입에 어설픈 미소가 걸렸다. 지안니는 이런 사람이었다.

“이런, 아가씨는 죽일 생각 없다고 했잖아요. 비명을 안 지르게 할 자신은 없지만.”

저 비명이 무엇을 의미하는지 잘 알고 있는 클로에의 얼굴이 붉어졌다. 그래, 그것도 비명이라면 비명이지. 눈 둘 곳을 찾지 못하고 눈동자가 데굴데굴 굴렀다. 최소한 집사만이라도 무슨 뜻인지 못 알아들었기를.

“그래, 용케 형을 구워삶았군요?”

“네?”

“평생 그곳에 가둬둘 것만 같더니. 형이 제 손으로 여기까지 아가씨를 모셔올 줄이야. 놀랍긴 하네요.”

“전 지안니님께서 다쳤다는 게 더 놀라운걸요.”

누가 들으면 클로에가 다니엘레를 손바닥 위에 놓고 조종한 줄 알겠다. 손바닥 위에서 놀아난 사람은 그녀와 네르딘인데. 클로에는 쓰게 웃으며 말을 돌렸다. 아닌 게 아니라 지안니가 다쳤다는 소식에 무슨 이유에선지 불안감이 엄습하기도 했었고.

“벌레도 밟으면 꿈틀한다더니 내가 너무 우습게 본 탓이죠. 다른 누구도 아닌 내 실수였을 뿐이에요.”

지안니는 피식 웃었다. 당한 일에 대한 보복은 보복이고 다친 원인을 외부에서 찾을 생각은 없다고 했다. 상대를 하찮게 본 스스로의 잘못일 뿐, 다음부터는 누구를 상대하든 집중하겠다는 다짐이기도 했다.

"지안니, 슬슬 정리했으면 하는데."

"어라, 정말?"

"먼저 수를 쓰려던 쪽은 그쪽이었으니."

"흠. 기습한 놈에겐 힘 조절을 실수하는 바람에 더 물을 수 없는 상태가 되긴 했지만. 배후는 알고 있으니까."

방에 있는 사람은 클로에, 집사, 다니엘레, 지안니 네 사람뿐이다. 방문은 집사가 진작 닫아둔 뒤였고 더 들어올 사람은 없었다. 그러나 집사야 그렇다 치고 그녀까지 자리에 그대로 앉아 들어도 되는 걸까. 안부 인사 정도나 오고 갈 줄 알았더니 심상찮은 기류가 흘렀다.

"그림은?"

"아직 미술관에. 그런데 이해가 안 되네. 게르, 라스라고 했나. 다른 치들에겐 하등 가치도 없을 그림에 왜 날파리가 달라붙는지."

예고 없이 튀어나온 익숙한 두 이름에 맹수 사이에서 쉼 없이 눈동자를 굴리고 있던 클로에의 손등이 튀어 올랐다. 소설 속에서 이름과 역할이 주어졌던 게르와 라스는 지금 그녀가 숨을 쉬고 있는 현실에서도 많고 많은 등장인물 중 일부로 그치지 않았다. 이즈리에와도 얽혔고 클로에와도 얽히더니 지안니와도 얽혔다.

"아가씨?"

마주 보고 있었기 때문에 클로에의 표정을 놓치지 않고 있던 지안니가 먼저 변화를 알아챘다. 이윽고 어깨에 얹혀 있던 다니엘레의 손에도 살짝 힘이 들어갔다.

"왜 그러…… 아아, 게르라는 놈 때문에 그래요? 걱정 말아요, 다음엔 아가씨 털끝 하나 건드리지 못하게 할 테니."

평정을 잃은 원인이 게르 때문이라 짐작한 지안니는 예의 미소를 지으며 안심시키려 했다. 클로에가 겪었던 그날 밤의 일을 목격하지는 않았다 해도 진즉 전해 들었었는지.

"그자들이 어떤 그림을 노리나요?"

게르에게 쫓겼던 날로부터 일주일이 지나지 않았다. 그런데 우습게도 아주 먼 옛날에 일어났던 사건처럼 당시의 두려움이 꽤 희석되었다. 우습다고 느낀 배경에는 3형제가 있었다. 시간을 같이 보내면 얼마나 보냈다고, 곁에 있는 것만으로도 은연중에 위험할 일은 일어나지 않으리라 믿는 스스로가 있었다.

오히려 게르, 라스라는 이름보다도 더 떨쳐지지 않는 단어는 그림이었다. 두 남자는 소설 속에서도 다섯 번째 「구름 연작」을 매개로 여주인공을 곤란에 빠뜨렸더랬다. 그러나 과연 현실에서도 양상이 소설과 비슷하게 전개될 수 있을까.

"글쎄요. 아가씨 생각은 어때요?"

지안니는 알면서도 시치미를 뗐다. 클로에가 아는지 확인하기 위함인지, 아무 생각 없이 모르게 두기 위함인지.

"구름……."

실마리를 주지 않았어도 작품명은 바로 떠올랐다. 미술관 지하에 보관되어 있던, 다섯 번째 연작으로 추정되는 작품을 두고 이즈리에와 지안니가 비밀리에 만나 확인하는 과정을 지켜본 기억이 남아 있었기 때문이었다.

"박아달라고 헐떡이면서 애원하는 아가씨가 참 좋았는데. 아쉽네요. 장난감 때문에 제대로 살필 겨를은 없을 줄 알았더니."

클로에를 지켜보던 금안이 가늘어졌다. 후, 한숨을 내쉬며 앞머리를 쓸어 넘기는 지안니의 시선은 서늘하기는 했으나 탐색의 의도가 담겼다기에는 약했다. 일부러 보라고 클로에를 비밀 공간에 두고 바깥을 비추는 영상을 띄운 줄 알았었는데. 폭탄처럼 던진 낯 뜨거운 발언 속에는 그녀의 추측이 맞았다는 긍정이 포함되어 있었다.

"적당히 해."

부끄러워해야 할 사람은 클로에인데 짜증은 다른 사람이 냈다. 미간을 좁히며 동생을 타이르는 목소리엔 경고가 담겼다. 클로에의 살그머니 붉어진 귓바퀴를 누르는 다니엘레를 흘겨본 지안니는 코웃음을 쳤다.

"대, 대충 봤지만 아무리 그래도 사람을 다치게 만들 정도는 아니던걸요."

안목이 없으니 본다고 한들 작품의 가치는 알아볼 수 없다. 미술관 지하에서 영상을 통해 본 그림은 기이하게 느껴질 뿐, 피가 튀게 만들 만큼의 가치가 있는 작품으로는 보이지 않았다. 그래서 의미심장한 분위기를 자아내는 두 남자를 무시하고 딴청을 피웠다.

"나머지도 더더욱, 앗."

새장에서 나와 헤매다 우연히 들어간 방에 걸려 있던 네 점의 그림. 다섯 번째로 여겨지는 그림과는 어떤 면에서는 연관성이 있다 판단하기에 힘든 면도 있었으나 본능은 그리 속삭이지 않았다. 성에서 본 그림과 미술관 지하에서 본 그림 모두 그만한 가치가 있는 것으로 보이지는 않았다며 무심코 중얼거리던 중 혀를 깨물 뻔했다.

"흐응. 그걸 봤군요."

지안니가 눈꼬리를 휘며 웃었다. 그림을 보든 말든 중요한 문제로 치부하거나 관심을 가지리라곤 생각지도 않았던 탓에 지안니의 반응이 되레 불안했다. 들어가면 안 되는 방에라도 들어갔던 걸까. 그러나 정작 클로에를 찾으러 왔던 다니엘레는 그 문제로 그녀를 나무라지 않았었다. 원군을 요청하듯 힐끔 다니엘레의 눈치를 살폈다.

"아가씨. 하나만 묻죠. 다른 구름들을 보니 어떤 생각이 들던가요?"

"네?"

평소와는 달리 입가에 걸려 있는 미소는 특유의 냉소는 아니었다. 다만 다니엘레의 눈치를 살피는 클로에가 마음에 들지 않는다는 것만은 자명했다. 스윽 팔을 들어 눈동자를 굴리는 정도로는 다니엘레를 볼 수 없도록 가리며 질문을 던졌다. 위를 보지 말라는 의도에 클로에는 뜸을 들이며 질문에 숨어 있는 꿍꿍이를 짐작하려 애를 썼다.

"어렵게 생각하지 말아요. 전문적인 견해나 뛰어난 안목이 있는지 판단하는 자리가 아니에요. 간단한 감상을 묻는 거예요."

즉흥적으로 떠오르는 대로 생각하고 가볍게 대답하면 된다며 부담을 덜어주었다. 그저 순수하게 감상이 듣고 싶다 지안니가 고개를 기울이는데 클로에의 입은 쉬이 열리지 않았다. 온기가 어깨를 토닥였는데도 말을 꺼내기가 주저되었다.

"아……름다운 풍경화였고……."

"그리고?"

무난한 감상을 늘어놓으려 했으나 그럴싸한 말을 지어내질 못했다. 아름답다, 예뻤다, 감동적이었다 등 상투적인 표현으로 벗어날 수나 있을까. 지안니도 기다려주고는 있었지만 어느 정도 선에서 머뭇거리는 대답을 대신 마무리 지어줄 생각은 없어 보였다. 입천장이 까끌까끌했다. 말을 해야 하나. 클로에는 결국 한숨을 폭 터트렸다.

"그 남자들이 노리고 있다는 다섯 번째와 성에 있는 작품들이 같은 시리즈는 아닌 것 같아요."

가장 마음에 걸리는 점은 따로 있었지만 일부러 언급하지 않았다. 대신 적당히 무난한 의구심을 늘어놓았다. 이즈리에가 진짜라고 감정한 작품이 과연 진짜인지 의심스러운 마당이다. 소설에서의 여주인공이 협박에 이기지 못해 거짓 감정을 한 것처럼 현실의 이즈리에 역시 무언가 다른 연유로 거짓말을 한 것은 아닐까 하는 생각도 들었다. 그만큼 앞선 네 점과 마지막 한 점이 많이 다르게 느껴졌다.

"그뿐이에요?"

"네? 네……."

무엇을 더 말한단 말인가. 직설적으로 이즈리에가 거짓말을 했는데 철석같이 믿고 있는 오르시니를 포함한 모두가 놀아나는 것 같다고는 차마 말할 수 없었다. 클로에는 애매하게 말끝을 흐렸다.

"그럼 달리 듣고 싶은 이야기는 없어요? 궁금한 점이 많을 것 같은데."

정말로 묻고 싶은 것은 모른 척 묻어두고 있는 속내를 다 알고 있다는 듯, 은근히 클로에를 유도하고 있었다. 핏 바람이 빠지는 웃음소리는 추측을 확신으로 바꿔주었다. 그리고 알아차렸다. 소설에서 한 번 쓰였을 뿐인 단순한 도구는 현실에서의 3형제에겐 의외로 중요한 의미를 지니고 있었음을.

게르와 라스가 노리는 이유와는 별개로 3형제에겐 일반 사람들과는 달리 「구름 연작」을 소중히 여기는 이유가 있었다. 네 개의 그림에 그려져 있는 계절과 장소와 풍경은 제각각이었지만 공통적으로 등장하는 요소가 구름 외에도 하나 더 있었다. 네 개의 그림만 두고 보았을 때 굳이 「구름 연작」이라는 제목을 붙이지 않아도 될 요소. 나이대는 다르지만 같은 인물로 보이는 한 여자.

"잘 그리긴 했……는데, 너도 나도 달려들 정도는 아닌 것 같고, 다섯 번째 작품과도 관계는 없어 보이고……. 그냥 그 정도만 궁금할 뿐이에요."

그림 속의 여성이 지닌 적금색 머리와 밀색 눈동자를 떠올렸다. 협소한 인간관계 아래서 같은 조건의 여성을 딱 한 명밖에 모르는 클로에는 마른침을 삼키며 얼버무렸다. 최소한 그녀보다는 훨씬 잘 그린 그림이니 사실대로 잘 그렸다고 말하는데도 왜 이리 얼굴이 붉어지는 알 수가 없었다. 지안니의 미소가 짙어졌다.

"마지막 작품이야말로 이야기를 완결 짓는 장치나 다름없는데도 말이죠."

"네?"

이즈리에와 몰래 만난 데에는 진위 여부를 확인받기 위해서가 아닌 다른 목적이 있기 때문이라는 말처럼 들렸다. 종결의 역할을 담당하는 다섯 번째 연작이라니. 소설이었다면 소문으로만 떠돌 뿐, 실은 진품이 존재하지 않는다는 결론이 났던 작품이다. 그런데 지안니는 이즈리에의 감정 결과와는 상관없이 처음부터 다섯 번째의 존재를 알고 있었으며 시리즈의 마지막이라고도 확신하고 있었다.

"오르시니에서 간소하게 운영하는 미술관이 하나 있다. 소유주는 지안니고."

"그렇군요. 미술관을 소유…… 네?"

너무도 매끄럽게 끼어든 다니엘레의 말을 멋모르고 따라 읊을 뻔했다. 장난감 집을 한 채 가지고 있다는 말을 들은 기분으로 끄덕거리던 클로에는 미술과는 영 인연이 없을 줄 알았던 지안니가 소유주라는 이야기에 놀라야 하는지 다른 점에 놀라야 하는지 판단을 할 틈을 놓쳤다.

"가문의 이름으로 화가를 발굴하여 양성하는 후원은 쭉 해왔었고, 조부께선 무명 화가나 신예 화가를 양성할 목적으로 미술관을 하나 세우시기도 했지."

"뭐, 지금은 당시보단 규모가 커졌지만요."

소설에서 미술품 장물 단속반으로 활약했던 지안니에 대해 활자를 통하지 않고 이야기를 육성으로 전해 듣는 감각은 신기했다. 증축을 거듭해 지금에 이른 유산을 물려받았을 뿐이라며 어깨를 으쓱였지만 그렇다고 감당하지 못할 무게의 짐이 어깨에 얹힌 것처럼 보이지도 않았다.

"공작과 가족의 초상화를 가문에서 후원하는 화가에게 의뢰하는 것 또한 대대로 이어진 전통. 때로는 개인적인 취미로 이런저런 의뢰를 하는 경우도 종종 있었고, 오르시니의 후원을 받고 있던 한 이름 없는 화가도 의뢰를 받고 세 개의 그림을 작업했던 적이 있었지."

숨을 고르는 시늉을 하며 다니엘레는 아주 잠깐 망설였다. 네 개가 아닌 세 개라는 숫자에 확신은 아주 옅어졌지만 직감은 오르시니가 개인적으로 의뢰했다던 그림이 「구름 연작」을 가리키고 있노라 외쳤다.

"화가가 의뢰받지 않은 네 번째 그림을 그리기 전까지 그 그림들은 세 명을 제외하고는 어느 누구에게도 가치가 없는 작품이었다."

"네 번째 그림이라 하면……."

사계절의 풍경과 구름, 그리고 소녀에서 여인으로 성장하는 여자를 나타냈던 그림. 다 큰 여인이 가려져 있다시피 그려져 있던 겨울의 구름이 다니엘레가 가리키는 네 번째라는 생각이 들었다.

"세 번째 그림이 완성되었을 때, 화가의 재능을 알아준 이가 나타났지. 의무적으로, 형식적으로만 화가를 후원하는 것으로 해야 할 도리를 다했다고 생각하는 가문이 아닌, 사람 대 사람으로 다가가 화가가 그려내는 빛을 발견해 세상에 알려지게 해 준 여자."

여자가 누군지, 다니엘레는 약간의 정보도 내비치지 않았지만 클로에의 머릿속엔 단 하나의 이름만이 떠올랐다. 소설에서도, 현실에서도 그런 일을 하는 사람이 있었다. 예를 들면 뛰어난 안목으로 훌륭한 그림의 가치를 알아보고 발굴할 수 있는 그런 사람.

"……이즈리에인가요."

예를 들면, 이즈리에와 같은 그런 일을 하는 사람. 저도 모르게 입에선 이즈리에의 이름이 아주 작게 흘러나왔다. 지안니의 비웃음은 그녀의 생각이 맞음을 나타냈다. 퍽 얄궂은 인연이었다. 소설과는 분명 다른 세상인데도 이즈리에의 그림자에서는 벗어나기가 힘들었다.

그렇다 해도 여전히 이해하기는 힘들었다. 가난한 무명 화가를 주목받는 작가로 키워냈기에 그 화가의 초기작도 당연히 일반인도 눈독 들일 만한 가치를 지니게 되었다 치고, 화가의 은인이 이즈리에라 해도.

"하지만, 그래서요?"

아무리 탐내는 이들이 많아졌다 해도 이미 네 개의 작품이 오르시니의 수중에 있다. 무엇보다도 화가에게 정당하게 제값을 치르고 받았을 테니 문제 삼아 회수해 오려 해도 명분은 없을 터였다. 다만 외부에 드러난 「구름 연작」이 다섯 번째가 유일하다면, 다섯 번째의 가치가 그만큼 더 천정부지로 치솟았을 순 있다. 그 이유 때문이라면 게르와 라스처럼 노리는 이가 나타날 수도 있는 셈이었다.

그러나 처음 「구름 연작」을 의뢰한 오르시니는 적어도 앞선 네 개의 작품을 원하는 대로 소유할 수 있지 않던가. 다니엘레의 말대로 오르시니가 의뢰한 작품이 세 개뿐이었다면, 다섯 번째에 대한 욕심을 버려도 될 것 같다고 말한다면 속 편한 소리를 하는 꼴이 될까.

그럼에도 3형제의 편을 들 이유가 없는데도 자꾸만 나름의 이유가 있을 것이라며 대신 변명을 하려 하는 또 다른 자신이 있었다. 차마 혀끝에 맴도는 말을 할 수가 없었던 클로에의 어깨에서 힘이 빠졌다.

"아가씨. 그 그림에 왜 구름이라는 제목이 붙었을까요?"

"네? 그야 다섯 번째도 같은 시리즈라면 공통적으로 등장하는 요소가 구름이니까……."

"다섯 번째가 완성된 후 그 존재가 알려진 시기는 불과 얼마 되지 않았고, 작품명은 그전에 붙여졌다면요?"

"……."

지안니의 지적에 작품의 이름을 먼저 들은 탓에 무의식적으로 그에 끼워 맞춰 생각하고 있었음을 깨달았다. 동시에 애써 무시하고 존재감을 축소하려 했던 그림 속 여인이 역시나 중요한 의미를 지니고 있음을 새삼 느껴야 했다. 세 개의 그림을 의뢰한 오르시니가 3형제라면 그림 속 인물은 아마도…….

"화가는 네 번째를 선물이라 건네며 말했었지. 존재하리라 믿지만 실체는 없는 허상. 구체적인 형태가 보이는 것 같지만 막상 손에 쥐려 하면 흩어져 빠져나가는, 그런 사람을 원하기에 그렸다고."

"그리고 그 자신은 세상에 없다 여겼던 뮤즈를 만났다 했었죠. 그녀를 위해 네 번째를 우리에게 바친다 하면서."

금안에 빨려 들어갈 것만 같아 현기증이 났다. 구름이 가지고 있는 이미지를 활용하여 화가는 3형제가 원했다던 대상은 존재하되 존재하지 않는 사람이라 은유했다. 그 정도로 그쳤으면 좋았으련만. 3형제는 그 대상에게 다가갈 수도, 그 사람을 만질 수도 없으리라 비웃었다. 구름처럼 언젠가 사라지는 것을 보고 있으라 저주와도 같은 선물을 했다. 화가가 만났다는 뮤즈, 이즈리에를 위해.

클로에는 이즈리에를 방해할 생각도 없었고 그녀의 삶에 끼어들 의도 또한 추호도 없었다. 그런데도 대체 과거의 클로에가 어떤 짓을 했기에 이즈리에의 이름이 계속해서 그녀의 뒤를 덮치는가.

크게 숨을 들이마셔 답답한 가슴에 약간이나마 활로를 뚫었다. 자국이 남을 정도로 살갗을 세게 누르는 손톱을 반대편 손바닥으로 가렸다. 평온을 완벽하게 가장하기는 힘들어도 이즈리에 때문에 떨리는 손을 들키고 싶지는 않았다.

"확실히 듣고 보니…… 구름이 딱 맞는다 싶네요."

어찌 보면 지금의 클로에도 구름과 같은 존재라고 볼 수도 있었다. 갑자기 다른 세상으로 들어와 버젓이 잘 살아가고 있었던 어떤 사람의 몸을 대신 차지했으니. 만약 의식을 잃기 전의 클로에로 돌아간다면, 지금의 그녀도 원래 세상으로 돌아가게 될 테니 실존하지 않는 허상이라고 볼 수 있는 측면도 있었다.

물론 클로에가 스스로를 구름과 같은 존재라 비유한 연유를 지안니나 다니엘레는 당연히 모를 터였고, 「구름 연작」을 그렸다는 화가조차도 모르겠지만 말이다. 무엇보다도 그림 속 인물은 과거의 클로에일 리도 없었다.

"구름 그 자체라 흘러가 언제고……."

그런데 왜 심장이 덜컹 뛰는지. 본 대로 감상을 솔직하게 읊고 있을 뿐인데 이상하게도 쿵 쿵 뛰었다. 원래 세상으로 돌아가게 되리라고 생각한 순간 떨어질 뻔했던 심장은 그림 속 인물의 정체를 부정하는 도중에도 세차게 뜀박질했다. 이즈리에 때문에 불안한 탓이라 스스로를 다독여보려 해도 소용없었다.

"그러니 굳이 소유하려 하실 필요는 전혀 없……."

고작 그림 하나 때문에 이렇게 위험을 감수할 필요는 없지 않느냐, 씁쓸한 미소를 띠며 현기증에 숙였던 고개를 든 클로에의 말문이 막혔다.

"아가씨."

천천히 클로에를 부르는 입가엔 미소가 떠올랐다. 떨고 있었던 손을 매가 사냥감을 낚아채듯 쥐었을 땐 저도 모르게 의자에서 훌쩍 뛰어오를 뻔했다. 클로에의 오른쪽 손등에 입술이 닿았다. 눈에 보일 정도로 확연한 떨림을 보고도 즐거워하지도 비웃지도 않고 지안니는 그저 조용히 입술을 대고 있었다. 그는 화를 내고 있었다.

"도망가지 못하게 여기에 방울을 달아두고 박아버리고 싶지만."

웃음기가 가신 진지한 속삭임이 손등에 스며들어서 이번에는 진짜로 꿈틀하는 바람에 다니엘레가 클로에의 어깨를 잡고 제자리에 앉혀야 했다. 분노와 욕망을 적나라하게 드러내는 발언에 클로에의 얼굴이 새빨개졌다. 지안니의 시선은 그녀의 치마 속을 향한 상태였다.

"지금은 참아보죠. 그러니 자꾸 이상한 소리를 하면 곤란해요."

"화, 환, 환자야말로 그런……."

"환자니까 아가씨가 내 위로 올라오면 되겠네요. 아, 못 올라올 것 같으면 이야기해요. 밧줄로 매달아줄게요."

"사, 사, 사양할게요!"

지안니라면 제가 한 말을 실천하고도 남는다. 평정을 잃고 말까지 더듬으며 오른손을 빼내려 애를 썼지만 환자의 손아귀에서 제 팔 하나 빼내지 못했다. 떨림은 가라앉았지만 이제는 다른 의미로 무서웠다.

"정곡을 찌르면서도 바들바들 떠는 고양이 아가씨 때문에라도 빨리 나아야겠네요."

안부를 확인하고 빨리 나으라는 인사나 하고 떠나려고 방문했건만, 지안니의 다짐에 과연 낫지 말라고 기도해야 하는지 나으라고 해야 하는지 알 수가 없게 되었다. 뻐끔뻐끔 금붕어 흉내를 내는 꼴이 되었지만 의도한 바는 아니었다. 지안니는 클로에의 오른손을 놓지 않은 채 한숨을 쉬었다.

"이쯤 되면 알고 약을 올리는 건가 싶을 정도라니까. 아가씨가 쉽게 무너지지 않아서 참 좋긴 한데. 너무 그렇게 빠져나갈 궁리만 하면 내가 질투로 미쳐버릴지도 몰라요?"

한쪽 눈을 찡긋하며 다시금 손등에 키스했지만 지안니는 진심이었다. 피부로 느껴졌다. 클로에는 저도 모르게 끄덕끄덕 위아래로 움직일 뻔한 머리를 겨우겨우 다잡았다.

"어쨌든. 집으로 돌아가기 전에 한번 들른 거죠? 내가 다쳤다는 소식 때문에.”

“네? 아, 네.”

“난 형이 네르딘 씨를 인질로 잡아서라도 못 가게 할 줄 알았는데. 계획을 바꿨나 보네요. 아가씨의 안심을 유도하는 방향으로.”

“그렇지는 않……”

“사실 형 의견은 무시하고 아가씰 가둬두고 싶긴 한데.”

지안니가 클로에의 손등을 톡 톡 가볍게 두드렸다. 설마 다니엘레가 그런 남자일 리는 없다고 난처하게 웃으며 부정하려던 와중에 방해를 받은 꼴이었다. 지안니는 완전히 끝내지 않았다는 의미로 손을 놓아주지 않았다.

“아가씨가 그 문을 열고 나오는 광경을 보지 못해서 아쉽긴 하지만.”

“윽.”

“뭐, 좋아요. 애썼으니 놓아줄게요.”

그러나 지안니는 방금 전까지의 반응이 무색하게도 너무도 쉽게 클로에를 놓았다. 오히려 풀려난 손이 허전하게 느껴질 정도여서 되레 얼떨떨할 정도였다. 허전하다 느낄 이유가 없어야 하기에 더욱 당황스러워, 클로에는 어색한 손을 옷 속으로 숨겼다. 한사코 벗어나려 애를 쓰고 잡혀 오고 다시 도망가려 하던 관성에 익숙해진 탓이라 스스로를 타일렀다.

"형."

"애틋한 가족의 품으로 돌아갈 시간이로군."

지안니는 정말 놓아준다는 의사 표시로 다니엘레를 불렀고, 묵묵히 지켜보고 서 있던 다니엘레 또한 약속을 지킨다는 의미로 끄덕였다. 애틋한 가족이라는 표현에는 약간 힘이 실린 듯도 했지만 다니엘레는 무심한 듯 덤덤하게 정말로 마지막임을 알렸다.

ꕥ

작별 인사를 건네는 클로에의 손등에 입을 맞춘 지안니는 미끄러뜨리듯 손을 놓았다. 손수 파르세 저택까지 클로에를 바래다준 다니엘레 또한 정중하게 손등에 키스하고 사과의 인사를 건넸다.

꽤 오랜 시간 두 사람이 연이어 남긴 화끈한 감각이 피부에 고스란히 남아 있었던 그날과는 반대로 3형제와의 인연은 너무나도 금세 차게 식었다.

집으로 돌아오기가 그토록 어려웠었는데 막상 다니엘레와

돌아오는 길은 너무도 짧고 간단해서 허탈감에 처음 며칠은 잠에서 깰 때마다 여전히 자신이 오르시니의 저택이나 성에 있는 줄 알고 두리번거리며 깨기 일쑤였다. 일어나서 좋게 말해 소박하고 비교해서 말하자면 초라한 방이 시야에 들어온 후에야 돌아왔다는 실감이 나곤 했다.

돌아온 클로에에게 반쪽짜리 진실이나마 알고 있는 네르딘이 찾아와서는 아무 말도 못 하고 굵은 눈물만을 뚝뚝 흘렸다. 도대체 누구를 위해 그렇게까지 하느냐고 물으려 했지만 다시는 그러지 않겠다는 맹세를 듣고 나니 캐묻고 싶은 마음도 사라져버렸다.

"연달아 꿈을 두 번이나 꾼 것 같네. 호접지몽도 아니고."

하루, 이틀, 사흘. 오르시니로부터의 연락은 당연하겠지만 없었다. 클로에도 연락할 생각은 없었다. 대외적으로 독감에 걸렸던 것으로 되어 있는 지안니는 무사 회복했고, 마지막 모습을 보지 못하고 온 미타이도 잘 지내고 있더라고 네르딘이 전해주었다. 다니엘레의 소식은 전하지 않는 것을 보니 말은 하지 않아도 다니엘레에게 쌓인 감정이 많았던 모양이다.

낯선 세계에 적응하느라 심적으로 고생한 지 얼마나 됐다고 대뜸 3형제에게 걸리면서 파란만장한 하루하루를 보내더니, 눈 깜짝할 새 평온한 일상으로 내동댕이쳐졌다. 몇 달, 몇 년이 지나지도 않은, 바로 엊그제의 일인데 아침 점심 저녁이 평탄하게 흘러가서인지 벌써 멀게 느껴졌다.

사소한 문제가 하나 있다면 열락의 바다에 텀벙텀벙 빠졌던 몸이 자는 도중 꿈에서 쾌감을 찾으려고 애를 쓴다는 것 정도일까. 그 문제만 빼면 제법 지낼 만했고, 클로에는 이 또한 시간이 해결해주리라고 믿었다.

“어머, 아가씨? 나가시려고요?”

“으응, 산책 좀 하려고…….”

“산책한다 하시고 설마…… 아니, 아니에요. 그동안 아가씨께서 많이 참고 애쓰신 건 다 아는걸요. 다녀오셔요. 오늘은 꼭 집으로 오시고요!”

네르딘에게 받은 용돈을 넣은 지갑을 꼬옥 쥐고 나갈 채비를 하는 클로에를 발견한 유모가 반가워했다. 며칠 집에만 틀어박혀서 나가질 않았더니 드디어 외출하려는 클로에의 심경의 변화가 반가운 듯했다.

클로에는 아직도 연장자에게 말을 쉽게 놓질 못해 애매하게 말꼬리를 흐리곤 했지만 항상 유모는 눈치채지 못하고 이번처럼 쾌활하게 대응해주곤 했다. 오르시니 저택에서 지낼 때처럼 하대를 하고 깍듯하게 모심을 받지는 않았는데, 오히려 클로에는 이 정도가 제일 좋았다.

“걱정할 필요 없이, 당분간은 마법 연구에 빠질 일이 없다니까…….”

"그럼, 그럼요. 연구도 좋지만 좋은 남자도 만나고 그러셔야죠. 이 유모는 말이죠……."

"다녀오겠습니다아!"

잔소리가 시작되려 하는 바람에 클로에는 급히 후다닥 저택을 뛰쳐나왔다. 보통 귀족가의 여식과 달리 대동할 하녀나 유지 및 관리를 할 수 있는 가문 전용 마차가 없는 형편상 홀로 나와야 했지만 거리낌은 없었다.

오히려 복잡한 머릿속을 비우고 답답한 가슴을 뚫고 모처럼 주어진 자유를 만끽하기엔 혼자가 편했다. 소설을 따를 필요 없고, 파르세 가문의 운명을 걱정할 필요도 없고, 다른 주인공들을 신경 쓸 필요도 없이, 진짜 자신만의 하루를 보낼 수 있는 시간이 주어진 셈이다.

"어디로 가지?"

클로에는 지갑을 쥐고 배시시 웃었다. 어디로 가든 지갑 속의 돈이 그녀의 편이 되어줄 터였다. 너무 광범위하게 선택지가 주어지면 오히려 무엇을 하고 싶은지를 생각하기 어려운 법이지만 지금 이 순간만큼은 어디에 먼저 가고 싶은지 바로 떠올랐다.

마법과 관련된 정보를 얻을 수 있는 곳.

"역시 도서관이 제일 무난하겠지?"

마법은 딱 한 번 써봤다. 우연이었지만 몸속의 영혼이 바뀌었다 해도 마법을 쓸 수 있음은 확인한 셈이었다. 문제는 그 한 번 이후로는 마법이 시전되지 않는다는 것. 마법을 쓰기 위한 조건들 중 무엇이 갖추어지지 않았는지는 그녀의 상식과 지식으로는 짐작할 수가 없었다.

혹시라도 오랜 세월 가까이 붙어 지낸 유모라면 클로에가 쓰러지기 전에 마법을 어떻게 썼었는지 알까 싶어 운을 띄워도 봤지만 소용은 없었다. 질문을 들은 유모는 클로에가 원하는 대답 대신 쓸데없는 생각은 하지 말고 어서 빨리 사람 좋은 남자를 만나 결혼을 하라는 잔소리를 늘어놓을 따름이었다.

"칫. 오빠는 하기 싫으면 안 해도 된댔는데. 그래도 유모가 그렇게 닦달한다는 건, 최소한 귀족의 여식은 결혼의 유무가 중요하다는 소리겠지……."

유모는 클로에가 오손도손 가정을 이루고 살기를 바랐다. 비록 집안을 위해서였지만 과거의 클로에도 결혼을 할 생각이 있었던 것으로 보아, 여성이 독립적으로 살아갈 수 있는 세계라 해도 결혼 자체가 은근히 요구되는 분위기인 듯했다.

"히잉."

아무리 네르딘이 원하지 않으면 안 해도 된다고 했다지만, 어디까지나 동생을 위해 한 말일 뿐. 알고 보면 귀족의 딸로 태어난 이상 피할 수 없는 문제일 수도 있었다. 터덜터덜 걸어가는 클로에의 발걸음이 추욱 늘어졌다.

"나, 이 몸의 주인에게 못 할 짓을 한 건 아닐까……."

클로에로 언제까지 살아갈지는 기약이 없었으나 문득 미안해졌다. 이제라도 오르시니에게 쫓아가 셋 중 아무나 한 사람이라도 그녀를 책임지라고 요구해야 할지도 모른다는 생각마저 들었다. 비록 고작 한미한 시골 귀족 아가씨 한 명을 굳이 신경 쓰고 돌보아야 할 필요는 없을 그들이지만.

딱히 결혼에 대한 장밋빛 꿈을 꾸지 않기에 차라리 마법사로서 살아가는 쪽이 훨씬 끌리는 그녀였지만, 나중에라도 몸의 주인이 돌아와 상처받을 때를 대비해 자구책이라도 마련해야 하지 않나 싶기까지 했다.

"에잇."

이즈리에와의 악연과 사라져버린 마법에 연락이 없는 3형제까지. 사방이 마음을 심란하고 복잡하게 만드는 일뿐이었다. 무거운 한숨을 푹푹 쉬던 클로에는 당장 할 수 있는 것부터 차근차근 정리하고 해결해가기로 했다. 지금의 그녀에게는 넘치는 시간과 자유가 있었고, 두둑한 지갑이 만들어준 희망까지 있다. 셋 정도면 충분히 최소한 꼬인 실타래 중 한 가지는 풀 수 있을 터였다.

길을 물어물어 대중교통의 역할을 하는 공용 마차를 타고 도착한 왕립중앙도서관 부근의 경관은 낯설면서도 낯익었다. 이쪽으로는 올 일이 없었는데도 묘하게 익숙한 지리에 손으로 차양을 만들어 햇볕을 가리고 찬찬히 좌우를 둘러보았다.

"아!"

낮과 밤이라는 차이만으로도 이렇게까지 느낌이 바뀔 줄이야. 어렵지 않게 언제 어디서 보았는지 떠올랐다. 새삼 감탄하며 유심히 살필수록 확신이 섰다. 마차에서 빠져나온 클로에가 달렸던 대로도 낮이라 다소 생경하긴 해도 자세히 뜯어보니 밤에 보았던 그대로였다.

"도서관이 바로 옆이었구나."

지안니와 왔던 곳. 계단 위로 멀찍이 미술관과 도서관이 보였다. 햇빛을 피할 만한 것 하나 없이 널찍하기만 한 길은 오고 가는 관람객들로 북적북적했다. 마지막 계단에 올라서자 오른쪽 멀리서 웅장한 입구가 위용을 드러냈다. 계단을 오르고도 한참을 더 걸어가야 할 정도로 넓고 평평한 공간이 펼쳐져 있었다.

"특별 기획전?"

도서관에 가고자 왔으니 발길이 향해야 하는 방향은 왼쪽임을 알면서도 어느새 그녀는 오른쪽으로 걸어갔다. 미술관으로 가는 방향에는 현재 진행 중인 기획전이 무엇인지 알리는 광고판들이 나란히 세워져 있었다. 도서관으로 가야 한다 생각하면서도 클로에는 자꾸만 입간판에 시선을 빼앗겼다.

"「환상과 현실의 경계를 넘나들다」……."

무심코 적혀 있는 캐치프레이즈를 따라 읽긴 했지만 클로에의 관심을 사로잡은 문구는 따로 있었다. 주목받는 신예 예술가들을 찾아내 세상에 알린 사람이자 그들의 뮤즈를 위해 열었다는 기획전.

"이쯤 되면 초대장이나 마찬가지잖아."

관장 자리는 설령 다른 이에게 맡겼다고 쳐도 미술관의 소유주는 엄연히 지안니다. 그는 다른 두 형제보다 이즈리에와 확연히 사이가 나빠 보였다. 그런 그녀를 위한 기획전이라. 며칠 전 같았으면 당연히 여주인공을 추앙하기 위해 열었겠거니 했겠지만 지금은 아니었다.

이즈리에가 3형제를 초대하기 위해 마련한 자리든, 지안니가 이즈리에를 초대하기 위해 마련한 자리든. 혹은 서로가 서로에게 도전장을 던지기 위한 자리든.

"나도 외부인은 아닐 거고."

전시회의 시작일은 마침 오늘이었다. 놀라운 우연의 일치인지, 미지의 이끌림인지. 그녀에겐 일언반구도 없었으나 자신이 상관없는 제삼자로 여겨지진 않았다. 오히려 태풍의 눈이라면 모를까. 뚜렷하게 형태가 보이진 않아도 이 모든 일은 그녀를 중심으로 벌어지고 있다 말할 수 있었다. 클로에는 밝게 웃으며 오고 가는 군중 사이에 우두커니 홀로 섰다.

〔넌 항상, 언제나 그랬지. 저 혼자 고고한 척, 저 혼자 초연

한 척.]

"또한 방관자도 아니지."

드레스를 입은 여성들과 정장을 입은 남성들은 입고 있는 복식이 제각각일 뿐, 방문객들 모습은 소설 밖 세상과 크게 다르지 않았다. 아이를 데리고 놀러 온 가족도 있고, 쌍쌍의 연인도 있었으며, 서너 명이 같은 성별로 이루어진 일행도 있었다. 클로에처럼 혼자 방문한 사람도 많았다. 평화로운 한때였고, 새삼스럽게도 생소하지만 익숙한 풍경이었다. 클로에는 무리 지어 담소를 나누며 걸어가는 사람들 사이로 스며들었다.

이제는 소설의 내용과 혹시라도 크게 어긋날까 우려하여 행동을 조심할 필요가 없다는 사실을 알고 있다. 더 이상 원작의 남녀주인공의 관계에 얽매어 있을 필요가 없다는 사실도 깨닫고 있다. 만에 하나라도 끼어들 자격은 없지 않을까 하는 걱정으로 잘 떨어지지 않는 발에 힘을 주었다.

"내가 클로에 파르세니까……."

설령 그녀의 등장을 반길 사람이 없다 해도 가야만 했다. 이즈리에를 괴롭혔다던 마녀로서, 그리고 과거의 클로에와 이즈리에와의 관계에 종지부를 찍기 위해서.

"어쩌면 이날을 위해 내가 클로에가 된 걸지도……."

여전히 클로에가 되기 전의 원래 이름은 또렷하게 기억하고 있음에도 스스로가 클로에 파르세라는 존재임을 소리 내어 인정하는 과정에선 위화감이 들지 않았다. 소설 속 세계에 들어왔다고 인지한 이후에도 막연히 흘러가듯 생활했었다. 처음으로 의식적으로 의도를 가지고 행동한 때는 이즈리에를 발견한 직후. 자신이 빙의한 몸의 주인에게 닥칠 불행한 미래를 비틀기 위해서.

"내가……."

다른 사람을 위해 행동했다고 생각해왔었지만 실은 자신을 위해서였다. 처음부터 지금까지 꾸준히 그녀는 클로에 파르세를 위해서 행동했다. 언제부터인가 클로에는 과거의 그녀와 지금의 그녀를 동일시하며 클로에 파르세라는 존재로서 클로에를 위해 움직였다.

"위영이라는 이름의 내가."

과거의 클로에가 왜 사라졌는지는 모른다. 사라질 운명이 되었기에 빈 몸뚱이에 지금의 그녀가 들어왔는지, 과거의 클로에가 원했기에 지금의 그녀가 들어왔는지. 그도 아니면 누군가 강제로 이리 만들어두었는지.

어느 쪽이든 현실은 그대로였고 한때 위영이라는 이름으로 살았던 그녀는 클로에로서 이 자리에 서 있었다. 그녀의 주변을 둘러싼 흐릿한 군중의 색이 조금씩 진해졌다. 햇볕 아래에서 마냥 평온한 인상으로 지나가고 있었다.

"클로에 파르세니까."

이유야 무엇이든 그녀가 해야 할 일이 있기 때문에 클로에가 된 것이 아닐까 싶었다. 그러므로 이즈리에와 오르시니가 대면할 일이 생긴다면 그는 클로에와 무관한 사안일 수는 없었다. 스스로에게 다짐하듯 끄덕끄덕 고개를 주억거리며 읊조리던 클로에의 시야에 멀리서 낯익은 뒷모습이 잡혔다.

"이즈리에?"

막 접고 있는 양산 속에서 드러난 은발이 햇빛을 받아 반짝반짝 빛났다. 발목을 드러내지 않는 길이의 크리놀린 드레스는 화사했고 쌀쌀한 기온으로부터 체온을 보호해줄 숄에는 정교한 자수가 놓여 있었다. 화려한 드레스와 간단하게 두르기만 한 숄과 양산은 전용 개인 마차로 이동하지 않으면 입을 엄두를 내지 못할 복장이다. 귀족 아가씨다운 고운 차림새.

얼굴을 볼 수 없는 위치였지만 그 특징적인 은발은 이즈리에였다. 머리에 장식되어 있는 머리핀도 이즈리에라고 알려주고 있었다. 아무래도 시골 출신의 자작과 남작이면 비슷한 신분이고, 한때 부모끼리 친분이 있는 사이였다고 하니 크게 격차가 나지 않았을 텐데도 지금 클로에와 이즈리에가 입고 있는 옷의 차이는 비슷한 집안의 영애라는 생각이 들지 않을 정도로 벌어져 있었다.

통굽이 있는 부츠와 발목까지 올라오는 길이의 치마. 버슬 드레스에 가깝지만 실용성에 초점을 맞춘 기성복이라 귀족들이 입는 맞춤 드레스와는 차이가 날 수밖에 없다. 장갑은 꼈지만 양산은 이동할 때 챙겨 다니기 걸리적거리고 불편해 잘 들고 다니지 않고 그 대신 챙이 있는 모자를 썼다. 멋을 내기 위한 목적이 아니라 양산 대신에 쓰는 모자여서 이렇다 할 꽃 장식은 없었고 드레스와 색을 맞춘 리본이 한 겹 둘러진 정도가 전부.

"하긴. 무려 그녀를 위해 전시회를 열 정도니."

이즈리에를 두고 가난하고 촌스럽고 한미한 하급 귀족 아가씨가 감히 오르시니를 만난다는 이유로 사교계에서는 물어뜯을 기회만 노리고 있었던 것처럼 묘사를 하더니, 이렇게 두 눈이 트이고 멀리서 보게 된 이즈리에는 확실히 소설의 묘사와는 달랐다.

결코 가난하지도 촌스럽지도 않았다. 네르딘의 마음을 훔쳐서 되찾아가지 못하게 할 만큼 빛나고 있었다. 교양 있는 귀족 아가씨를 옆에서 에스코트를 해주는 남성에게 사근사근 미소를 지어주는 옆모습이 눈부셨다.

'오르시니가 아닌 남자의 에스코트라니, 진짜로 소설이 아닌 게 맞구나.'

비록 클로에를 눈엣가시로 여기는 상대였지만 미모만큼은 감탄스러웠다. 헤에, 입을 벌리고 홀린 듯이 바라보던 클로에가 이내 스스로 뺨을 툭툭 치며 정신을 차렸다. 그러고 보니 이즈리에 옆에는 미타이도, 다니엘레도 아닌 다른 남자가 있었다.

여주인공과 함께 걸어갈 남자는 오르시니 중 한 명이라고 굳게 믿어 의심치 않았던 과거가 바로 엇그제여서 그런지 다소 어색했지만, 그래도 이렇게 실제로 보고 나니 감회가 새로웠다.

'그래, 소설과는 별개인 세상이니까…….'

저절로 입가에 씁쓸한 미소가 어렸으나 여주인공도 아닌 이즈리에에게 선택을 강요할 입장이 아니다, 그리 생각하며 고개를 젓던 중 놓치고 지나갈 뻔한 위화감에 번쩍 고개를 들었다.

작중에서 여주인공은 선물받은 머리핀을 보여주기 위해 착용하고 다녔다. 소설에서는 당신께 받은 선물을 소중히 간직하고 있다는 의미였다. 그러나 의미가 달라질지언정 오늘도 보여주기 위해 착용했다면, 아마도 높은 확률로 특정 인물에게 보여주기 위해 골랐으리라.

"미타이 오르시니."

낯선 남자를 대동하고 있지만 이즈리에가 별 의미 없이 단순히 값진 장신구가 없다는 이유로 사파이어 머리핀을 골랐을 리가 없다. 오늘 전시회에 등장하는 손님은 미타이일 가능성이 높아졌다.

"나랑……은 상관없지만."

거리를 두고 들어갈까 말까 고민하는 사이 이즈리에는 멀어진 지 오래였다. 뒤로 돌아볼 일이 없었던 이즈리에는 다행히 클로에를 눈치채지 못했고 환하게 웃으며 에스코트를 받아 곧장 미술관으로 들어갔다. 클로에는 사라지는 이즈리에의 뒷모습을 보며 걷는 속도를 늦추었다. 들어갈 마음은 충분한데 막상 미타이와 마주칠 생각을 하니 가슴이 두근두근 뛰기 시작한 탓이었다.

"그래, 상관없지, 상관없어! 이제는 안 볼 사이."

결코 미타이가 이즈리에에게 준 머리핀 때문에 심란해진 것은 아니다. 가슴이 답답해진 이유는 저택을 떠나오면서 미타이에겐 작별 인사를 하지 않았던 기억이 묵직하게 눌러온 탓이었다. 새삼 넋 놓고 바라볼 정도로 뛰어난 이즈리에의 외모를 본 다음 머리핀을 본 탓에 불안해진 것은 아니다. 클로에는 찰싹 찰싹 제 뺨을 때렸다.

그녀에겐 미타이와 이즈리에의 관계를 상상하며 답답함을 느껴야 할 이유가 없다. 그들을 에워싼 이상한 게임인지 무엇인지만 끝나고 나면 더 볼 일도 없는 사이였다. 몸을 조금 격렬하게 섞은 정도로는……. 아니, 고작 몸을 좀 섞었다고 마음까지 홀라당 넘어간 듯한 기분이 드는 것 자체가 말이 안 된다. 그게 맞다.

길 한복판에 선 채로 천천히 숨을 들이쉬었다. 겨울 초입에 들어선 계절이라 햇볕이 가장 많이 내리쬐는 시간대임에도 빛이 따갑지 않았다. 낡은 드레스 사이로 스멀스멀 파고드는 찬 공기를 쫓아내듯 감싸는 온기에 몸을 맡기고 천천히 호흡을 골랐다. 이대로 너무 급하게 산소를 들이마시려 해선 안 된다. 불필요할 정도로 과다한 산소가 주입되게 두어선 안 되기에, 눈을 감아 원근감이 사라지려는 시야를 차단하고 서 있었다.

"뭐야. 어디 숨어서 혼자 세상을 떠나려고 말도 없이 사라진 거야?"

그늘이 졌다. 눈을 감고 있어도 알 수 있었다. 클로에의 등을 감싸고 있던 태양빛의 온기가 무언가에 밀려나고 거대한 그림자가 그 자리를 차지했다.

익숙한 목소리, 익숙한 어투. 즐거운 것처럼 들리지만 찬찬히 곱씹어보면 은은한 책망이 숨겨져 있다. 인사 대신 건네진 가벼운 감탄에 클로에가 눈을 떴다. 앞에 그녀를 가두고도 남을 만한 그림자가 보였다.

"누가 야옹이 아니랄까 봐."

"……미타이님."

너무 열렬하게 미타이를 생각했나. 바로 직전까지 클로에의 머릿속을 차지하고 있었던 남자가 등장했다. 그녀를 한입에 삼키고도 남을 크기의 그림자는 그녀가 무슨 생각을 하고 있었는지 다 꿰뚫어보는 것만 같았다. 본능에 따라 도망가지 못하고 주춤 멈춰 선 클로에의 뒤를 미타이가 완연히 덮쳤다.

"오랜만이야. 잘 지냈어?"

"네. 굉장히요."

뒤돌아 그림자의 정체를 새삼 확인하는 클로에에게 미타이가 활짝 웃으며 인사했다. 콧잔등을 긁으며 묻는 안부에는 즉답했다. 그럭저럭요, 아뇨 잘 못 지냈어요, 혹은 얼버무리기. 다양한 선택지를 두고 미타이가 가장 예상하지 못했을 답을 골랐다. 아니나 다를까 살짝 당황하는 사자가 보였다.

"작은형한테도 인사하고 떠났으면서, 나한텐 안 했잖아. 그러고도 잠이 와?"

"밤마다 못 자게 만드는 사람이 없어서 잘 잤어요. 그동안 쌓인 피로도 풀었고요."

"……."

원망이 그득한 질타에도 덤덤하게 대꾸했다. 어느 정도는 사실에 기반을 둔 대답이기도 했다. 실제로 미타이와 얽히면 밤마다 힘들긴 했었으니까. 엄밀히 따지면야 미타이만 힘들게 하지는 않았지만 빈도와 집요함으로 따지면 이 덩치 큰 사자가 제일이었다.

"난 밤마다 우리 야옹이 울음소리가 떠올라서 못 잤는데. 봐. 눈 밑이 거무죽죽하지?"

"그, 그렇긴 하네요. 절대 저 때문은 아니겠지만."

문제는 사자의 반격이 만만치 않을 수 있다는 점을 간과한 것이랄까. 미타이는 뻔뻔하게 칭얼거리듯 토로했다.

"아니, 야옹이 때문 맞아. 지안니 형만 보고 훌라당 날라버리고. 큰형이 막아서지만 않았으면 첫날은 바로 잡아 와서 걷지도 못하게 만들어버리고 싶어서 근질근질했었거든."

"……."

"뭐, 그날은 다른 이유로 생긴 분노가 제대로 해소되지 않았던 것도 커서 형들이 막아주길 잘했다고 생각해. 아니다. 잘 막아줬지."

"지안니님께서 다치셔서 많이 화가 나 계시다고, 듣긴 했어요. 그래서 제게도 그냥 떠나는 편이 나을 거라고."

"응, 잘했어."

미타이가 다시 활짝 웃었다. 마지막이라고 생각하고 떠났고, 오늘과 같은 우연이 없었다면 앞으로 쭉 피해 다닐 각오를 했었음을 알고도 저리 기분 좋게 웃는 걸까. 클로에는 말과는 달리 전혀 화가 나지 않은 듯한 미타이를 멍하니 올려다봤다.

"계속 그렇게 보면 목 아플 텐데."

남자 중에서도 특출하게 큰 편에 속하다 보니 워낙 체격 차이가 나서 보통의 신장인 클로에로선 서 있는 상태로 올려다보려면 제법 고개를 뒤로 꺾어야 했다. 그것을 눈치챈 미타이가 제안을 해왔다.

"안아줄까, 야옹아?"

"아뇨, 괜찮습니다. 정말로요."

"쳇."

미타이가 안는 방식은 클로에를 훌쩍 들어 올려 눈높이를 맞추거나 클로에의 머리가 더 위로 가게 하는 방식이다. 마치 어린아이를 안듯이. 딴에는 목 아프지 말라고 하는 행동인데 이렇게 보는 눈이 많은 장소에서 안기고 싶지는 않았다. 살짝 하얗게 질린 얼굴로 클로에가 즉답하자 진심으로 아쉬웠던지 미타이가 혀를 찼다.

"그런데 왜 그러고 서 있었어?"

"네?"

"왜 그렇게 세상 무너진 것처럼 비틀비틀 서 있었던 거야. 나 버리고 떠나서 좋다고 희희낙락거리고 다니고 있을 줄 알았더니."

"그냥 어지러워서요. 그리고 미타이님을 버린 게 아니고 원래 자리로 돌아간 거예요."

"참, 전부터 거슬렸던 부분인데. 야옹이도 말 놔. 하루 이틀 아는 사이도 아니고. 우리는 야옹이와 집사 관계잖아. 그리고 버린 거 맞아. 집사 없으니까 바로 영양실조라도 걸린 거야?"

"저희는 그런 관계 아니고요. 버리지도 않았고요. 무엇보다도 미타이님께서 딱히 제 영양을 챙겨주신 적은 없는데요."

"없긴 왜 없어, 많이 챙겼잖……."

"전 이만 가보겠습니다. 만나서 반가웠어요. 그럼 이만."

"어? 야옹아! 잠깐! 거기 서!"

혼자 세상 즐겁게 사는 사자의 등장 덕분에 현기증은 싹 날아가고 동시에 우울한 감정도 날아가버렸다. 반대급부라고 해야 할까, 대신 한숨이 늘어났다. 처음에는 순수하게 클로에의 건강 상태를 염려하는 것으로 시작했지만 어느새 낮에 이야기하기에는 낯 뜨거운 화제로 옮겨가려고 하고 있었다. 아무래도 상대가 상대이다 보니 대화하는 동안 답답했던 마음이 풀리긴 했지만 다른 의미로 어지러워졌다. 클로에는 목례를 하고 미타이를 휙 지나쳤다.

"어디 가던 길이야? 미술관?"

"입구만 구경하려던 참이었어요."

"말 놓으라니까. 혹시 약속이라도 있는 거야?"

"아뇨, 아니, 네."

"어어, 안에는 안 들어가?"

"겸사겸사 건축 양식을 구경하려고요."

미타이는 클로에와 보폭을 맞추며 이것저것 질문을 건넸다. 꼬박꼬박 대꾸를 하면서도 말을 놓으라는 요구는 무시하던 중에 반사적으로 아무 약속이 없다 사실대로 말할 뻔하기도 했다. 이번에도 예상치 못한 대답에 당황하는 듯했지만 미타이는 포기하지 않았다.

"그래? 그럼 나도 같이 가자."

아니나 다를까, 약속이 있다고 했건만 싱글싱글 웃으며 따라붙었다. 저지하지 않으면 진짜로 합류할 기세로 졸졸 쫓아왔다. 이즈리에와 머리핀을 본 순간 들었던 추측대로 미타이가 이 자리에 나타났으니 이즈리에에게 목적이 있음은 분명한데도 대체 무슨 생각인지 목표물을 팽개쳐두고 클로에를 따라오겠단다. 하릴없는 사람처럼 경쾌하게 따라붙는 미타이를 참지 못하고 걸음을 멈췄다.

"페인 영애는 먼저 들어갔어요."

"알아."

"만나러 가야 하지 않아요?"

"그렇긴 한데 야옹이를 발견했는걸."

"제가 무슨 상관이에요. 저보다 중요한 일이 있으실……."

"나, 데이트하고 싶어."

"……네?"

"네가 떠나고 생각해보니까. 네 웃는 얼굴이 안 떠오르더라고. 힘들어서 찡그린 얼굴이랑, 버거워서 우는 얼굴이랑. 새근새근 자는 얼굴, 땀으로 범벅이 된 얼굴. 가끔 작게 불만을 중얼거리거나 희미하게 미소 짓는 얼굴. 내 걸 물고 빨개진 얼굴도 다 떠오르는데."

"……."

"밝은 햇빛 아래서, 밖에서 나를 보고 웃었던 적이 없었어."

"자, 자, 잠시만요."

“나한텐 야옹이가 더 중요해.”

아마 거울로 스스로가 어떤 표정을 짓고 있는지 봤다면 거리낌 없이 「멍청한 얼굴」이라고 평가했으리라. 맨정신으로 듣기 힘든 고백을 뱉는 덩치 큰 남자는 당당했다. 오히려 클로에가 대신 미타이 몫까지 빰을 붉혀야 했다.

“그렇게 치고 들어오는 게 어딨어요.”

“난 때린 적 없는데? 때릴 데가 어딨다고? 봐, 지금도 비틀거리잖아. 안아줄까?”

“그 뜻이 아니고. 으으. 아니에요, 괜찮아요, 진짜로요!”

이목이 집중되었다. 미타이는 신경 쓰지 않는 눈치였지만 클로에는 퍽 신경 쓰였다. 공주님 안기를 해주겠다며 성큼 다가오는 바람에 자꾸만 주위 사람들이 힐끔거려 뒤로 물러서다 중심을 잃고 휘청했다.

“어, 부축은 해도 되지?”

“네에…….”

뒤로 넘어져 엉덩방아를 찧을 뻔했지만 그대로 두고 볼 사람이 아니다. 그럴 줄 알았다는 듯 허리를 낚아채 당기는 바람에 넓은 품에 폭 안겨버렸다. 제게 안긴 클로에를 바로 세우며 못내 아쉬운 손을 떼지 못하고 끙끙 앓더니, 이내 단단히 각오를 하고 비장하게 질문했다.

몇 번이고 괜찮으니 다가오지 말라고 저지했기 때문일까, 질문인즉슨 부축을 하기 위한 접촉은 괜찮으냐는 뜻이렷다. 클로에는 한숨을 쉬며 끄덕였다. 돌진하기 바빴던 사자의 생소한 모습이라니.

“미타이님.”

“미타이라고 부르라니까.”

“오늘 중요한 볼일이 따로 있으시잖아요.”

“안 중요한데.”

“중요할 텐데요.”

어딜 보나 이즈리에가 관련되어 있는데 중요하지 않을 리가 없다. 미타이는 한 치의 거리낌 없이 떳떳했지만 클로에도 차분하게 잘 생각해보면 중요할 것이라 주장했다.

“데이트는 다음에 해도 되잖아요.”

“다음에? 과연 다음이라는 기회를 주긴 할까?”

“…….”

사자라는 별명이 붙어 있는 남자답게 동물적 본능이 날카로웠다. 웃으며 밀어내고 슬그머니 도망가려는 정곡을 찔렀다. 안타깝게도 태연하게 아니라고 잡아뗄 재주는 없어 차마 입을 떼지 못하고 있자 미타이가 웃었다.

“그래서 난 지금 놓치고 싶지 않고, 야옹이 관심을 끄는 게 더 중요해.”

본심을 알았어도 사자는 아무렇지 않게 하하하 웃을 따름이었다. 이로써 이즈리에를 핑계로 떨구어내려 해도 소용이 없으리라는 예감이 들었다. 에효, 작은 한숨을 푹푹 쉬던 클로에는 절충안을 제시하기로 했다.

"그럼 이렇게 해요. 제가 따라갈게요."

"응?"

"페인 영애와 만나기로 한 장소도 미술관 안이죠? 저도 사실 가려고, 아니, 볼일이 같은 방향이거든요. 같이 가서 전 관람할 테니 그동안 할 일 하고 오세요."

"흐응? 가긴 같이 가되 들어가선 각자 흩어지자? 그게 어떻게 데이트야?"

"음……. 제가 같은 장소에서 기다린다는 거?"

"아아, 내 코앞에 있을 테니 몰래 떠나진 않겠다?"

어차피 클로에의 목적지도 결국은 같다. 다만 미타이에게 어느 정도는 짐작하고 있으니 사실 따라가려 했다고 밝히고 싶지는 않았다. 그래서 넌지시 지켜보고 있겠다는 뜻을 흘리려 했는데 막상 직설적으로 되받아치니 끄덕이기가 힘들었다. 애매하게 긍정의 답을 흘리며 시선을 피했지만 의도는 전해졌다. 미타이는 클로에의 진짜 속내를 아는지 모르는지 넘치는 불만을 보란 듯이 내보이며 수락했다.

"칫. 이것저것 야옹이랑 해보고 싶은 거 많았는데."

"그게 뭔지 굳이 묻지는 않을게요."

"옷 벗는 거 아니야."

"……."

걷는 클로에의 상상 위에 나는 미타이의 소원인 걸까. 그녀가 아는 선에서 미타이가 해보고 싶다는 것들이란 살색 향연에서 벗어나지 않을 것 같아서 모른 척했는데, 무슨 생각을 하고 있는지 다 보인다는 듯 씨익 웃고 있었다. 클로에는 말문이 막힌 탓에 고개를 돌리고 빠르게 미술관을 향해 먼저 걸어갔다.

"야옹이는 나 안 보고 싶었어? 나 안 그리웠어? 밤마다 허전하진 않았고?"

"전혀요. 그럴 리가요. 안 갑갑해서 좋던걸요."

"난 야옹이 온기가 그리웠는데."

물론 빠르게 걷는다고 걸었지만 거리는 한 걸음 만에 좁혀졌고, 미타이는 방글방글 웃으며 말을 걸어왔다. 클로에가 또박또박 쳐내도 낙담하지 않았다. 대화는 미술관에 들어설 때까지도 티격태격 이어졌다.

"그런데 여긴 왜 혼자, 아니다. 여기 어디서 누구랑 만나기로 했어?"

"……."

미타이는 역시나 약속이 있다는 주장이 거짓말임을 눈치채고 있었다. 다 짐작하고 있기에 데이트를 하자는 둥 약속이 있거나 말거나 따라가겠다며 붙은 거다. 물론 그는 최소한 클로에가 원하는 대로 장단을 맞춰주는 시늉은 했다.

“혹시 그 사람이 올 때까지 밖에서 기다려야 해?”

“…….”

“다리 아프면 말해. 내가 대신 의자 해줄게.”

“들, 들어가요. 안으로.”

어디 가서 앉아서 쉬자도 아니고 인간 의자가 되어주겠단다. 며칠 전의 미타이를 떠올려보면 엎드려 등을 내어주겠다는 의미가 아니라 클로에를 안아 들겠다는 의미로 봐야 했지만 어느 쪽이든 보는 눈이 많은 자리에서는 원하지 않는다. 클로에는 손끝으로 미타이의 새끼손가락 끝마디를 약하게 쥐고 끌고 가다시피 재촉했다.

“그 기획전을 보려고 했어요. 뭐더라, 뮤즈를 위해 열었다는.”

“아아.”

덩치가 산만 한 사자가 허리를 구부정하게 구부리고 새끼손가락을 잡힌 채 질질 끌려왔다. 클로에는 앞을 향해 직진하며 이실직고했다. 사실은 이즈리에의 전시회를 보러 가려고 했다. 그녀가 왜 하필 그 전시회에 가는지 의아해서인지 아니면 다른 이유 탓인지 미타이의 대답이 조금 늦게 튀어나왔다.

“여왕을 떠받드는 자들이 만든 전시회 말이지.”

“훌륭한 여성이니까요.”

사실 이즈리에 페인이라는 존재는 소설의 여주인공다운 캐릭터이긴 했다. 출생의 비밀이 있을 것 같은 암시를 주는 고아원 출신에, 여주인공을 사랑으로 거두고 키워준 남작 부부의 몰락, 그러나 역경에도 굴하지 않고 타고난 재능을 갈고닦아 스스로 성장해 명예를 쟁취하기까지. 뛰어난 안목과 아름다운 외모, 성녀 같은 성격으로 성공한 여성이 되었고, 주변의 악담과 시기 어린 음해에도 굴하지 않았다.

현실에서도 이즈리에는 재능 있는 화가들을 발굴해 양성하는 일까지 했다 하니, 실제로도 훌륭한 여성은 맞았다. 당장 오늘 열린 전시회만 해도 그랬다. 이즈리에를 흠모해 재능을 펼친 예술가만 해도 몇인가. 소규모 갤러리도 아닌 대형 미술관에서 크게 전시회를 열 정도로 모이는 것이다. 이즈리에와 네르딘과의 관계, 오르시니와의 관계는 제쳐두고 보더라도 인망이 높은 대단한 여성이었다.

"픽."

순수하게 감탄하며 어딘가 있을 이즈리에를 눈으로 좇고 있는 클로에를 내려다보던 미타이가 픽 비웃었다.

"아, 그렇다고 누군가를 다치게 하려고 한 행동이 잘했다는 뜻은 아니에요."

"알아. 그리고 내가 비웃은 건 그 때문이 아니야. 형이 다쳤을 때 물론 화가 나기야 했지. 날 가둬놓지 않았으면 나도 어떻게 미쳤을지는 모르거든."

"……."

"머리가 식고 생각하니 작은형이 다친 건 오로지 형이 방심한 탓이라 어찌 보면 자업자득이더라. 그래서 이젠 그 문제에 대해서는 화나지 않아. 다만."

"그런 이유만으로 화가 풀리는 것도 신기하지만요……."

"그러게 누가 배에 구멍 뚫려 오래? 뚫리는 사람이 멍청한 거지."

"아, 네……."

"단지 야옹이 네가 경외할 만한 사람은 아니라는 것뿐이야. 실체를 알고도 좋아하겠다면 어쩔 수 없지만. 물론 나보다 그 여자를 더 좋아하는 건 절대 안 돼."

"대체 왜 저랑 같은 성별인데 페인 영애가 질투 대상이 되는…… 아니, 그보다 전 두 분 다 좋아한다고 한 적 없는데요."

천하의 오르시니라 그런가. 아니면 소설의 남자주인공 중 한 명이었던 남자라 그런가. 그것도 아니면 귀여움만 받고 자란 막내라 그런가. 미타이는 클로에가 당연히 그를 좋아한다고 전제하고 있었다. 거절이라곤 받아보지 못한 남자처럼.

"응, 없어. 그렇지만 싫다고 한 적도 없지. 그러면 가능성은 있는 거고. 게다가 이젠 내가 질투를 하는 것도 알잖아? 내가 그 여자를 좋아하니 어쩌니 하는 이상한 소리도 안 하고. 장족의 발전이지."

볼을 부풀리고 미간을 좁히며 전제가 틀렸다고 지적했더니 미타이는 의외로 호탕하게 인정했다. 확실히 그가 이즈리에를 좋아한다고 굳게 믿어 의심치 않았을 때에 비하면야 지금은 누구에게 마음을 곧이곧대로 드러내는지는 알고 있기는 했다. 그가 질투를 한다는 사실을 아는 것만으로도 충분하다는 말은 곧 고백이나 다름없었다. 클로에는 애써 전시실로 가는 길을 찾는 행동으로 대신했다.

"어딘지는 알고 가는 거야? 여기 의외로 복잡해."

물론 미타이를 싫어하진 않는다. 처음 만났던 순간 공포를 느꼈던 강도로 따져도 미타이가 제일 약했다. 가장 먼저 편하게 대할 수 있었던 사람도 미타이였다. 먹히지 않을 거절일지언정 싫다는 부정의 언어를 쉽게 꺼낼 수 있는 대상이었다.

복잡한 심정을 정리해보면 미타이가 싫지는 않고 편하긴 했다. 그런데 박력이 넘치는 체구에서 받는 위압감보다 제게 안겨오는 어리광 부리는 사자 같다는 느낌을 받게 된 때는 언제부터였는지.

"이쪽으로 가면 되는 것 같……."

챙이 많이 넓은 모자다 보니 실내에 들어와서는 벗는 편이 좋을 것 같아 모자의 끈을 풀면서, 자칫 손가락질을 하게 될까 봐 손가락을 안으로 반쯤 접어 저 멀리 입구로 보이는 위치를 가리켰다.

그런데 손에 짐이 생겼다고 미처 인식하기도 전에 자연스럽게 다가온 손이 모자를 받아 들었다. 오고 가는 사람들과 부딪치지 않게 제 쪽으로 클로에를 끌어왔지만 허리를 감싼 팔은 닿을 듯 말 듯 아슬아슬한 간격을 유지했다.

"……아요."

말이 끊길 뻔했다가 이어졌다. 간극을 모르는 척하는 건지 정말로 모르는지 미타이는 별다른 반응이 없었다. 그저 클로에가 가리켰던 방향을 확인한 후 잠시 생각에 잠기는 듯하더니 입가에 걸려 있던 미소를 지웠다. 순간 그녀와 함께 있을 동안엔 그가 웃지 않은 적이 거의 없었다는 사실이 떠올랐다.

두 번 정도를 제외하곤 미타이란 남자는 클로에를 눈동자에 담는 그 순간, 항상 환하게 웃곤 했다. 웃지 않았던 두 번은, 이즈리에의 머리핀을 오해했을 때와 도망갔다가 잡혀 왔을 때.

미타이가 클로에의 웃는 모습이 기억나지 않는다고 했듯, 클로에 또한 웃지 않는 미타이가 생소했다. 편하다고 생각했던 상대가 미소를 지우고 클로에의 시야를 차단하듯 앞을 가리고 섰다. 정상 심박으로 돌아왔다고 생각했던 심장이 쿵쿵 뛰었다.

"괜찮아?"

그리고 지금은 이즈리에와 마주침으로써 클로에가 받을 미지의 타격 때문에 웃지 못하는 남자였다. 즐거움도, 짜증도, 분노도, 걱정도, 행복도 모두 그녀 때문이라고 그리 말하는 것과 다름없었다. 거듭되는 기습 공격이라고 봐도 무방할 정도였다.

“혹시 오빠 야옹이, 아니, 네르딘 씨와 만나기로 했어?”

사자 정도 되면 네르딘도 체급이 고양이로 보일 수도 있겠지. 어떤 면에서는 납득이 되긴 했다. 제 실수를 알고 있는 미타이는 멋쩍은 듯 질문을 끝마쳤다.

“갑자기 오빠가 왜 나와요.”

이런 상황에서까지 거짓말에 장단을 맞추려 애를 쓰지 않아도 되는데. 게다가 클로에의 인간관계를 대체 얼마나 협소하게 보는 건지 미타이가 그럴듯하게 떠올릴 만한 사람이 네르딘뿐이람. 그래도 덕분에 갑자기 실내가 덥게 느껴지려던 찰나에 한숨 돌릴 수 있었다.

“아니, 영 미덥지 않지만 없는 것보다는 나은 것 같기도 해서.”

“……남의 가족한테 할 소리는 아니고요. 그리고 전 괜찮아요. 무슨 일이 일어난다 해도 제가 참으면 사태가 커지진 않을 거예요.”

“야옹이 네가 참아야 한다는 말이 아니고 네가 괜찮아야 한다는 말이었는데.”

“그러면 전 괜찮아요.”

“그래, 그럼. 들어가자.”

도통 마음에 안 든다는 눈길을 거두지 않고 뚫어져라 쏘아댔지만 본인이 괜찮다니 어찌할 도리는 없다. 빳빳하게 목을 세우고 앞만 보는 클로에를 차마 말리지 못하고 한숨을 쉬며 안내를 했다. 들으란 듯 내뿜는 한숨 소리에는 걱정이 가득 담겨 있었다. 보고 있노라니 그의 미간이 좁아졌다.

"꼭 가고 싶어?"

"네? 당연히 못 들어갈 이유도 없……지 않나요."

"아까 내 이름 처연하게 부르고 있는 거 다 들었거든. 들어가기 싫은 거 억지로 가는 건 아니고?"

설마 표정이 나빠지고 있었던 이유가 그 때문이었나. 이즈리에의 전시회를 보러 가기 싫은데 억지로 가야만 해서 저 먼 밖에서부터 미적미적 움직이는 줄 알았던 걸까. 그 때문에 전시회장을 코앞에 두고 마지막으로 한 번 더 발길을 돌릴 여유를 주는 걸까. 그렇게까지 배려해주지 않아도 되는데. 클로에는 세차게 고개를 가로저으며 가슴을 탕탕 두드렸다.

"아뇨! 정말 보고 싶은 전시회였어요! 그리고 아까 이름을 부른 건 페인 영애의 머리핀을 보고 생각나서……."

"그러고 보니 우리 야옹이 목이 허전해 보이네."

"헙."

대체 왜 자신만만하게 가슴을 두드렸을까. 클로에도 학습을 한다. 하기 때문에 미타이가 실눈을 뜨고 노려보는 위치를 슬그머니 두 손으로 가렸다. 누구는 머리핀을 보란 듯이 하고 다니는데 자신은 가지고 있는 옷들과 어울리지 않고 혼자 비싸 보이는 액세서리라는 이유로 서랍 깊숙한 곳에 박아두었다.

오늘만 해도 살짝 헤진 외출복에 어울리지 않는 장신구는 모두 뺐다. 가장 기본적인 차림인 모자와 장갑 외에는 아무것도 걸거나 착용하지 않았다. 무엇보다도 오늘 입은 옷은 목까지 감싸는 스타일의 버슬드레스다. 가늘게 뜬 금안이 클로에의 목 언저리에 한참 머물러봤자 당연히 아무것도 없을 수밖에.

"어디에 팔았어? 제값은 받았고?"

"안 팔았어요."

"팔아도 괜찮아. 또 선물하면 되지."

"안 팔았다니까요."

"응, 그래. 그 목걸이만큼 가슴이랑 잘 어울리는 건 얼마든지 찾을 수 있으니까."

"진짜로 안 팔았어요. 나중에 보여드릴까요?"

"집으로 초대해주는 거야? 우와, 기쁜데."

"빠, 빨리 입장해요."

낭패. 미타이가 흥겨워하거나 말거나 당황한 클로에의 머릿속엔 두 글자만이 정신없이 떠다녔다. 목적지로 하는 기획전이 열린 전시실로 들어와서도 안내인이 다가와 무엇을 건네는지 눈치채지 못했을 정도로 당황했다.

「이곳에서는 팔찌를 착용해주시기 바랍니다.」

미술관 1층에 있는 여러 전시실 중 가장 큰 곳을 빌렸다고 하더니 네모난 방 한 칸에 작품 몇 점을 걸어놓고 끝내는 수준이 아니었다. 안내원이 입구에 서서 팔찌와 해당 기획전에 대한 간략한 소개가 적힌 종이 안내문을 나누어 주고 있었다.

"그, 그럼 저흰 이제 각자 볼일을 보고 나서 이따가 합류해요. 그런데 합류 지점을 정해야 하는데."

전시실 내부는 다시 소주제별로 칸칸이 나뉘어져 있었다. 불규칙적으로 앞으로 튀어나오고 뒤로 쑥 들어간 벽면을 따라 걷는다 해도 자칫 길이 엇갈리면 만나지 못하고 관람이 끝날 수도 있을 듯했다.

안내인의 지시대로 가죽 팔찌를 손목에 끼웠다. 네모나고 매끄러운 진회색 돌이 달려 있어 언뜻 시계처럼 보이기도 했다. 안내문에는 포인트가 되는 그림이 있으면 팔찌를 사용하라고 되어 있었다.

"난 야옹이 따라다닐 건데."

「환상과 현실의 경계를 넘나들다」가 테마라고 하더니 의미를 쉬이 파악하기 힘든 그림들도 제법 있었다. 특정 자연이나 인물을 형상화한 그림은 어렵지 않게 알아보았는데 추상화 같은 기법이 사용된 형이상학적인 작품들은 의도를 읽어내기가 힘들었다. 눈으로 조용히 감상하며 벽을 따라 움직이는 클로에

뒤로 미타이가 따라왔다.

"용건 있으시다면서요."

"나한텐 야옹이가 제일 중요하다니까?"

"페인 영애와 만날 계획 있으셨던 것 아니었어요? 그러면 중요한 일일 텐데."

"내 이름 애절하게 부르면서 비틀거리는 널 혼자 두고 가라고? 나보고?"

"제가 언제……. 아니에요, 그래도 혹시 모르니 전 멀리 떨어져 있을게요."

"옆에 안 있어주려고?"

"제가 지켜보고 서 있으면 담소 나누시기 불편하시잖아요. 그러니 빠져 있을게요, 볼일 보고 오세요."

"내가 다른 여자랑 하하호호 웃어도 보고만 있을 거야?"

사실은 보란 듯이 웃는 모습을 보여줄 남자로 보이지는 않는다고 대꾸할 뻔했다. 무심결에 그렇게 하라고 끄덕이기 바로 직전에 간신히 머리를 고정시켰다. 반응을 보여주지 않는 그녀에게 서운함을 느낀 사자로부터 씨근덕거리는 콧김 소리가 새어 나오기 시작했다.

"음, 음. 포인트가 되는 그림이란 뭘까요. 팔찌는 또 어떻게 쓰고."

단 한 문장, 더 이상의 힌트는 없다. 클로에는 딴청을 피우며 벽 모서리에 걸려 있는 그림 앞에 서서 팔찌를 만지작거렸다. 팔찌에만 오롯이 집중하는 척했다. 차마 보고만 있을 거라거나 혹은 질투가 나니까 보지 말라고는 대답해줄 수가 없었다.

미타이에게 관심이 없기 때문은 아니었다. 무엇보다도 미타이가 지금까지 똑바로 부딪쳐오며 뚜렷하게 보여준 감정이 어떤지를 다 봐왔다. 혹자는 그와 클로에의 마음은 별개로 둬야 한다고 조언을 하겠지만, 솔직히 클로에는 미타이에게 아무런 감정이 없다곤 할 수가 없었다.

'으으.'

덩치 큰 사자가 이제는 무섭지 않았다. 지금도 이렇게 옆에 위압적인 기세로 서서 이마를 찡그리고 있는데 그 분위기에 짓눌릴 것 같으면서도 빵빵하게 부푼 뺨이 먼저 눈에 들어왔다. 처음부터 솔직하게 그녀가 좋다며 저돌적으로 접근한 남자가 바로 지금 그녀의 눈앞에 서 있었다. 그래서 지금까지 사자의 돌격이 싫었느냐 묻는다면.

"미, 믿으니까요."

"응?"

씩씩거리는 콧김이 더 거세어지기 전에 클로에가 먼저 선수를 쳤다. 돌진할 방향을 잃어버린 성난 사자가 멀뚱멀뚱 눈을 깜빡였다.

"다른 여자는 물론 이즈리에와도 웃, 을 리 없다는 걸 아니까요."

"어?"

그가 원하는 질투를 할 수 있을 리가. 질투를 하기 이전에 클로에는 자신도 모르게 미타이가 애당초 그런 행동을 하지 않으리라 생각했다. 믿음의 근거는 쉽게 찾을 수 있었다. 미타이 오르시니가 클로에를 좋아하는 만큼 그녀 또한 그를 볼 때마다 애정에 기반을 둔 신뢰를 느끼고 있다. 그는 그녀를 다치지 않게 하리라는 믿음.

"으앗, 여기선 안지 마세요!"

고백 아닌 고백이 내포하는 바를 눈치챈 사자는 본능적으로 그녀를 세게 끌어안으려 달려들었다. 먼저 직감한 클로에가 다급히 두 팔을 교차시켜 저지했다. 보는 눈이 많은 탓이기도 했으나 그가 순순히 클로에의 말을 들어주리라고도 믿었기에 가능하기도 했다.

"야옹아, 나……."

비록 미타이는 그녀를 다치지 않게 하리라고 믿긴 했지만, 그럼에도 농밀한 신체 접촉을 유발하는 순간만큼은 짐승이 되곤 했던 남자가 지금은 참으려고 노력하고 있었다. 두근두근, 간질간질해진 가슴 때문에 자신도 모르게 사자 갈기를 향해 팔이 뻗어갈 뻔하는 바람에 움찔 흔들렸던 팔을 고정시키느라 가볍게 주먹이 말렸다.

"앗! 이거요, 이거!"

그때였다. 클로에의 눈높이까지 올라온 손목에 걸려 있는 팔찌의 돌이 반짝 빛났다. 돌 못지않게 물기 어린 눈을 글썽이려 했던 미타이도 얼떨결에 클로에의 호들갑에 고개를 틀었다.

"응?"

사자가 볼 수 있게 팔찌를 짤랑짤랑 흔들어 보였다. 클로에에게 하려던 말을 채 잇지 못하고 미타이는 제 눈앞에서 흔들리는 팔찌에 시선을 고정했다.

"돌이 반짝인 게 착각이 아니라면, 이 그림에 뭔가가 있다는 뜻일까요?"

"어라. 팔찌가 마력석이네?"

"아?"

"우리 야옹이는 마법사면서 마력석도 못 알아보는구나."

"……."

까만 돌에 불과하다고 생각했는데 마력석이었다니. 신기한 사실에 놀라기에 앞서 그녀가 귀엽기 그지없다는 미소를 짓고 있는 미타이 때문에 말을 잇지 못했다. 이쯤 되니 별꼴을 다 귀여워한다는 생각이 들었다. 클로에가 침을 흘리며 자도 사랑스럽다 기세였다. 간지러운 뒷목을 벅벅 긁으며 팔찌로 눈을 돌렸다.

"마력석을 나눠 주었다는 건, 포인트가 되는 그림에 곧 마법

적 장치를 해놓았다는 뜻이겠네요. 음, 그래서 환상과 현실을 넘나든다는 표제를 썼을까요?"

손목을 이리 돌리고 저리 돌리며 팔찌의 변화를 확인하는 동안 뇌리를 스친 가정을 입 밖으로 꺼냈다. 한편으론 대화의 주제가 팔찌로 옮겨가면서 미타이의 관심도 어느 정도 옮겨가길 바라는 마음도 있었다.

"응, 뭐, 그렇겠지?"

심드렁하게 대꾸하긴 했지만 보아하니 미타이도 팔찌와 그림을 번갈아가며 유심히 보고는 있었다. 그가 살펴보기 쉽게끔 손목을 아예 내주고는, 클로에는 그림을 훑었다.

전시실은 반듯한 사각형의 구조가 아니다. 안내문에는 사각형 약식 도면이 그려져 있었지만 실제로는 달랐다. 벽을 따라 이동하며 그림을 감상하게 되기 때문에 처음에는 무심코 움직였지만, 특수한 의도가 있는 것처럼 보이는 벽은 대각선으로 기울어져 있거나 계단처럼 구불구불하기도 했으며 뾰족하게 튀어나오거나 움푹 들어가 있기도 했다. 전시실 가운데 군데군데 세워진 기둥이 공간을 가르고 구분 짓는 역할을 했고, 기둥에도 그림이 걸려 있었다.

얼핏 보면 그림의 주제는 다양해서 포인트가 될 것을 찾기란 쉽지 않아 보였다. 원래라면 전시회의 테마에 가장 맞는 그림에 초점이 맞추어지지 않았을까 추측했더랬다. 그러나 막상 이즈리에가 그려져 있는 그림은 보이지 않았다. 때마침 우연이었는지 당연한 반사작용이었는지 마침 그림 앞에 섰을 때 팔찌가 반짝였다.

"이 그림이 포인트가 되는 그림일까요?"

움푹 각이 진 벽에 걸려 있는 그림은 일견 특출한 부분은 없었다. 들판을 가득 덮은 꽃밭 위로 날아가고 있는 새와 하늘이 그려져 있는 평범한 풍경화였다. 그럼에도 클로에는 지금 앞에 있는 그림을 단서라고 여겼다. 미타이는 팔찌의 돌을 보고 마력석이라 했고, 클로에가 아직 마법을 쓸 수 있는 몸이 맞는다면 돌이 지금 반짝인 이유가 있지 않을까 싶어서였다.

"액자네. 쓰지는 못해도 마법 자체는 보이니까."

"어떻게 해야 볼 수 있어요?"

"음. 어느 정도의 경지에 이르면?"

"헤에."

미미하게 천장으로 올라가는 미타이의 코끝을 보며 클로에는 가만히 끄덕였다. 지안니가 걸어둔 마법을 힘으로 끊을 수 있다고 했던 것과 일맥상통하는 표현이려니. 올라가고 싶은 만큼 올라가게 내버려두기로 했다.

알려준 대로 그림에 집중하느라 바로 앞에 있는데도 보이지 않았던 액자로 초점을 옮겼다. 매끄러운 표면은 지문 하나 없이 투명해서 살짝 허리를 숙이고 눈을 가늘게 뜨고 보는 클로에의 얼굴이 비치는 것만 같았다. 갸우뚱갸우뚱 좌우로 흔들어 가며 액자를 보고 있자, 큼직한 손이 이마와 액자 사이로 쑥 들어왔다. 네 개의 모서리 중 세공이 미세하게 다른 한 부분을 발견하고 순간적으로 머리를 앞으로 훅 들이밀었는데, 마침 이마를 가리고 있던 손바닥에 부딪혔다.

"여기인가 봐요."

미타이의 손바닥에 이마를 박은 채로 고개만 비틀어 위로 올려다보며 액자를 가리켰다. 대개 주가 되는 부분은 그림이지, 그림을 감싸고 받치고 보호하는 주변인 액자 자체에는 아무도 관심을 두지 않으니까 모르고 넘어갈 수도 있겠다 싶었다.

"그런데 저 귀한 작품을 머리로 박는 짓은 안 해요."

걱정하지 않아도 알아서 조심하고 있었는데도 호들갑을 떤다며 볼을 부풀렸더니 미타이가 푸훗 웃음을 터트렸다. 하기야, 제 손에 머리를 들이미고 있는 꼴이 우습기도 할 것 같아 클로에는 모른 척 손목을 들었다.

"팔찌를 사용하라고 했었죠."

액자의 모서리에는 팔찌에 달려 있는 돌과 비슷한 크기의 원형 테두리가 그려져 있었다. 테두리의 색과 테두리 안의 색, 바깥의 색이 모두 같고 재질 또한 같아 자세히 보지 않으면 눈에 잘 띄지 않을 만도 했다.

"어떻게 사용하는 걸까요."

전시회의 주제는 「환상과 현실의 경계를 넘나들다」였고, 주어진 도구는 마력석이다. 이쯤 되면 마법이라는 요소가 등장할 수도 있으리라. 문제는 마법을 어디에 배치시키는가다.

난데없이 주어진 퀴즈가 풀릴 듯 말 듯, 모습을 드러낼 듯 말 듯 약을 올리자 잘 생기지 않는 오기가 생겼다. 앞에 있는 액자 외에, 지척에 마주 보고 있는 그림의 액자까지 살필 겸 한 발 물러서자 눈치채지 못했던 그림의 배치가 새삼스럽게 눈에 들어왔다.

모서리를 만들며 만나고 있는 두 면의 벽에 걸려 있는 두 점의 그림은 똑같은 높이에 걸려 있었다. 모서리로부터 떨어져 있는 위치도 같았고, 액자도 같아 안에 그려져 있는 그림을 무시하고 본다면 거울을 보고 있는 것처럼 보이는 구도였다. 거울이라는 단어까지 떠오르자, 전시회의 주제와 어떻게 연결을 지을지 조금씩 감이 잡히려고 했다.

클로에는 마력석 팔찌를 들고 가만히 빛을 밝히는 주문을 외웠다. 미타이라면 청력도 굉장히 좋을 테지만 혹시라도 들릴까 봐 그가 듣지 못할 크기로 중얼거렸다.

주문을 외우자 팔찌에서 희미한 빛이 나왔다. 잘 보이지 않고 뿌옇긴 해도 육안으로 볼 수 있는 정도의 빛이 직선으로 뻗어나가고 있었다. 클로에는 신기한 기분에 손목을 들어 액자에 빛을 가져다 댔다.

팔찌에서 뻗어 나와 액자의 모서리에 부딪친 빛은 반대편으로 튕겨 나갔고, 마주 보고 있는 액자의 모서리로 뛰어들었다가 또다시 튕겨 나갔다.

"우와."

액자에 세공되어 있는 반사면에 닿으면 직선으로 뻗은 빛이 꺾여 방향을 틀어 다시 쭉쭉 앞으로 뻗어 나가고 있었다. 희미하다 해도 반짝이는 빛은 전시실 내에 있는 다른 관람객의 눈에도 띄었고, 클로에가 하는 양을 본 사람들 중 일부가 앞다투어 다른 그림에서도 장치를 찾아냈다.

"빛이 모이고 있어요."

"그러네."

벽이 이상하게 어긋나 있고 기울어져 있고 기둥이 이곳저곳에 세워져 있는 이유가 있었다. 다양한 벽에서 튕겨 나온 직선의 빛들이 아무것도 없이 비어 있던 한가운데 모여들며 일종의 그림을 그려내고 있었다. 희미한 빛이 모인지라 불투명하고 뭉뚱그려진 탓에 내용을 알아보기 힘들었지만 그림의 형태를 띠고 있다는 점은 최소한 확실히 알 수 있었다.

클로에와 미타이는 말없이 천천히 나타나는 그림을 보고 있었다. 클로에야 신기해서 보고 있긴 했지만 미타이는 다를 터, 힐끔 올려다보았지만 무슨 생각인지는 드러나 있지 않았다. 작은 한숨이 터졌다.

지금이 보통의 데이트였다면 전시회를 관람하는 동안에 일어난 작지만 감동적인 해프닝에 마냥 눈을 떼지 못하고 홀려 있었을 텐데. 그러나 상황이 상황이고 미타이가 하필 이곳에서 만나기로 한 사람이 사람이니만큼 그저 감탄만 하고 있을 순 없었다.

마음을 놓지 못하고 초조하게 앞을 보고 있는 중에 환상적인 빛의 반짝임이 점차 잦아들었다. 이대로 깜짝 이벤트가 끝나려나 싶어 아쉬워하는 탄성이 터져 나왔다.

그런데 수군거리는 마음은 통 가라앉질 않아, 미타이에게 다시 이즈리에나 찾으러 가자는 말을 꺼내질 못하고 계속 앞만 보는 채로 서 있었다. 환상처럼 등장한 그림은 경탄을 자아내며 사람들의 이목을 끌었다. 이곳저곳 흩어져 있던 사람들이 하나둘씩 그림 앞으로 모여드는 광경을, 어느새 나타난 이즈리에가 상냥하게 웃으며 지켜보고 있었다.

숨겨져 있던 그림을 관람객이 발견해낼 수 있도록 게임과 같은 장치를 해놓고 흥미를 유발해 게임에 참가하게 한다. 자칫 평면적일 수도 있는 전시회에 활기를 불어넣는 요소가 된 셈이었다. 아니나 다를까, 다른 사람들의 얼굴엔 웃음꽃이 활짝 피었다. 싫어하는 사람은 없는 듯했다.

“엥. 저 그림이 왜 저깄어.”

“그러게요?”

깜짝쇼로 등장한 주인공을 확인한 미타이의 눈살이 찌푸려졌다. 미술관 지하에 보관되어 있던 작품이 전시회의 메인처럼 등장했다. 어이없다는 듯 중얼거리는 미타이 옆에서 클로에도 멍하니 대꾸했다.

「구름 연작」 중 첫 세 개의 작품은 이즈리에와 아무런 관련이 없다. 실물도 목격했으니 장담할 수 있었다. 네 번째와 다섯 번째도 마찬가지였다. 최소한 이즈리에를 보고 영감을 받아 탄생한 작품은 아니었다. 따라서 그녀를 위해 열린 전시회의 메인으로 등장할 이유는 없었다.

"사람을 다치게 만든 원흉이 엉뚱한 장소에서 등장하네요."

클로에도 기가 막히긴 마찬가지였다. 그러나 두 남녀가 등장한 그림을 보며 허탈해하거나 말거나 이즈리에는 제게 쏟아지는 감탄과 선망의 시선을 여유롭게 즐기고 있었다. 마술처럼 혹은 마법처럼 나타난 그림의 정체를 모르려야 모를 수가 없도록 작가명과 작품명이 공개되었기 때문이었다.

누군가 큰 소리로 큐레이터이자 바로 그 뮤즈라는 소개를 하자 이즈리에가 한 발 앞으로 나서며 묵례를 했다. 반짝임이 잦아들어 거의 꺼졌나 싶었을 때, 놀랍게도 뿌옇게 흩어지는 빛 사이로 환상이 아닌 진짜 형태를 갖추고 온전히 드러난 그림을 향해 고개를 돌렸다. 클로에도 이즈리에를 따라 시선을 돌렸다.

"어? 그림이……."

이즈리에의 옆얼굴은 여전히 부드러운 미소를 띠고 있었지만 그림을 보고 있는 그녀의 푸른 눈은 얼음장처럼 차가워졌다. 그림을 보던 클로에의 고개도 기울어졌다. 분명 이즈리에는 미술관 지하실에서 지안니가 보여준 그림을 확인한 후 진짜다, 본인 입으로 인정했더랬다.

"바뀌었어요."

"아아."

그런데 오늘 이목을 끌며 나타난 것은 그날 밤 클로에가 보고 이즈리에가 확인했던 그림과는 조금 달랐다. 클로에의 기억에는 구름과 덩굴은 떨어져 있었는데, 빛 무리가 사라진 후 남아 있는 캔버스에는 두 개의 덩굴에 얽혀 있는 구름이 그려져 있었다. 예전처럼 떨어져 있는 덩굴은 하나.

이즈리에의 미소 띤 얼굴이 싸늘하게 얼어붙고 그 광경을 지켜보던 미타이는 사납게 이를 드러내며 웃었다. 그림이 바뀌치기 된 것 같다는 클로에의 염려 섞인 말은 귀에 들어오지 않는 모양새였다.

사자는 소리 없이, 그러나 맹렬하게 폭소했다. 무언의 웃음소리를 들은 이즈리에가 천천히 그림에서 시선을 뗐다. 아름다운 얼굴엔 상냥한 미소가 여전히 머물러 있었으나 하얀 목에서는 핏대가 도드라졌다.

미타이를 응시하던 이즈리에가 시선을 비껴 사자 옆에 서 있던 클로에를 향했다. 턱을 들고 내리깐 눈으로 클로에를 깔아 보았다. 즐거워하는 미타이와 조용히 입술을 짓씹는 이즈리에를 번갈아보며 영문을 몰라 하는 클로에를 본 순간 푸른 눈에 불꽃이 튀었다.

〔게임을 하자.〕

〔갑자기 무슨 소리죠, 페인 영애?〕

〔순진한 척은 그만하고. 내기라고 해도 좋고, 거래라고 해도 좋아. 전부 잃거나 전부 얻거나.〕

〔대체 왜 이러시는지 모르겠네요.〕

〔네가 이기면 네가 다 가져. 대신 내가 이기면.〕

〔…….〕

〔내가 전부 가질 거야. 네 생살여탈권까지도.〕

〔음, 저기요? 생살여탈권 어쩌고는 둘째 치고 그분들은 우리가 서로 가지니 마니 할 대상이 아니라고 생각합니다만.〕

〔역겨우니까 착한 척 그만하랬지!〕

〔착한 척이 아니고요. 영애 당신 사고방식이 삐뚤어진 걸로 내게 아득바득 우겨봐야, 윽!〕

〔닥쳐! 원래 내 것이어야 했다고! 날 위해 태어난 존재들이고, 내 행복을 위해 준비된 것들이라고. 그걸, 지금 그걸…… 어디서 너 같은 년이 굴러 들어와서는……!〕

〔아야야……. 피부는 고운데 손은 많이 매우시네요. 그런데

말이에요, 페인 영애.「미래는 하나가 아니었잖아요.」〕

클로에를 죽일 듯이 노려보는 이즈리에의 새파란 눈동자를 가감 없이 받아들이는 동안, 머릿속에서 한동안 들리지 않았던 환청이 또다시 들렸다. 이번에도 처음 듣는 내용이고, 소설과는 관련이 없는 대화였다. 저번처럼 두 여자의 목소리였고 그 중 한명은 페인 영애, 즉, 이즈리에였다. 그리고 다른 한 명은 아마도 저번과 동일인물.

〔게임을 하자.〕

〔갑자기 무슨 소리죠, 페인 영애?〕

잘은 모르겠지만, 뇌를 자꾸만 두드리는 이즈리에의 날카로운 음성은 일전에 미타이가 말해주었던 게임과도 관련이 있으리라는 확신이 들었다.

"게임……."

"응?"

무의식적으로 한 단어를 중얼거리자 그제야 미타이가 반응을 보였다. 매섭게 히죽거리던 웃음을 싹 지우고 클로에를 보며 눈을 동그랗게 떴다. 이즈리에를 볼 때와 클로에를 볼 때 이토록 큰 온도 차를 보이는 사자를 두고 클로에는 혼잣말에 가까운 중얼거림을 이어갔다.

"왜 페인 영애를 미워하는 거죠? 그리고 영애는 왜 이쪽을 저런 표정으로……."

"으응?"

미워한다는 가벼운 단어로 정의 내릴 수 있기나 할까. 여주인공을 대하는 태도라고는 상상도 할 수 없는 무관심, 냉대, 조롱들만이 가득했다. 단순히 소설과는 별개의 세상이라서일까.

"세 명의 기사는 오르시니를 가리키잖아요."

처음에는 세 명의 기사가 여왕을 위해 여왕을 대신해서 마녀를 퇴치하고자 움직이는 줄 알았다. 그러나 가까이에서 지켜보는 동안 느끼기로는 여왕을 위한다기보다는 적대하는 분위기에 가까웠다.

—목표한 바를 이루기 위해 여왕은 세 명의 기사를 원했지.

클로에가 잘못 해석했었던 게임에 대한 의문 첫 번째. 세 명의 기사는 여왕에게 충성하지 않는다. 왜?

"우리에게서 모든 것이자 유일한 것을 빼앗아갔거든."

"다른 사람도 아니고 오르시니로부터요?"

이즈리에가 먼저 시작했다는 발언도, 모든 면에서 우위에 있는 그들이 맥없이 빼앗겼다는 부분도, 아무것도 강탈당한 것 없어 보이는데 하나도 아니고 많은 것을 내주어야 했다고 하는 고백도 어디 하나 놀라지 않을 만한 것이 없었다. 믿기 힘들었지만 동시에 거짓말로 들리지도 않았다.

"일개 힘없는 여자에게 그렇게 쉽게요? 오르시니에겐 단 한 마디로 세상을 무너트릴 수 있는 힘이 있는 줄 알았는데."

“그러게. 나도 그런 줄 알았는데 말이야.”

미타이가 혀를 차며 허탈하게 웃었다. 이즈리에는 지금껏 해왔던 대로 수줍은 미소를 지으며 다가오지 않았다. 거리를 유지한 채 미소를 가장하면서 노려보고 있을 따름이었다.

“있죠, 미타이님……. 저번에 하셨던 말씀이요. 여왕이 받은 저주는 태생이었다는 이야기. 페인 영애는 혹시 오르시니가의 핏줄인가요?”

“왜 그렇게 생각해?”

“탑의 초상화를 봤어요.”

탑에 있던 초상화에 그려진 공작의 남자 형제, 숙부 혹은 백부의 부인과 공작부인의 외모는 비슷한 은발 벽안이었더랬다. 이 세계에서도 은발과 벽안의 조합이 흔하지 않다는 전제가 똑같이 적용되고 있다면 이즈리에도 오르시니의 핏줄일 가능성이 있었다. 떠올리자마자 바로 가능성이 없다고 지워버린 가정이었지만 정작 이즈리에는 다르게 생각한다면.

“영애는 페인가의 양녀잖아요?”

물론 만에 하나 공작의 남자 형제가 타계했을 때 마침 그의 부인이 배 속에 있던 아기를 공작 측에 알리지도 않고 고아원에 버렸다 쳐도, 이즈리에와 3형제의 반목을 설명할 수는 없었다. 이즈리에가 뒤늦게 출생의 비밀을 알았다면 오르시니를 찾아와 적절한 절차를 걸쳐 혈연임을 증명하면 될 문제였다. 서로가 서로의 것을 빼앗고 빼앗기고, 미워할 관계가 될 문제가 아니었다.

"명문 고위 귀족 가문에 잃어버린 딸이 있다, 뭐 이런 이야기?"

검지를 하나 세우며 사교계 가십을 속살거리는 흉내를 냈더니, 미타이도 풉 헛웃음을 터트렸다. 그녀의 장단에 맞추어 거대한 몸집을 구부리고 귀를 기울이며 끄덕거렸다.

"당연히 말도 안 되는 소리지, 그건."

미타이는 단호하게 부정했다. 오르시니의 핏줄이지만 현 공작의 잃어버린 딸은 아니다. 그렇다면 남은 선택지는 방계 혈족, 3형제의 친척이 되는 관계. 피가 어디 가지는 않으니 혈연이라는 점이 증명되기만 한다면 지금에라도 오르시니 측에서 그대로 둘 리가 없었다. 이즈리에가 작위를 원한다면 작위를, 재산을 원한다면 재산을, 가족을 원한다면 가족이 되어주었으리라.

"친부에게 작위가 있고 없고의 문제가 아니지 않을까요, 영애에겐."

"글쎄. 저 여자는 내 생물학적 부친과 피가 이어졌다고 생각하고 있어서."

"아, 그렇, 네?"

한 자도 놓치지 않고 알아들었는데도 이해가 동반되지는 않았다. 폭탄 발언을 되새겨봐도 여전히 납득이 되지 않았다. 상식적으로 말이 되지 않는 주장이다.

3형제의 숙부가 작위를 받건 받지 않았건 이즈리에의 친부가 맞다고 치고, 따라서 그녀에게도 오르시니의 피가 흐른다고 가정한다 해도 그 주장은 이해하기 어려웠다. 오르시니의 특징이라는 금안을 물려받은 3형제 역시 오르시니의 피를 이어받았음이 확실했다. 가장 눈에 띄는 지표를 눈이라고 본다면 초상화 속 공작도 금안이었고 세 명의 아들 모두 금안인 반면 이즈리에는 아니었다. 그녀의 눈동자는 미타이가 선물한 머리핀의 사파이어처럼 파랬다.

"말도 안 돼요."

그럼에도 이즈리에 스스로가 오르시니의 후계자라고 생각했다면 만에 하나, 아주 만에 하나 그나마 가능성 있는 가정은 공작부인이 낳은 자식과 바뀌었다는 것 정도. 물론 남아와 여아라는 성별부터가 다르고 머리색이 다르고 그 이전에 아기를 바꿀 이유가 전혀 없다는 점에서 또다시 바로 기각될 가정이었지만.

연령도 맞지 않았다. 자식을 바꾸려면 비슷한 날, 비슷한 시간에 태어난 아기를 바꾸는 것이 보통이다. 그러려면 이즈리에는 셋 중 한 명과 나이가 같아야 한다. 클로에는 이즈리에의 나이를 떠올리려고 했다. 미타이와 비슷했던가……?

"초상화를 봐서 눈치챘겠지만 내 어머니와 숙모님은 혈연관계야. 같은 날 같은 시각에 태어난."

"쌍둥이요? 그야 비슷하긴 했……."

돌려서 말한 탓에 반사적으로 끄덕이던 클로에의 머리는 쌍둥이라는 단어의 의미를 깨닫자마자 멈췄다. 역시 두 사람은 우연히 머리색과 눈동자 색이 닮은 것이 아니었다.

"실제로 보면 구분하기 힘들 정도로 닮았다고 해. 나도 본 적은 없지만. 뭐, 그러니 부친께선 저 여자를 볼 때마다 답지 않게 추억에 잠기는 걸지도 모르지."

태산 같은 어깨가 으쓱였다. 대수롭지 않은 사소한 이야기를 해주는 것처럼 무덤덤했다. 읊조린 내용은 다르게 본다면 스스로의 머릿속을 정리하고 일렁이는 가슴을 다스리기 위한 혼잣말로도 들렸다. 가볍게 던진 한마디였지만 가볍지 않은 내용을 내포하고 있었다.

"저 여자가 원하는 건 오르시니의 직계 후계만이 물려받는 성과 막대한 토지와 재산이라고 하더라. 한때 부친은 거의 넘어갈 뻔도 했었고."

미타이는 화를 내고 있지는 않았다. 말도 안 되는 이야기를 늘어놓으면서도 혀를 찰지언정 분노를 표하진 않았다. 현 공작을 생물학적 부친이라고 거리를 두고 딱딱하게 부르는 만큼이나 유산은 그에게 큰 의미가 없어 보였다.

"맞아, 세 명의 기사는 나와 내 형제를 가리켜. 그런데 우리가 왜 저 여자를 미워하느냐고? 저 여자는 왜 우릴 적대하느냐고?"

—여왕은 축복과 저주를 동시에 타고났는데, 축복은 아름다운 미모였고 저주는 태생이었지. 세상을 발밑에 거느렸어도 여왕은 자신을 갉아먹는 근원을 극복하지 못했어.

의문 두 번째. 여왕을 갉아먹는 근원이란 무엇인가.

"간단해. 저 여자는 우리의 모든 것을 빼앗고자 했고, 우리 또한 저 여자에게 모든 것을 내어주지 않았으니까."

이즈리에가 이미 전부 가져갔다고 태연하게 말하는 미타이는 정작 무언가를 강탈당한 사람의 얼굴이 아니었다. 깜짝 선물처럼 등장한 그림을 확인한 순간 미타이에게선 승자의 여유가 흘렀고 오히려 이즈리에가 분하다는 눈빛을 보냈다.

정리하면 이즈리에의 친모는 오르시니 현 공작의 남동생과 혼례를 올렸다. 그러나 어떤 이유로든 그녀의 친모는 결혼생활이 평탄하지 않았고 결국 파경에 이르렀다. 제 배 아파 낳은 자식에게 미련이 없어 이즈리에를 버렸다. 성장하여 출생의 비밀을 알게 된 이즈리에는 응당 제 것이었어야 할 몫을 찾아오겠다는 결심을 하게 되었다.

어디까지나 가정일 뿐이라 해도 어느 정도는 이즈리에를 채찍질하는 배경이 어디에 있는지는 알 것도 같았다. 그저 그런

하급 귀족의 영애가 아니라 보다 더 높은 지위를 선망했다. 스스로에게 흐르는 피에 오르시니의 핏줄도 섞여 있다는 사실을 알았을 때 그 바람은 더 강해졌다. 닿을 듯 말 듯 아슬아슬하게 무엇과도 바꿀 수 없는 희열을 선사한 후 멀어졌을 때에는 선망은 욕망이 되었으리라.

잠깐이나마 클로에는 사람들에게 둘러싸인 이즈리에를 보았다. 많은 사람의 시선이 집중되는 자리, 공경과 흠모를 받는 자리에 서 있는 여성은 아까 전까지만 해도 꼭 맞는 제자리를 찾은 듯 익숙하고 편안해 보였었다. 전시회를 주최한 사람으로서, 뛰어난 여성으로서, 이토록 놀라운 작품을 찾아낸 발견자로서, 전시회의 작품들이 탄생될 수 있게 한 뮤즈로서 주목을 받고 있는 이즈리에는 그 어느 때보다도 즐거워 보였다. 그림이 등장하고 클로에를 노려보기 전까지만 해도.

“그런데 미타이님. ……왜 이즈리에와 만나기로 한 거죠?”

의문 세 번째. 마녀는 과연 어떤 역할을 하고 있는가.

여왕을 괴롭히고, 여왕의 소유물을 훔쳤다는 마녀는 다름 아닌 클로에를 가리킨다. 과거의 클로에가 이즈리에에게 무슨 짓을 했는지, 소설에서처럼 악역같이 굴었는지는 알 수 없다. 이즈리에의 생생한 시선은 마녀는 곧 클로에 파르세라 말해주고 있었다.

전시회 입간판을 보았을 때만 해도 이즈리에가 초대장을 내밀 대상은 오르시니 중 한 명이리라 생각했었다. 세 명의 기사와 여왕은 게임을 하고 있으니 당연히 클로에를 제외한 네 사람 간의 문제겠거니 싶었다. 곧바로 클로에의 추측을 뒷받침하기라도 하듯 미타이가 등장했었고.

클로에는 스스로를 외부인이라 여겼다. 마녀는 여왕이 쓰러뜨려야 할 대상, 즉 게임의 성공에 따라오는 부산물이나 다름없으리라 생각했다. 그러나 클로에를 노려보았던 푸른 눈은 다른 전제를 알려주고 있었다. 무엇보다도 때때로 불현듯 맴돌곤 했던 두 여자의 대화. 이즈리에와 신경전을 벌이곤 했던 다른 한 여자의 목소리는…….

"그야……."

때마침 터진 큰 경보음은 미타이의 뒷말을 묻어버렸다. 자신도 모르게 이마에 주름을 잡으며 다시 말해달라 귀를 기울였지만 그는 반복해주지 않았다. 아니, 하지 못했다고 봐야 했다. 귀가 따가울 정도로 크게 울리는 알람이 그치지 않았기 때문이었다. 화재 경보였다.

ꕤ

"나가 있는 게 좋겠어."

"……진짜 불은 아니죠?"

미술관에서 소장하고 있고 보관하고 있는 작품의 수만 얼마던가. 화재라니, 생각하기도 끔찍했으나 미술관 내에 있는 사람들은 직원들의 안내에 따라 빠르게 대피하고 있었다. 연기가 난다거나 냄새가 나지는 않았기 때문에 어리둥절해하면서 비교적 침착하게 안내에 따랐다. 미타이가 잠시 고민하더니 클로에를 잡아끌었다.

"당연히 불이 난 거지. 화재 경보잖아."

"뜸 들이는 거 다 봤거든요."

위험이 닥쳤다면 누구보다 짐승처럼 기민하게 반응할 사람이 경보를 듣고 나서도 고민을 했다. 즉 불이 나지 않았다는 말과도 같았다. 한편으로는 클로에도 어느새 미타이의 그런 점을 눈치채고 지적할 수 있는 정도가 되었다는 의미이기도 했다.

"아니야, 불났어. 자, 봐. 그 여잔 도망갔잖아."

클로에의 추궁에 반박하는 증거로는 대피한 이즈리에를 끌어다 댔다. 경보 소리를 들은 사람치고는 평온하더라는 대꾸를 할까 하다가 그만두었다. 그녀를 내보내겠다 마음먹은 이상 일단 내린 결심을 순순히 꺾을 사람은 아니었다.

"그럼, 같이 나갈 거죠?"

"……."

계속 다그치느니 그 시간에 차라리 한시라도 빨리 끌고 나가려고 했는데 웬걸 사자는 요지부동에 묵묵부답이었다. 아무리 봐도 불이 나지 않았다고 온몸으로 보여주는 것과 다를 것 없었다.

"불이 났다면서요?"

"응, 그러니까 먼저 피해."

미타이는 꿋꿋했다. 이쯤 되니 화재 경보가 실은 그의 계획이 아니었나 싶을 정도였다. 진짜 예정되어 있었다면 여자를 만났다고 데이트니 뭐니 다른 샛길로 빠지려고 하지는 않았을 테지만.

"못다 한 데이트는 다음에 해주고."

아무리 찡긋 윙크를 한들 수선스러운 마음은 가라앉지 않는다. 그럼에도 차마 미타이를 더 이상 붙잡을 수가 없었다. 무언가 생각이 있어 보이는 그를 괜히 억지로 따라갔다가 방해만 되고 싶지도 않았다. 클로에는 스르르 힘이 빠지는 두 손을 황급히 감추고 가만히 알겠노라 끄덕였다.

시끄러운 알람 아래에 우두커니 서 있는 남자를 두고 빠져나오니 전시장 바깥에선 일사불란하게 관람객들을 내보내고 있었다. 규모가 크다 보니 은근 방문한 사람들이 많았던 탓에 바로 입구로 달려갈 수가 없었다. 침착하게 앞서 가는 사람의 뒤를 따라 총총 걸어가고 있을 때였다.

"어?"

뒤엉킨 무리에 섞여 있었지만 교묘하게 흐름을 거슬러 안으로 들어오는 두 남자가 눈에 띄었다. 직원들이 알지 못하게 사람들 사이에 끼어서 나가는 척하면서 안으로 파고드는 남자들의 얼굴은 익숙했다.

게르와 라스. 이즈리에를 협박하려 시도했었고 지금의 클로에에게 폭행을 가하기도 했었다. 그런데 단정하고 말끔한 신사와 다를 바 없는 라스에 비해 게르의 상태는 살짝 좋지 않았다. 후줄근해진 옷도 옷이지만 악에 받친 눈동자는 발갰다. 지안니와 마주쳤었다더니, 후폭풍을 호되게 맞은 모양인지.

혹시라도 눈이 마주칠까 고개를 숙이고 허리를 숙여 군중 속으로 숨어들고도 클로에는 차마 신경을 끄지 못해 힐끔힐끔 두 남자의 행적을 몰래 좇았다. 왜 갑자기 저들이?

"대체 여기에 왜?"

갑작스러운 등장이 수상하긴 해도 미술관으로 온 이유가 짐작이 가지 않는 것은 아니다. 그림을 둘러싸고 사람을 다치게 만드는 사건이 벌어지지 않았던가. 문제의 그림을 좇아 불빛을 보고 달려드는 부나방처럼 왔다고 보면 납득은 된다.

"이즈리에 한 사람만으로도 심란하고 머리가 복잡한 판국에 저들까지 등장하네."

쓰게 웃으며 난입한 두 불청객을 살폈다. 처음 만났던 날부터 지금까지 어찌 보면 꾸준하게 일관된 인상을 주고 있는 이들이었다. 안 좋은 쪽이라서 문제지.

"이즈리에는 여주인공이라는 이유로 내가 선입견을 가졌다 쳐도…… 응?"

게르와 라스로부터 협박을 받았던 여주인공은 소설의 등장인물이다. 그렇지만 이 세상이 소설과는 다르기 때문에 이즈리에는 여주인공이라고 보기 힘들다. 제 발로 으슥한 곳으로 나간 이즈리에가 여주인공이라는 단어와 대등하게 치환되지는 않는데, 이즈리에는 여주인공과 비슷한 행동을 했다. 머릿속이 어지럽게 소용돌이쳤다.

"이상하다, 왜 속이 안 좋지."

속이 갑자기 울렁거려서 나가려던 걸음을 멈추고 가슴팍의 옷을 움켜쥐었다. 갑자기 멈춰 서는 바람에 같은 방향으로 나가던 사람들에게 이리저리 부딪쳤다. 클로에는 비틀거리며 옆으로 빠져나왔다.

—이거 놔!

"윽, 또 시작이야……."

번개처럼 떠오른 날카로운 음성이 귀를 찌르고 뇌를 긁었다. 실제로 들은 외침이 아니라 머릿속으로 떠올렸을 뿐인데도 고막이 찢어지는 느낌이 들고 머리가 지끈거렸다. 그녀와 부딪친 사람 중 누군가가 외친 줄 알았으나 메아리처럼 울리는 감각이 회상이라 알려주었다. 클로에가 원해서 기억해낸 것은 아닌, 언젠가 들었던 다툼이었다.

—여럿이서 두 사람을 못 당한다는 게 말이 돼!

—너야말로 우리더러 잡아두기만 하면 된다 자신만만해할 때는 언제고!

—너무 빨리 정리됐잖아!

한번 생각나니 그 뒤에 이어지는 대화도 자연스럽게 막힘없이 떠올랐다. 여자와 남자의 날 선 대화. 신경질과 짜증으로 가득했던 목소리. 가까운 거리에서 듣지 않았음에도 비교적 선명하게 엿듣고 말았던 대화.

—도와주면 한몫 단단히 떼어준다며? 그런데 지금 꼴이 이게 뭐지? 난 겨우 빠져나왔고 라스는 다쳤어! 그리고 넌 언제나처럼 엉덩이를 흔들며 혼자만 빠져나가겠지!

—천박한 소리 하지 마. 감히 누구더러……!

—지금 누가 누구에게 감히라는 거지? 전 약혼자를 그렇게

차버리고 좀 괜찮은 남자를 잡았다고 너까지 대단해졌다고 착각하는 모양인데…….

—그 입 닥쳐. 방자하게 굴다 나중에 후회하지 말고.

—…….

—바꿔치기는 실패했으니, 다음엔 성공시켜. 반드시 그날이 되기 전까지는 끝내야 해.

인적도 없고 밤을 밝히는 등도 없었던 곳에서 언쟁을 벌이던 남녀. 그중 한 명은 본의 아니게 엿들었던 클로에에게 해코지를 하고자 쫓아왔던 게르였다. 당시에는 피해 도망가기에 바빠서 여자의 정체에 대해서는 깊이 생각할 겨를이 없었다. 그날 밤 이후로 거짓말처럼 심연에 가라앉아 있었던 기억이, 목소리가 부유했다.

들어본 적 있는 목소리였다. 클로에도 알고 있는 인물이었다. 애당초 그녀가 알고 지냈던 주변의 인물들이라고는 제한적이니 더더욱 모르려야 모를 수 없는 사람이었다. 그럼에도 클로에는 마치 잊어야만 하는 것처럼 여자의 정체에 대해선 의문을 느끼지 않았었다.

"왜 몰랐지."

번개를 맞은 듯 깨닫는다는 표현이 바로 이런 느낌일까. 게르와 싸우고 있던 목소리의 주인은 분명 이즈리에 페인이었다.

왜 지금에서야 알아차렸을까. 왜 대수롭지 않게 여기고 넘겼던 그날의 일이 바로 지금 떠올랐을까. 혼란스러운 눈을 고정할 곳을 찾지 못하고 답답한 숨을 겨우겨우 들이쉬는 와중에도 빌어먹을 머릿속은 여전히 뒤죽박죽 엉키고 있었다.

실마리를 풀었다가, 꼬았다가. 답을 던져줄 듯하다가 거두어 버렸다가. 해석을 해줄 듯하다가, 말았다가.

“아니야, 잠깐만. 둘이 그런 싸움을 할 정도로 친분이 있을 리가 없는…….”

게르와 라스는 현실에서도 이즈리에를 협박하려고 했었다. 비록 이즈리에는 소설의 여주인공과 달랐지만, 무도회에서의 만남은 최소한 이즈리에가 그들과는 좋지 않은 관계임을 나타내고 있었다. 클로에가 끼어들지만 않았더라면 아마도 소설과 비슷하게 이즈리에가 협박당하는 방향으로 전개되었으리라.

그렇기에 지금의 이즈리에가 여주인공과는 다른 인물이라 인지하고 있는 상황에서도 게르와 라스, 이즈리에와 관계만큼은 소설과는 다를 바 없다 여겼었다.

*가늠하느라 그랬는지 잠깐이나마 여주인공의 입매가 딱딱하게 굳고 처연한 눈매가 훅 올라갔다.*

일방적으로 신체 건장한 두 남자에게 둘러싸여 위협을 받고 애처로운 표정으로 울먹이던 여자의 얼굴은 클로에가 등장했을 때 어떠했던가. 못 본 척 지나가지 않고 되레 끼어들기까지 해 게르와 라스를 반대로 몰아붙일 때 이즈리에는 어떠했던가.

이즈리에가 실제로 협박을 받아 충격을 받았고, 게르와 라스에게 당하는 입장이었다고 믿을 수밖에 없는 상황이었다. 떨리던 목소리, 눈물이 가득한 눈망울, 잘게 떨리는 가녀린 몸, 두 남자에게 밀려 중심을 잃고 비틀거리기까지. 누가 보아도 이즈리에가 위험한 순간이었으니 당연했다.

그러나 클로에의 기억이 맞는다면 이즈리에 페인은 게르, 라스와 한배를 타고 있다는 의미였다. 착각과는 달리 세 사람은 같은 편이었다는 뜻이었고, 소설 속 에피소드와 비슷한 사건이 벌어질 수가 없어야 했다. 친분에도 불구하고 게르와 라스는 협박을 시도했다. 왜.

—도와주면 한몫 단단히 떼어준다며?

"일부러?"

보수를 미끼로 두 악역을 끌어들였다. 마치 그 에피소드가 전개되기를 바랐던 것처럼. 마치 일어나야만 하는 일이었던 것처럼.

"아니, 아니야……."

이즈리에에 대한 선입견으로부터 벗어났다 생각했었다. 소설 속 세상이 아니니 여주인공이 아닐 뿐, 살아 숨 쉬는 그녀의 존재는 단순한 캐릭터가 아닌 어엿한 한 명의 사람이라 여겼었다. 과거의 클로에와 대체 어떤 악연으로 얽혔는지가 궁금하긴 했어도 클로에는 스스로를 제삼자라는 위치에 두고 있었다.

—그런데 어느 날, 여왕 앞에 마녀가 나타났지. 여왕에게 있어 마녀는 보잘것없고 하찮은 존재였어. 마녀가 응당 여왕에게 왔어야 하는 것들을 빼앗아가기 전까진. 결국 여왕은 세 명의 기사를 얻고 마녀를 제거하기 위한 게임을 시작하기로 했어.

미타이가 해주었던 이야기가 환청처럼 여러 겹으로 메아리쳤다. 떠오를 듯 말 듯 애매했던 순간에 울린 화재 경보 때문에 잊고 있었지만, 확인하고 싶었던 의문점이 있었다.

지금보다 더 얽힐 수 없으리라고 생각했던 이즈리에와의 인연이 클로에의 짐작보다도 더 복잡하게 얽혀 있었는가. 설마 아니라고 쉴 새 없이 중얼거렸지만 마음 한구석에서는 이미 알고 있었다.

이즈리에와 말다툼을 벌이던 어떤 여자. 목소리의 주인은 클로에였다.

게임의 목표물은 클로에였고, 여왕이 시작한 게임의 참가자에는 마녀도 포함되어 있었다.

—그냥 그 계집애를 없애지 그래.

—아니, 나중에. 난 그녀의 무심한 면상이 절망으로 일그러지는 걸 꼭 봐야겠…….

남장을 하고 있었고 도망 다니느라 차림이 많이 흐트러진 데다 얼굴을 가리려고 애를 썼기 때문에 클로에를 알아보지 못했던 게르는 무자비한 폭언을 퍼부으며 발로 찼었다. 그의 발길

질이 떠오르며 그날의 통증이 스멀스멀 피어나는 바람에 클로에는 습관처럼 몸을 웅크렸다.

"그래서 그날 그렇게 보고 있었나……."

문득 시선을 올렸을 때 클로에는 거리 때문에, 땀과 눈물과 흙먼지로 뿌예진 시야 때문에 그녀를 내려다보고 있던 여자를 알아보지 못했다고 생각했었다. 고통스러운 순간에 기적처럼 내리꽂힌 다니엘레의 음성 때문에 어느 순간 사라져버렸던 여자의 존재를 까맣게 잊고 있었다. 보지 못했다고 생각했던 여자가 누구였는지 조금 전에 잠재의식이 일깨워주기 전까지.

게르는 남장을 하고 있었던 클로에를 알아보지 못했지만, 이즈리에는 차가운 시선으로 클로에를 보고 있었다.

"토할 것 같아……."

옷이 갑갑했다. 숨이 점점 더 쉬어지지 않아서 절박한 심정으로 입을 벌리고 산소를 밀어 넣었다. 현기증이 났다. 머리가 핑 돌면서 잠시 눈앞이 까매졌다가 되돌아왔다. 클로에는 크게, 크게 숨을 들이쉬기만 했다. 그런데도 어지러움은 가시질 않았다.

주변의 소음이 차단되고 클로에 주변을 스쳐 지나가는 인기척이 끊겼다. 넓은 공간에 혼자 남았는데도 산소가 여전히 부족했다. 부족한 걸까, 산소가 대피하는 사람들과 함께 모조리 밖으로 빠져나간 걸까.

저 멀리 문은 활짝 열려 있는데 아무리 입이 찢어져라 벌려도 공기가 들어오질 않았다. 화재가 난 듯한 매캐한 냄새나 잿빛 연기가 보이지는 않지만 이대로라면 질식하는 것은 시간문제였다.

'내 이름이 뭐였더라. 클로에 말고, 내 진짜 이름…….'

시각과 청각이 차단될 정도로 어지러운 탓인지 이름이 가물가물 영 떠오르지 않았다. 얼굴을 잔뜩 일그러트리고 옷깃을 쥐어뜯고 가슴을 아프게 때리고 나서야 겨우 떠오른 한 단어는 위영이었다.

위영. 衛, 지킬 위. 影, 그림자 영. 위영이라는 이름이 있었던 그녀는 다른 세상에서 살다가 소설을 읽던 중 사고를 당한 후 이 세상으로 오게 되었다. 소설을 읽은 것도 우연이고, 사고도 예기치 못한 우연이다.

그녀는 난데없이 이 세계로 와 클로에가 되었다. 과거의 클로에와 이즈리에 사이에 어떤 일이 있었다 해도 엄밀히 따지자면 그녀가 감당하고 짊어져야 할 짐이자 벌은 아니었다. 우연히 당한 사고에 휩쓸렸을 뿐인데 이즈리에는 지금의 그녀에게 대가를 치르게 하려고 한다.

미치도록 답답하게 하고 먹먹하게 하는 이 감정이 억울함 탓인지 서러움 탓인지. 미타이는 이즈리에가 오르시니를 원해서 움직이고 있다 하지만 그녀가 보기에 조금 달랐다. 이즈리에가 클로에라는 사람에게 드러내는 격렬한 감정은 단순히 억울하다는 단어 하나로 넘길 수가 없었다.

두 여자 사이에 예상보다는 다소 복잡한 인연이 있다 확신하는 그녀에게 마녀가 맡아야만 하는 역할이 있다면, 그 역할은 다른 누구도 아닌 바로 자신이 해야 하는 일로 느껴졌다. 왜냐하면…….

"아가씨. 여기서 왜 이러고 있어요."

풀썩 무릎을 꿇고 앞으로 쓰러지는 클로에를 받아내는 손이 있었다. 잡아주는 사람의 정체는 눈으로 확인하지 않고도 알았다. 비웃는 듯한 어조로 클로에를 아가씨라고 부르는 사람은 한 명뿐이다. 저를 떠받치는 팔에 기대고 고개를 들자 냉소를 머금고 있는 지안니가 있었다.

"여기엔 왜……."

똑같은 질문을 지안니가 먼저 했다는 것도 잊고 더듬더듬 묻고 말았다. 미타이는 이즈리에와 만나기로 약속을 했다 쳐도 지안니의 등장은 정말로 예상외였다.

"먼저 물어본 건 이쪽인데요. 여기서 쓰러져서 밀려드는 사람에 깔리라고 곱게 놔준 게 아닌데."

"……하하."

신기루처럼 나타난 지안니는 결코 환상이 아니었다. 실제가 맞았다. 비틀거리다 넘어진 사람이 헐떡이며 무언가 묻는다면

도의적으로라도 대답을 해줄 법도 한데, 물어본 순서를 따지고 제가 듣고 싶은 대답이 더 중요하다는 태도가 지안니답다면 그다워서, 오히려 실소와 함께 숨통이 팟 트였다. 자신도 모르게 호흡을 멈춘 상태였었다는 것도 그때야 깨달았다.

"기세 좋게 형을 구슬려서 빠져나갈 땐 언제고 왜 혼자 여기서 넙죽 엎드려 있어요?"

별 우스운 꼴을 다 보겠다며 클로에를 잡고 일으켜주었다. 중심을 되찾아오지 못해 온전히 지안니에게 기댄 채였으나 어렵지 않게 일으켜 세웠다.

"미타이님을 만났, 읍!"

지안니의 손길이 닿은 순간부터 아무것도 들리지 않았던 소음이 조금씩 다시 들려오고 보이지 않았던 시야에 조금씩 사람들과 미술관 내부의 전경이 들어왔지만 풀린 다리에는 힘을 주기가 힘들었고 여전히 어지러웠다.

핑글핑글 도는 머리를 숨기고 지안니를 기둥 삼아 일어서 있으려고 눈을 감고 못다 한 대답을 이어가려는데 턱이 들리더니 입이 막혔다. 후끈한 입김이 훅 끼치고 부드러운 입술이 닿았다.

입술을 비벼 클로에의 입이 벌어지게 만들고, 뒤로 젖혀진 머리를 받쳐 잡았다. 갑작스러운 키스에 놀란 사이 더운 공기가 넘어왔다. 턱을 살짝 아래로 끌어내리듯 잡아 입을 다물지 못하게 한 후 천천히 날숨을 불어넣었다.

"이제 조금 괜찮아요?"

몇 차례 입술이 닿았다 떨어졌다. 지안니는 클로에를 놔주지 않고 아주 천천히 숨을 내뱉었다. 클로에는 지안니의 품에 안겨 이끌리는 대로 그가 불어넣는 숨을 삼켰다. 따듯한 공기가 입술 주변을 스치고 그녀의 안으로 들어오자 뺨에 혈색이 돌아오기 시작했다. 빼근하게 굳었던 뇌에도 약간이나마 기름칠이 된 기분이었다.

"누구 때문에 공포에 질려서 숨 쉬는 방법도 잊은 건데요? 그렇게 무작정 과도하게 들이쉬기만 하니까 호흡 곤란이 되고 어지러워지는 거지. 누구 때문인데요?"

"아……."

"아가 아니죠, 지금. 호흡 조절(Breath Control)은 아무 돔(Dom)한테나 막 맡겨도 되는 그런 게 아니에요."

"뭐, 뭔지 몰라도 그런 건 절대로 아니에요."

가볍게, 아주 가볍게 이마에 딱밤을 맞았다. 지안니의 잔소리도 생소했지만 그의 입에서 튀어나오는 알 수 없는 단어들 때문에 억울한 기분이 먼저 들었다. 클로에는 이마를 가리며 중얼거렸다.

"지안니님이야말로 왜 여기에 계세요."

"아가씨 대답이 먼저여야 예의죠?"

심지어 먼저 물어봤다고 먼저 대답을 듣겠다며 들이대는 예의 운운에 클로에는 한숨으로 대신했다. 미타이의 소원대로 데이트 비슷한 것을 하고 있었다는 대답을 지안니에게 해봤자 당연히 좋을 것이 없다. 그렇다고 미타이와 이즈리에가 여기서 만나는 것 같아서 쫓아왔다는 대답 역시 해봤자 좋은 꼴을 보기엔 힘들 터였다. 미타이, 이즈리에. 둘 중 어느 한 사람의 이름도 꺼내지 않는 편이 좋으리라.

"도와주셔서 감사합니다, 지안니님. 그럼 전 다시 나가보는 게 좋을……."

"그럴래요? 그래요, 나가죠."

대놓고 답을 회피하며 말을 돌리는데도 지안니는 의외로 순순했다. 왜 말을 돌리느냐 지적하지 않고 끄덕였다. 클로에 스스로도 몰랐던 상태를 어떻게 알고 구해주더니, 웬일로 그녀에게 별다른 짓은 하지 않고 놓아주려는 모양이었다. 안도의 한숨과 함께 클로에는 슬금슬금 몸을 빼며 작별 인사를 건네려 했다. 그가 따라나서기 전까지는.

"참, 미타이님이 안에……."

"그래요?"

왜 클로에와 같은 방향으로 몸을 돌리는지. 확인차 손가락으로 미타이를 우연히 본 척, 그가 있는 장소를 가리켰으나 혹시나 하는 기대는 산산이 부서졌다. 지안니는 제 동생에 대해서는 전혀 궁금해하지 않고 다리에 힘을 제대로 주지 못하는 클로에를 가뿐하게 안아 들었다.

"어, 음, 무사하신지 확인하러 가보시는 게……."

"아가씬 녀석을 너무 걱정한 나머지 혼자 빠져나오고 있었나 봐요."

"……."

게르와 라스를 목격한 일이 마음에 걸리긴 했지만 차마 두 개의 이름은 꺼내지 못하고 미타이에게 보내려 했더니 소용없었다. 지안니는 정곡을 찌르며 성큼성큼 클로에를 안고 이동했다.

"여기엔 무슨 일로 오셨어요? 용건은 안에 있으실 것 같은데……."

아무것도 모르는 척하고 무작정 쫓아내봤자 실패만 하리라. 클로에는 다시 하필 오늘 왜 여기로 왔는지를 묻는 것으로 원래 하려던 할 일을 하러 가라고 넌지시 제안했다. 부상까지 입었던 지안니가 아무 용건도 없이 우연히 미술관을 지나고 있었을 리 없다. 그것도 화재 경보 때문에 모두가 밖으로 대피하는 상황에서.

미술관으로 들어오는 목적이 분명히 있을 텐데 클로에를 발견했다고, 그녀가 아파 보였다는 이유만으로 할 일을 내던지고 같이 밖으로 나가고 있는 상황이 믿기 힘들기도 했다.

"그래서 아가씬 미타이랑 좋은 시간 보냈어요?"

"그건 대답이 아닌데요……."

"대답은 내 마음이죠."

역시 조금 전에 이상하게 순순하다 싶었다. 본인이 알아내고 싶은 사정이 있으면 어떤 수단을 써서라도 꼭 실토하게 하지만 본인이 대답하기 싫으면 하지 않는다. 아마 이번뿐만이 아니고 전에도 그랬고 앞으로도 그러겠지. 짜증이 날 법도 했지만 어찌 보면 지안니답다. 클로에는 끄응, 한숨을 쉬며 고개를 흔들었다.

"웬일이야. 나랑 있을 땐 겁에 질려 떨기만 하더니."

"제가 음, 지안니님을 무서워하기를 원하셨……잖아요."

분명히 제 입으로 무서워하라고 한 후 아주 그 선언을 착실하게 지키는 바람에 지안니와 단둘이 있으면 클로에가 긴장하게 만들어놓고선. 무서워하는 모습을 보이지 않는 클로에도 싫지는 않은 눈치였다. 말로는 비웃고 있었지만.

"그래요, 앞으로도 계속 무서워하면 돼요."

정답이라며 입꼬리를 비죽 끌어 올리는 지안니의 눈빛이 예전과는 조금 달라졌다. 클로에는 안긴 채로 자세의 안정을 찾기 위해 조심조심 그의 어깨에 손끝을 올리다 움찔했다. 그녀를 바라보는 지안니가 생소하면서도 낯익었다.

"다른 사람, 다른 남자 앞에서 아까처럼 그러고 있으면 혼나요. 알았죠, 아가씨?"

"……."

실내에 있는 동안 시간이 제법 흘렀는지 해가 기운 후였다. 밖으로 완전히 빠져나온 후에야 지안니는 클로에를 내려주고 똑바로 설 수 있도록 부축해주며 속삭였다. 나직한 음성이 귓속을 파고들자 목덜미가 간지러웠다.

"지안니님."

"지안니라 불러요."

오늘이 무슨 날이라도 되는가. 약속이라도 한 듯 형제가 차례로 당황스러운 요구를 했다. 말을 놓으라지를 않나, 이름을 부르라질 않나. 만약 다니엘레를 오늘 만나게 되면 그도 무언가를 원하려나. 그러나 요구했다고 순순히 알았노라 따르기에는 워낙 불안한 상대들이다 보니 못 들은 척 무시했었는데, 아무래도 지안니의 요구도 못 들은 것으로 해야 할 것 같았다. 해달라는 대로 고분고분 따라주고 싶지도 않았거니와.

"네, 지안니님. 진짜 미타이님께 가보시지 않아도 되나요?"

"내 아가씨, 말 참 안 듣네요."

"미타이님 표정도 안 좋아 보였고, 으음, 사실 아까 나오는 중에 문제가 하나 생겼었거든요."

"이젠 못 들은 척까지."

"어, 음, 게르 공자와 라스 공자를 봤어요. 그날……."

"아가씨. 난 미타이랑 달라서 한번 시작하면 항복해도 봐주지 않을 건데."

클로에도 집요했고 지안니도 집요했다. 클로에는 끝까지 게르와 라스가 나타난 것이 심상치 않다 경고를 하려고 애를 썼고, 지안니는 못 들은 것으로 치부하려는 의도를 알아채고 끝까지 물고 늘어졌다.

"그자들 때문에 다, 다치셨잖아요."

"흐응."

마지막에 이긴 사람은 클로에일까, 지안니일까. 그가 내뿜는 위험한 공기에 본능적으로 움칫움칫 떨면서도 하려던 말을 기어코 마치자 흐트러진 적금색 머리카락을 빗어 넘기던 손의 움직임이 느려졌다.

"많이 컸네요, 대놓고 말할 줄도 알고."

"아마도 지안니님, 악!"

미타이와 지안니가 같은 형제라도 성격이 많이 다르다는 사실을 알고도 방심한 것이 오산이라면 오산. 못 들은 척 몇 번 무시하고 꿋꿋하게 부르고 싶은 대로 부르면 제 풀에 지쳐 포기할 줄 알았는데 아니었다. 「님」을 붙이자마자 즉각 이마로 응징이 돌아왔다. 긴 손가락에 맞은 이마가 상당히 얼얼했다.

"그래서요? 내가 다쳐서 참 못 미덥나 보다, 그쵸?"

"네? 그게 아니라."

"아파요? 그런데 어쩌나. 난 내 고양이 아가씨가 아파서 눈물 글썽거리는 몰골도 참 사랑스러워 보여서."

통증의 강도로 보아 의외로 사정을 봐주지 않았음이 분명했다. 이마를 문지르며 눈을 치떴지만 지안니는 흔들리지 않았다. 이마에 직접 닿았던 손가락을 엄지로 문지르며 나른한 얼굴로 경고하고 있었다. 이름을 부르든 부르지 않든 어느 쪽이든 결국은 그의 취향대로 되리라는 예고였다.

"미타이님께 가보셔야 한다고 생각해요."

그러나 클로에도 쉽게 굴하지 않았다. 두 손으로 이마를 가린 채, 말을 이었다.

"그래서요?"

"네?"

"아가씨가 미타이를 걱정할 이유가 있나?"

"네? 당연히 걱정이 될 수밖에…… 오늘 여기에 세 명이 모두 나타났으니까……?"

"그 셋이 모이는 바람에 미타이에게 큰일이라도 생길까 봐? 이유는 그것뿐? 그래서 미타이를 지키러 가라?"

동생을 보러 가라는 당연한 말에 지안니가 날을 세우는 것처럼 느껴져 클로에는 뒤로 주춤주춤 물러났다. 상식적으로 생각해도 이즈리에가 무슨 짓을 할지 모르는 상황에서 혼자 남아있는 미타이가 더 걱정되는 것이 당연한데도 지안니의 반응은 날카로웠다.

"이 지경이 되어서도 아가씨는 남 걱정만 하네요."

"제가 언제요……."

미타이의 힘이 되어주라는 요구는 상식선의 부탁이고, 사실 그 속내엔 지안니로부터 한시라도 빨리 멀어지고자 하는 의도가 숨어 있었다. 그런데 어째 듣고 있자니 스스로의 안위는 버려두고 타인만 걱정하는 사람으로 둔갑한 뉘앙스로 들리는 걸까.

"그래요, 그럼 이렇게 하죠. 아가씨가 해달라는 대로 해주는 대신 내 부탁 듣기."

"네?"

"무엇을 명령하든 따를 테니, 나중에 내 부탁을 들어요."

"어……."

클로에는 당황했다. 상당히, 많이 당황했다. 우선 들어달라는 부탁조가 아닌 들으라는 명령조에 가까운 제안. 그리고 수락을 하지 않았음에도 반강제로 진행되는 거래. 그럼에도 무엇이든 따르겠다는, 어떤 의미로는 위험한 방식이면서도 지안니와 제일 어울리지 않는 표현.

"동생한테 다녀올 테니 조심하고 있어요. 심심하다고 다른 사람 쫄래쫄래 따라갔다가 울고 있지 말고요."

"아니, 저기, 지안니님, 으악!"

간발의 차로 이마를 가려 방어에 성공했다. 한 번은 장난이라 치부해도 두 번은 진짜다. 님이라고 부를 때마다 이마를 공격할 의지가 충만한 지안니를 불안한 눈초리로 올려다보고 있노라니 예의 그 비웃음이 나타났다.

“자, 그래서. 명령이 무엇이죠, 아가씨?”

잊지 말고 기억해두라고 이마를 톡 톡 두드린 다음 무릎을 굽히고 클로에의 손등에 입을 맞추었다. 마법사인 그가 마치 기사가 레이디에게 하듯 흉내를 내는데도 전혀 어색하지 않고 잘 어울렸다. 이 광경을 그림으로 남겨둔다고 했을 때 굳이 어울리지 않는 부분을 꼽자면 잔뜩 긴장한 채 굳어 있는 클로에 정도가 아닐까.

“음…….”

고민스러웠다. 미타이에게 바로 가보라고만 하면 되는 문제인데 이상하게도 목에 가시가 걸린 것처럼 생각처럼 쉽게 말이 나오지 않았다.

“미타이님께…….”

문장은 간단하기 그지없다. 동생분께 가세요. 복잡한 수식어구도 필요 없다. 그런데도 속 시원하게 말이 툭 튀어나오지 않았다. 지안니를 보내려고 했던 사람은 클로에 본인이면서 대체 왜 가라는 말이 껄끄럽게 느껴지는 당최 영문을 알 수가 없었다.

“지안니님.”

“흐응.”

“헉, 이마 때, 때리지 마세요!”

홀린 듯이 지안니를 불렀다가 싸늘하게 웃으며 몸을 일으키는 남자를 보고야 만 클로에는 반사적으로 명령했다. 다행히 이런 요구도 명령으로 치는지 무서운 마법사는 고분고분 팔을 내렸다.

"지금 이 순간 이 자리에서 내릴 수 있는 명령에는 제한이 없으니 뭐든 말해요. 그 대신 나중에 내 부탁 하나만 들어주면 되니."

심지어는 기껏 받은 기회를 이마 딱밤 피하기로 날려버린 클로에에게 너그럽게 추가 기회를 베풀어주기까지 했다. 어울리지 않는 과도한 친절 때문에 차마 의심의 눈초리를 완벽하게 거두지는 못했지만 본능은 바로 지금이라고 외치고 있었다. 아까부터 마음에 걸렸던 말을 꺼낼 타이밍이라고.

"우리가 처음 만난 밤을 기억하세요?"

"처음 만난 날? 그럼요, 당연히 기억하죠. 아무리 세월이 흘러도 잊을 수 있을 리가."

세월이 흘렀다고 표현할 만큼 그리 많은 시간이 흘렀던가? 클로에는 잠시 고개를 갸웃거렸지만 이내 납득했다. 오래전으로 느껴질 만큼 격정적인 나날을 보내긴 했었다.

"페인 영애를 지켜보고 계셨던 건가요?"

"페인 영, 아아, 그 여자요? 네, 뭐. 미치도록 보고 싶은 여자가 정말 그 자리에 나타날지 기대하며 지켜보고 있었죠."

이즈리에의 성이 무엇인지도 잊고 있었던 걸까. 무슨 이야기를 하느냐는 듯 눈을 가늘게 떴던 마법사는 제 스스로 답을 찾아내고 끄덕였다. 그 여자. 3형제가 공통으로 이즈리에를 지칭하는 호칭이 어김없이 흘러나왔다.

가면무도회의 밤. 클로에가 가면무도회에 참석하겠다 결심한 것은 우연.

*여주인공이 미세하게 고개를 돌린 방향 그 끝에 클로에가 멀뚱히 서 있었기 때문에 눈이 마주쳤을지도 모르겠다는 착각까지 들었다.*

이즈리에는 가면을 쓰고 있는 클로에를 알아보았으나 모른 척하고 자리를 떴다. 이즈리에를 따라나선 클로에는 게르, 라스와 대치하고 있는 순간을 목격했다. 회랑에서는 원작에서와 꼭 같은 장면이 재현되는 중이었다.

*세 사람의 대화를 엿듣고 황급하게 자리를 뜨는 한 여자가 있었다. 붉은 기운이 도는 긴 곱슬머리에 하얀 드레스.*

그날, 클로에는 낡았지만 마침 아이보리색 비슷한 엠파이어 드레스를 입고 있었다. 엄밀히 따지면 클로에의 머리카락은 붉은 기가 도는 금발이지만 굳이 말하자면 빨간색이라고 부를 수도 있는 색이다.

마침 옷의 색과 머리색이 딱 맞아 떨어졌기에 엿듣고 도망갔다던 등장인물이 바로 클로에 파르세라는 캐릭터라고 생각했었다. 바로 그 도망가야 하는 여자가 끼어들어 이즈리에를 피난시켰다.

*여주인공의 파란 눈이 갈팡질팡 흔들리는 것처럼 보였다.*

*뻗었던 팔은 허공에서 멈춘 채였다. 남자가 미간을 찌푸리며 손을 쥐었다 폈다 했으나 그뿐이었다. 무슨 이유에서인지 가면을 벗겨보려던 마음이 바뀐 듯 씨근덕거리기만 할 뿐, 끝까지 팔을 뻗질 않았다.*

이즈리에는 어떠한 이유 때문에 당황했다. 예상 밖의 일이 일어났기 때문이다. 그런데 예상 밖의 일이 클로에의 개입인지, 몰래 클로에를 도와준 지안니의 마법인지는 모호했다.

—미치도록 보고 싶은 여자가 정말 그 자리에 나타날지 기대하며 지켜보고 있었죠.

이즈리에는 지안니를 염두에 두고 연기를 했나? 게르와 라스를 이용해서? 그리고 지안니는 그저 우연히 먼저 와 있었기에 지켜보게 되었던 걸까?

"왜……."

조금 전처럼 어지럽지는 않았다. 손이 잡혀 있기 때문일지도 몰랐다. 덕분에 용기를 내어 자꾸만 마음에 걸렸던 점을 입 밖으로 꺼낼 수 있었다. 지안니를 미타이에게 보내기 전에 물어보고 싶었던 질문.

"지켜보고 계셨어요?"

만약 이즈리에, 게르, 라스 세 사람이 한패라고 불릴 수 있을 관계가 맞는다면 왜 그날 짜여 있는 극본을 따라 행동하듯 행동했을까. 지안니가 과연 정말로 우연히 머물렀을 뿐일까.

알 수 없는 의도를 담은 금안을 응시하는 연갈색 눈동자는 차분했다. 클로에는 흐읍, 천천히 크게 들이쉬었다. 지안니가 시치미를 뗀다 하더라도 짚고 넘어가고 싶었다.

"게임 때문이죠?"

"아가씨."

맞다, 아니다, 혹은 말하고 싶지 않다. 그 어느 쪽도 아닌 두루뭉술한 의미였다. 잠자코 클로에를 부른 지안니는 비죽 미소만 머금을 따름이었다.

"저 또한 게임의 참가자일 테고요."

입 밖으로 꺼내자니 다소 주저되었던 의문. 하필 클로에가 그날 무도회에 참가하기로 한 것, 그리고 이즈리에의 일에 끼어든 것은 과연 우연일까, 필연일까. 인물과 시간과 사건, 어디서부터 어디까지가 우연이고 필연일까.

그러나 우습고 신기했다. 혼자 있을 때 머리를 때리는 환청이 던져주는 실마리를 따라 기억을 되짚어 하나하나 퍼즐을 짜맞추고자 할 때는 그토록 울렁거리던 속과 후들거리던 팔다리가 지금은 놀랍게도 괜찮았다. 이상할 정도로 불안하지 않았다. 클로에도 자신이 안정을 유지할 수 있는 배경에 누가 있는지를 짐작하고 있었다.

"그래서 그때 지켜보고 계셨……."

클로에는 이번에도 생각과 말을 끝맺지 못했다. 미타이의 태도 때문에 화재 경보는 가짜라고 믿고 있었는데, 갑자기 미술관 쪽에서 쾅 쾅 무언가 터지는 소리가 났다. 무심코 놀라 상체를 움츠릴 정도로 큰 소리였다.

어떻게 된 사태인지 알고 싶어 남아 있는 일부 군중의 웅성거림이 커졌다. 폭발음에 가까운 소리가 심상치 않았다. 지안니는 움츠린 클로에를 품에 안으며 상태를 확인한 후 미술관을 노려보았다. 그녀를 향하고 있지도 않은 살기에 온몸이 덜덜 떨렸다.

"그러게요, 아가씨 명령대로 가긴 가봐야겠네요."

"역시 그럴, 아니, 지금은 위험……."

미타이를 혼자 남겨두고 나오는 순간에도 뛰지 않았던 심장이 불안으로 세차게 뛰기 시작했다. 저릿하게 조이는 가슴은 자꾸만 폭발음을 나쁜 예감으로 바꾸려고 했다. 이성적으로는 그럴 필요가 없다, 소리와는 반대로 건물은 멀쩡해 보이지 않느냐며 스스로를 다독이려고 노력하고 있었지만 반대편 이성이 말을 듣지 않았다.

"아가씨?"

클로에는 훌쩍 미술관으로 날아가듯 유영하려는 지안니의 소매를 덥석 잡았다. 미타이가 위험할 확률이 현저히 낮았을 때에는 그에게 혹시 닥칠지도 모를 비상사태를 대비해 지안니더러 가라고 우겼는데, 정작 상황이 변하니 지안니마저 들여보내기가 두려워졌다.

"같이 보러 갈까요?"

당겨지는 소매를 묘한 시선으로 내려다보던 지안니가 유혹하듯 속삭였다. 솔깃한 제안이 뛰는 심장을 가라앉혔다. 상식적으로 이 자리에 남아 있어야 안전할 클로에를 데리고 가고 싶어 하는 데에는 이유가 있겠지 싶어, 마찬가지로 거절해야 마땅한 그녀도 살짝 고개를 끄덕였다. 소매 끝부분만을 어설프게 잡은 손을 꼬물꼬물 움직여 옷깃을 더 많이 움켜쥐었다.

"그러다 놓치면 어쩌려고요."

하는 양을 물끄러미 보고 있던 지안니가 픽 웃었다. 세게 쥐어봤자 천이다. 자칫하면 미끄러지기 쉬우니 더 확실하게 잡으라는 뜻이었다. 소매를 쥘 수 있는 만큼 쥐었으니 더 확실하게 고정하려면 손목을 잡아야 했다. 클로에는 지안니를 힐끔 올려다보고 머뭇거리다 눈을 꽉 감고 제발, 염원을 담고 두 손으로 손목을 잡았다.

"아가씨를 먼저 잡아온 나를 두고 딴 놈들한테만 기대고 매달리더니."

"네?"

"마지막 나로 인해 조건은 전부 갖추어졌네요."

금안이 달콤하고 은밀하게 반짝였다. 쭉 일관되게 불친절했던 그는 마지막까지 자세한 설명을 덧붙이는 친절 따위는 발휘하지 않았다. 영문 모를 볼멘소리와 이어진 선언에 당황해하는 클로에의 뺨에 쪽, 부드러운 입술이 닿았다 떨어졌다. 으갸갹, 괴상한 비명을 지르며 손목을 놓는 실수를 저지르기 직전, 두 사람을 둘러싼 풍경이 바뀌었다.

순간이동 마법은 두 사람을 미술관 안으로 옮겨주었다. 천장이 있는 실내라는 점과 벽에 걸린 수많은 액자가 어렵지 않게 장소를 짐작하게 했다. 다만 기묘한 모양의 벽에 둘러싸인 이즈리에 전시회실 대신 엉뚱한 곳에 도착했을 뿐.

"미타이님은 페인 영애의 전시장에 계셨었는데……."

두 사람이 이동된 장소는 먼젓번 클로에를 숨겼던 비밀방이었다. 설마 지안니가 실수를 했을 린 없지만 부상에서 회복된 지 얼마 되지 않았으니 혹시나 싶어 클로에는 머뭇거리며 미타이를 마지막으로 봤던 위치를 알렸다.

"앗, 무너지는 소리가 나요."

지안니의 실력을 의심하는 사이 구구궁, 묵직하고 거대한 돌이 움직이는 소리가 났다. 비슷하지는 않았지만 크게 울리는 소음은 조금 전의 폭발음을 떠오르게 했다. 방을 두리번거리느라 손목을 잡고 있는 힘이 헐거워졌다.

"볼일 다 봤다고 매정하게 버리려고 하네요."

"네? ……이게 대체 왜 버리는."

사람이 붙잡고 매달려서 늘어지면 움직이는 데 방해가 되고 불편하기만 할 텐데, 오히려 화사하게 웃으며 손가락으로 아래를 가리키며 지적하는 분위기가 딱히 기분이 좋아 보이지 않았다. 지안니를 올려다보았다 아래를 보았다 위아래로 정신없이 왔다 갔다 하다가 한 박자 늦게 반쯤 그의 손목을 놓아버린 상태임을 알아차렸다.

"어디 보자, 벽 하나 정도는 나도 부숴도 되니까요. 까짓, 보수도 할 겸 리모델링 겸, 아가씨가 모처럼 쓸데없는 제 걱정도 하겠다."

아예 진짜로 어딘가 한구석을 무너뜨려야 손의 위치를 원상태로 복구하겠느냐는 우회적인 채근이었다. 더불어 실력을 의심한 클로에에 대한 힐난도 빼놓지 않았다. 클로에가 무슨 의도로 위치를 알렸는지 정도는 바로 알아챈 모양이었다.

"아뇨, 아뇨, 아뇨!"

클로에는 다급하게 손목부터 잡고 보았다. 지안니를 오랜 시간 알고 지내지는 않았지만 원하는 바를 쟁취하기 위해서라면, 사냥감을 궁지에 몰기 위해서라면 실천하고도 남으리라는 것 정도는 알고 있었기에.

"놓치면 위험하니까 그렇게 잘 잡고 있어요."

흡족한 미소를 띤 지안니는 클로에의 손등을 토닥이며 책상으로 향했다. 이즈리에에게 그림의 진위 여부를 확인시키기 위해 만나는 동안 클로에를 앉혀둔 바로 그 책상이었다. 부끄러운 자세로 앉았던 의자는 그대로였고 그녀의 체액이 쏟아졌던 책상은 언제 그랬느냐는 듯 깨끗하고 말끔했다.

"와……."

비밀방에서도 바깥의 동태를 살필 수 있게 해주는 장치, 수정판이 나타났다. 그때 수정판은 책상에 눕혀졌었지만 오늘은 조금 달랐다. 하나가 아닌 여러 개의 수정판이 나타나 수직으로 세워지더니 입체적으로 늘어섰다.

"신기해요?"

수정판에서 보여주는 비밀방 외부 또한 한 곳이 아니었다. 마치 CCTV처럼 미술관 내부의 곳곳을 실시간으로 볼 수 있는 장치였다. 마법이 존재한다고는 하지만 서양의 19세기와 비슷한 생활상이다 보니 상상도 못 했던 기술이 등장한 셈이었다. 겁을 먹고 떨기가 무섭게 헤에 입을 벌리고 눈을 반짝이며 구경하자 웃음소리가 들렸다.

"아가씨껜 신기한 일이 아닐 텐데요."

"그럴 리가요. 여기선 굉장히 신, ……네?"

"자, 아가씨. 이 마력석부터 받아요. 그 싸구려 팔찌는 버리고."

"네? 어, 네?"

전시회 입장 전에 받았던 팔찌는 단번에 뜯겨져 나갔다. 대신이라며 지안니가 건넨 마력석은 줄이 달린 카메오 브로치였다. 클로에는 이번에도 역시나 친절한 설명 따윈 내다 버린 마법사가 건네는 선물을 엉거주춤 한 손으로 받았다. 섬세하게 조각된 곱슬거리는 긴 머리 여성의 옆얼굴은 「구름 연작」에서 보았던 옆모습과도 비슷했다.

"아가씨, 미술관의 보안 단계를 3단계로 높여주시겠어요?"

"……네?"

소매도 놓지 말라, 뜬금없이 팔찌는 버리고 브로치를 줄 테니 가지고 있으라 하더니 이제는 웬 보안 단계를 높여달란다. 하더라도 미술관의 주인이라는 지안니가 해야 할 일 같은데 그는 당연히 클로에가 할 일이라는 양 요구를 했다.

"무서워서 그래요?"

"네? 아니 그건 아닌데……."

지안니는 오묘한 미소를 입꼬리에 매단 채로 클로에를 지켜만 보고 있었다. 은근한 기대를 품고 물어보는 저의엔 그녀가 무섭다고 대답했으면 하는 마음이 담겨 있을 터였다.

그러나 못 하겠다는 대답을 분명 원하지는 않았다. 심술궂고 가학적인 마법사지만 지안니는 딱 클로에가 할 수 있는 일, 버틸 수 있는 선까지만 몰아세우곤 했다. 그런 남자가 클로에가 할 수 없는, 할 줄 모르는 일을 시키지는 않았으리라.

클로에는 고스란히 쏟아지는 시선을 받아내며 책상의 주변을 샅샅이 살폈다. 마법이라는 수단으로 구현된, 영화에서나 보던 입체 영상은 못 박힌 액자처럼 고정된 채 움직이지 않았다. 외부 전경을 비추고는 있지만 사각지대나 미처 영상이 닿지 못하는 곳까지는 비출 수 없는 것처럼 띄엄띄엄 떨어진 장면들이 늘어서 있었다.

브로치를 쥐고 있는 쪽의 팔을 뻗어 수정판에 슬쩍 손끝을 가져다 댔다. 허공에 환상처럼 떠 있는 수정판은 그녀의 손가락을 통과시켰다. 스마트폰을 만질 때처럼 터치라는 행위를 할 수는 없는 듯했다. 클로에는 포기하지 않고 브로치를 쥐고 있는 손을 꼭 말았다. 지안니가 이 타이밍에 건넨 이유가 있을 터였다.

느낌이 오는 곳을 찾아내는 것은 쉬웠다. 가운데에 있는 가장 큰 수정판 모서리에 돋을새김의 브로치에 조각된 여자와 비슷한 실루엣이 아른거리는 부분이 있었다. 찾아내자마자 기다렸다는 듯 브로치의 앞면을 대니 실루엣과 조각이 꼭 맞아 떨어졌다. 소리 없이 움직이기 시작하며 재배치되는 수정판을 지켜보던 중이었다.

"헉."

딱 하는 소리와 함께 방의 불이 꺼졌다. 수정판이 비추는 영상에서 나오는 빛 외에는 아무 빛이 들어오지 않는 공간은 깜깜해졌다. 입체 영상이 없었더라면 바로 옆의 지안니조차 잃어버릴 것만 같았다. 절로 두 손에 힘을 꽉 주니 짧은 웃음소리가 핑핑 메아리쳤다.

"방심하기엔 일러요, 아가씨."

지안니와 처음 만났던 날 들었던 경고. 똑같은 말이었지만 웃음을 담고 있어서인지 처음처럼 오싹하지는 않았다. 클로에는 숨을 고르며 들썩이는 가슴을 진정시켰다.

"아가씨. 미타이가 어디에 있다고 했죠?"

"1전시실……."

차차 움직이는 속도가 느려지고 재배열이 끝난 수정판은 미술관 내부의 도면과 함께 1전시실을 비추었다. 생생하게 현장을 한눈에 보고 있는 것처럼 가려지거나 막히는 곳 없이 비추어지는 전시실에는 아직 빠져나가지 않은 사람들이 있었다.

"저런. 잘 보관해두고 있던 그림을 잘도 빼냈네요, 그 여자는."

지안니는 아직 그대로 전시되어 있는 그림을 발견했다. 금안이 이채를 띠었지만 혀를 차는 것을 보니, 그림을 노리던 자들로부터 지켜내긴 했으나 이즈리에를 위한 전시회에 등장하게 둘 의도는 없었던 모양이었다.

“그래서, 더 궁금한 건 없고요?”

여상히 질문하는 지안니 옆, 수정판 속 장면은 평탄하게 흘러가지 않았다. 그림 근처에 서 있는 미타이와 거리를 두고 마주 보며 두 남자가 서 있었다. 게르와 라스였다.

게르가 무어라 소리를 치며 삿대질을 하면 미타이가 듣는 둥 마는 둥 하며 귀를 파는 시늉을 했다. 라스가 미타이를 노려보는 동안 또 한 번 지하까지 전달되는 구구궁 소리와 함께 지반이 흔들리는 감각이 느껴졌다.

“지안니님, 이럴 때가 아닌…….”

“아가씨. 미술관이 더 무너지지 않게 하려면 보안 마법의 등급을 높여야 해요. 그런데 그 등급에 접근할 수 있는 권한은……. 마법의 개발자여야 접근할 수 있게끔 설정하도록, 「그녀」에게 그리 부탁해두었답니다.”

“…….”

미술관 어딘가가 무너지거나 말거나, 미타이가 수적으로 불리하거나 말거나 지안니는 전혀 신경 쓰지 않았다. 오히려 으쓱거리며 이상한 말을 했다. 심지어 그답지 않게 설명을 하는 친절을 베풀어주기까지 했다.

"「그녀」……에게요?"

「그녀」가 누구일까. 어제까지만 해도 중요한 키를 쥐고 있을 여자를 떠올리라고 하면 최우선 순위로 이즈리에를 떠올렸을 클로에였다. 그러나 오늘은, 지금 이 순간만큼은 이즈리에가 떠오르지 않았다. 클로에의 의문에 대한 답은 미소로 대체되었다.

"아가씨도 아는 사람이에요."

"……."

"그날 밤의 연극에 등장하는 인물이자, 제가 지켜보던 이유인 사람."

지안니는 가면무도회의 밤, 의도적으로 이즈리에가 벌이고 있는 일을 지켜보고 있었노라 고백하고 있었다.

게르, 라스와 입을 맞춰두고 어떤 목적을 위해 클로에도 알고 있는 내용의 연극을 한 사람들. 그리고 지켜봐야 할 이유가 있어 그들의 연극을 지켜보고 있던 지안니.

수정판 속의 라스가 장검을 꺼내들고 미타이에게 달려들었다. 지안니의 수상쩍은 설명을 듣느라 정신이 팔렸던 바람에 클로에에겐 기습처럼 생각되는 공격이었다. 노심초사한 마음으로 미타이를 응시했다. 라스에겐 무기가 있었지만 미타이는 맨손이었다.

표정만 보자면 보다 유리한 라스가 절박하고 초조해 보였고,

미타이는 여유로워 보이긴 했다. 옆구리, 어깨, 귀 등 곳곳으로 찔러 들어오는 검을 날렵한 몸놀림으로 피하며 피식 웃고는 있었다. 그럼에도 안심이 되지 않았다. 힐끔 쳐다본 지안니는 제 동생이 당연히 그 정도는 가뿐하게 피할 줄 알았다는 듯 느긋하게 있었다.

클로에도 알고는 있었다. 지안니는 도와주지 않으리라. 미타이도 제 형의 부상이 그가 방심한 결과이니 지안니의 책임이라 했었다. 그런 형제 사이일진대 지안니라고 다를 바 없었다.

기합을 넣는지 라스가 크게 입을 벌리며 검을 내질렀다. 미타이는 검 끝을 두 손바닥으로 낚아채듯 잡았다. 당황한 라스가 손잡이를 잡아당기기도 해보고 비틀어보기도 했으나 미타이의 큰 손에 잡힌 검은 꿈쩍도 하지 않았다.

미타이는 비죽 웃으며 손을 놓았을 땐, 라스는 이미 공포와 경악으로 움직이지를 못하고 있었다. 피투성이가 된 손바닥을 쓰윽 혓바닥으로 핥는 사자를 보며 결국은 검을 떨어뜨렸다. 성큼성큼 다가간 미타이가 라스의 멱살을 잡고 들어 올렸다가 내동댕이쳤다. 딱딱한 바닥과 온몸으로 조우한 충격으로 꿈틀거리는 라스의 목을 지그시 밟았다.

칼을 들었다고 해도 라스 정도는 미타이의 상대는 될 수 없기 때문에 지안니가 관심 없어 했던 건지. 그러나 미타이도 자의라고는 하나 상처를 입어버렸다. 발만 동동 구르며 수정판을 보는 클로에의 시야에 몰래 살금살금 움직이는 게르가 포착되었다. 게르는 라스가 미타이를 상대하는 사이 상의 안쪽에 숨겨두었던 물건을 꺼냈다.

"이런."

물건의 정체는 지안니도 바로 알아보았다. 한껏 여유를 부리고 있던 지안니가 처음으로 당황했다. 물건을 알아본 클로에도 숨을 들이켰다. 게르가 꺼내 든 물건은 총이었다.

"저 도련님이 저런 것까지 용케 구했네요."

지안니는 쯧, 혀를 찼다. 클로에도 눈을 크게 떴다. 막연히 마법과 검만 존재하는 세상인 줄 알았더랬다. 그러나 알고 보면 19세기와도 비슷한 시대상이고 오히려 부족한 기술 문명은 마법으로 보완되는 세상이다. 실제로도 19세기가 되기 전에 이미 존재했던 총과 화약이 이쪽 세상이라고 해서 없을 리는 없다.

미타이도 제게 겨누어진 총구를 발견했다. 게르가 의기양양하게 무어라 외쳤다. 시키는 대로 얌전히 두 팔을 올려 머리 뒤로 깍지를 끼긴 했지만 미타이는 침중하게 저었다. 게르가 화를 내며 총을 더 앞으로 뻗었다. 시킨 일을 하지 않겠다 거절한 탓인 듯했다.

총구가 살짝 이동해 그림을 가리키는 것을 보니, 그림에서 물러나라거나 그림을 꺼내라는 지시를 내린 듯했다. 클로에의 시선도 총구를 따라 움직였다. 급박한 와중에도 홀로 고고하게 전시되어 있는 다섯 번째 연작은 또 조금 달라져 있었다. 가운데 덩굴에 잡히지 않았던 구름은 어느새 덩굴에 약간 감겨 있었다. 마치 덩굴이 살아 움직이는 것 같았다.

구름 또한 착각이겠지만 움직이는 것 같았다. 위가 아니라 아래로. 그림을 확인한 미타이의 얼굴이 환해졌고, 사자의 표정을 오해한 게르가 울컥했다.

방아쇠를 당길지도 몰라. 생각이 들기가 무섭게 클로에의 손이 무의식적으로 움직였다. 지안니가 요구한 일을 해낼 자신도, 어떻게 해야 하는지에 대한 방법을 고민할 여유는 없었다. 지금은 미타이를 구하는 것이 중요했고, 클로에 자신이 쓸 수 있는 수단을 동원하는 쪽이 빨랐다.

1전시실 소등. 브로치를 쥐고 수정판에 대며 간절히 중얼거렸다. 예고도 없이 등이 전부 순식간에 꺼진 전시실 내부가 깜깜해졌다. 등의 밝기를 가리키는 그래프에 있는 막대 바를 최대치로 올렸다.

조명의 위치를 바꾼 후 점등. 조작에 걸린 시간은 단 몇 초였다. 불이 켜지자마자 조명에서 쏘아진 빛이 게르의 정면으로 담뿍 쏟아졌다. 갑작스러운 눈부심에 게르가 눈을 채 뜨지 못한 채로 방아쇠를 당겨버렸다. 그러나 몇 초 주어진 시간만으로 미타이는 이미 게르의 지척까지 따라붙은 후여서 총구는 엉뚱한 곳을 쏴버린 후였다.

“역시 아가씬 기대를 저버리지 않는다니까요.”

수정판의 영상이 희미해지며 사라진다 싶더니 클로에의 앞에는 훨씬 또렷하고 생생한 실물이 있었다. 게르의 총을 들었던 팔을 완전 다른 방향으로 꺾어버린 미타이는 짠 하고 등장한 지안니와 클로에를 바라보고 있었다. 미타이에게 뒤틀린 팔을 잡히고 등을 밟힌 게르가 고통스러운 비명을 질러댔다.

“보답으로 아까의 답을 알려줄게요. 적어도 난 처음부터 아가씨를 기다리고 있었답니다.”

그녀의 귓가에 속삭이는 폭탄 발언을 되새김할 여유는 없었다. 미타이에게 손의 상처는 괜찮으냐고 달려갈 정신도 없었다. 지안니의 어깨 너머로 전시실 내부가 보였다. 비스듬하게 세워진 기둥과 벽의 형태가 보였다. 끝까지 미타이를 구하러 가지 않을 것처럼 손을 놓고 있더니 왜 갑자기 이동시켜주었는가.

왜 마음이 바뀌었느냐 물어야 할지, 방금 그 말은 무슨 소리냐고 따져야 할지, 미타이의 상처부터 봐야 할지. 혼란스러워진 그녀를 마냥 미소 지으며 보고 있는 지안니를 올려다본 클로에는 미타이에게 가는 쪽을 선택했다. 그녀가 혼돈에 빠지는 상황을 즐기는 마법사와의 문제는 나중에 푸는 편이 낫다.

쓰러져서 일어나지 못하고 있는 두 남자를 발로 툭툭 차던 미타이의 얼굴에선 클로에가 다가올수록 함박웃음이 짙어졌다.

클로에에겐 지켜보기엔 너무나도 초조했던 상황이었는데, 정작 미타이는 머리카락이 조금 흐트러지긴 했어도 숨이 가빠 보이지도 않았고 옷차림이 흐트러지지도 않았다.

"야옹아!"

좋다고 두 팔을 벌리며 제 품에 뛰어들라며 자세를 잡고 있을 따름이었다. 클로에는 척척척 걸어가되 미타이의 상체에 안겨드는 대신 거리를 두고 똑바로 섰다. 기대가 깨진 사자는 보일 듯 말 듯 부푼 뺨에 불만을 가득 담았다.

"손 줘봐요."

"야옹인 참 매정, 아, 설마 내가 걱정돼서?"

우습게도 불만은 말 한마디에 금방 사라졌다. 한마디에 안색이 밝아진 미타이는 덥석 두 손바닥을 펼쳐 내밀었다.

"위험하니까 나가 있으랬잖아."

"그러게요."

난도질당한 손바닥은 차마 눈뜨고 보기 힘든 꼴이었다. 보고 있기 힘들었지만 눈을 피하고 싶지도 않아 눈을 부릅뜨고 버티던 클로에의 어깨가 축 처졌다. 클로에더러 남의 걱정만 한다 타박을 주던 맹수들 주제에, 정작 제 몸이 다치는 문제는 대수롭지 않게 여긴다. 맞는 말이긴 한데 나가 있어야 하는 쪽은 그녀만이 아니었다. 풀이 죽은 채로 미타이의 타박에 고개를 끄덕였다.

"그러니까 나가요."

이대로 서로 버티고 서 있어봐야 미타이의 상처는 치료되지 않는다. 응급처치용 도구도 없고, 클로에가 의료 쪽 기술을 익힌 것도 아니다. 그녀가 할 수 있는 일이라곤 병원에 미타이를 한시라도 빨리 끌고 가는 것뿐이었다.

미타이가 클로에만 내보내고 남아 있으려던 이유가 아직 해결이 안 되었을 공산이 크지만 이런 상태로 버티게 두기도 찝찝했다. 깊이 박힌 말뚝처럼 버티고 있는 미타이의 소매를 슬쩍 잡고 잡아당기자 의외로 사자는 스르르 솜털처럼 가볍게 끌려왔다.

"설마 무너지지 않겠지만, 혹시 모르니 빨리 나가요."

삐죽삐죽 비웃음을 던지고 있는 지안니의 소매까지, 양손으로 각각 잡고 아주 가볍게 힘을 주자 아무 저항 없이 부드럽게 끌려왔다. 쓰러져 있는 남자들의 안전이 걱정되긴 했지만 그들까지 깨워서 나갈 여유는 없었다.

아니, 솔직히는 여유가 있을 수도 있지만 미타이가 이 꼴로 만들어놓은 이들을 굳이 깨우기도 우습다. 클로에는 잠자코 순순히 따라오는 두 형제를 끌고 바닥에 쓰러져 있는 남자들을 지나치려 했다.

모든 소동이 제 알 바 아니라는 듯 신기루처럼 홀로 떠 있는 그림이 눈에 밟혔다. 캔버스 위에 그려진 하늘 속 구름을 향해 뻗어 올라가고 있는 덩굴 사슬 세 줄. 『잭과 콩나무』도 아니고 실체가 없을 구름이 땅에서 자란 덩굴에 잡혔다는 표현은 어색했지만 적어도 클로에에겐 그렇게 보였다. 하늘로 높이 팔을 뻗친 덩굴이 구름을 잡아버린 것만 같았다. 아니, 잡았다.

"어머나."

또각, 구두의 굽이 대리석 바닥과 부딪치는 소리에 클로에는 그림을 보던 시선을 거두었다. 화재 경보가 울리면서 피신했던 이즈리에가 돌아온 것이었다. 비틀린 미소와 함께 청아한 푸른 눈이 클로에와 쓰러져 있는 게르와 라스를 차례로 훑었다.

미타이가 툭, 발로 찼지만 게르와 라스는 여전히 정신을 차리지 못하고 있었다. 건드릴 때마다 혹시라도 깰까 조마조마한데 그는 그렇지 않은 모양이었다. 이즈리에는 새초롬하게 눈을 살포시 내리깔고 바닥에 엎드려 있는 두 사람에게 힐끗 시선을 던졌다.

"저런."

분명 같은 편인 줄 알았건만 이즈리에는 쓰러진 남자들을 보고도 전혀 동요하지 않았다. 놀라거나 당황하지도 않았지만 안위를 걱정하지도 않았다. 시리도록 차가운 눈에는 그저 끔찍한 벌레들을 보는 듯한 경멸만이 떠올라 있었다.

"계속되는 소음에 걱정되어 와봤더니, 아직도 나가지들 않고 계셨나요."

"너야말로 꽁지가 빠져라 달아날 땐 언제고 왜 돌아왔어?"

미려하게 움직이는 눈썹과 표정은 이즈리에라는 사람을 몰랐다면 순수하게 걱정을 하는 것으로만 보였을 터였다. 안타까움이 뚝뚝 묻어나는 이즈리에의 걱정에 미타이가 이를 드러내며 날을 세웠다.

"이 전시회에 책임을 느끼는 입장이다 보니 제 한 몸 피하겠다고 달아날 수야 있나 싶더라고요."

"하, 책임? 네가?"

"어머, 모르셨어요? 하긴, 머리에 든 것이라곤 데굴데굴 구르는 소리만 나는 공만 들었으니. 이 전시회는 저를 위한 자리이기도 하지만 제가 책임지고 맡고 있는 기획전이기도 하답니다."

"뭔."

"알고 계시겠지만, 미술계에서의 제 위치는 제법 알아주는 편이거든요."

으르렁거리는 사자를 상대로도 위축되지 않고 이즈리에는 여유 있게 한 마디 한 마디 되받아쳤다. 가녀린 백합 같은 여성의 앵두 같은 입술에서 나온 표현 치곤 무척 신랄해 미타이는 하, 헛웃음을 터트리며 기가 막힌 듯한 표정을 지었다.

"그런데. 가운데 여자분께서는 여기서 무엇을 하고 계신 걸까요."

다음 타깃은 클로에로 잡기로 했는지 비난을 담은 추궁이 쏟아졌다. 지안니와 미타이의 소매를 잡고 있는 두 손을 본 후에는 미미하게 아랫입술을 깨문 이가 아주 잠깐 드러나기도 했다. 이즈리에는 클로에의 행동을 굉장히 못마땅하게 여기고 있었다.

"나가려던 중이었어요."

클로에 역시 담담하게 대꾸했다. 사실이기도 했기에 겁먹고 주저할 필요도 없었다. 이즈리에가 왜 굳이 이 장소로 돌아왔는지 묻는 대신 두 맹수를 끌고 나가고자 소매를 다시 잡아끌었을 때였다.

"그거 내려놔."

이즈리에는 전시실로 들어오는 입구 방향에 서 있었기 때문에 나가려면 그녀를 지나쳐 가야 했다. 아직 이즈리에와는 거리가 제법 남아 있었고 클로에는 마음만 먹었다면 무시하고 발걸음을 계속 내디딜 수 있었다. 그러나 클로에를 노려보며 명령을 하는 이즈리에의 태도가 도무지 이해할 수 없어 멈추어 섰다.

"그림도, 그 옷들도 다 내려놔."

지안니가 어느새 그림을 제 쪽으로 끌어오고 있었다. 이즈리에는 그림과 클로에가 잡고 있는 소매들 전부를 놓으라며 이를 갈았다.

"페인 영애. 거듭 말했지만 자신의 소유가 아닌데 계속 욕심을 내는 행동은 좋지 않아. 무엇보다도 이 그림은 영애가 제 것처럼 전시할 자격이 없을 텐데."

"그렇다고 해서 당신들 소유 역시 아니지!"

지안니는 클로에와 대화할 때와는 달리 이즈리에에게는 하대를 했다. 예의상 영애라고 불러는 주지만 그 이상은 해주고 싶지 않다는 투였다. 제지에도 불구하고 끝까지 그림을 챙기자 이즈리에의 눈썹이 조금씩 치켜 올라갔다.

"영애. 결과가 보이지 않나? 그런데도 허상과도 같은 그림에 계속 집착하고 싶은가?"

"집착? 웃기지 마. 정말 이겼다고 확신할 수 있어? 기한은 아직 남았고, 게임은 끝나지 않았어!"

우아하게 뻗은 섬섬옥수가 그림을 가리켰다. 화사하지만 차가운 미소를 짓고 있는 이즈리에는 지안니의 통보를 부정했다. 순순히 승복하지 않는 그녀 때문에 미타이도 눈살을 찌푸렸다. 두 맹수가 무섭지도 않은지 이즈리에는 대차기만 했다.

"클로에 파르세."

공은 예고 없이 던져졌다. 클로에의 이름이 불리자 미타이가 성큼 나섰다. 가리키는 방향이 바뀐 손가락질로부터 보호하듯 중간에 끼어들어 반쯤 가로막고 섰다. 또한 정말로 드물게 지안니도 살짝 긴장하는 기색이었다.

"넌 저들을 기억하지 못하지?"

두 맹수의 보호를 받는 구도를 지켜보던 이즈리에의 눈꼬리가 처연하게 처졌다. 맑디맑은 푸른 눈은 이슬로 차 반짝였다. 누가 보면 이즈리에를 피해자처럼 착각하게 할 만한 표정으로 돌변했다. 뛰어난 연기력에 감탄만이 나올 따름이었다.

"여기 있는 넌 그림자에 불과하잖아."

"……."

그러나 흐느껴 우는 척하던 이즈리에가 입술을 가린 채 슬쩍 고개를 들어 형형한 눈빛을 보냈을 땐 클로에도 방관자처럼 구경만 할 수는 없게 되었다. 이즈리에가 어떤 식으로 시비를 걸건 차분하게 대응할 수 없게 되었다. 그만큼 그녀의 공격은 강렬했다.

"이제 원래대로 돌아가야 하지 않겠어?"

어떻게 클로에의 정체를 알고 있는 걸까. 아니, 알고 있는 것이 맞을까. 의기양양한 앵둣빛 입술이 호선을 그렸다. 클로에를 단 몇 마디로 무너뜨렸다는 사실에 희열을 느끼고 있었다. 실로 변화무쌍한 여자였다.

"갑자기 무슨 소리죠, 페인 영……애."

〔갑자기 무슨 소리죠, 페인 영애?〕

어질어질한 시야를 견디며 아무렇지 않은 척 대꾸하던 말꼬리가 흐려졌다. 언제고 거의 똑같은 대사를 바로 저 이즈리에에게 했던 적이 있는 것처럼 느껴졌다. 기다리고 있었다는 듯 들려오는 환청에 지금껏 대수롭지 않다며 간과하고 있었던 부분들이 하나둘씩 스쳐 지나갔다.

—아마 아가씬 모르겠지만. 고양이 아가씨는 내 마음에 깊이 자리 잡았답니다. 아마 아가씨가 생각하는 것보다도 더.

—그날 밤의 연극에 등장하는 인물이자, 제가 지켜보던 이유인 사람.

—적어도 난 처음부터 아가씨를 기다리고 있었답니다.

분명 그녀는 이 세계에 난데없이 나타난 이방인이었다. 그러나 지안니는 그녀를 지켜보고 있었다. 그녀를 기다리고 있었다. 만약 처음부터 하는 양을 지켜보고 있었다면 이즈리에를 구했어야 할 마법사가 그 누구도 아닌 그녀를 구했다. 처음부터 기다리고 있었기 때문에. 이미 마음에 두고 있었기 때문에.

—하하, 너 진짜 아무것도 모르는구나.

—야옹이는 집에 들르지 않고 바로 연구실로 갔어. 그리고는 집에 연락을 했어. 「항상 그랬듯이 연구를 하다가 챙길 것이 있으면 돌아가겠다.」고.

—이상형이 아직도 나이 많고 돈 많고 키 작고 빼빼 마른 몸에 배만 불뚝 나온 귀족이야?

미타이와 처음 만났을 땐 그녀가 아무것도 모르는 고용인이라 호탕하게 웃어넘기려는 줄 알았더랬다. 그런데 지금 생각해

보면 미타이의 그 말은 확인에 가까웠다. 그녀가 당연히 아무것도 모를 줄 알고 있었다는 듯. 그래서 한 번씩 과거의 클로에가 했을 법한 행동들을 일러주기도 하고, 들은 적 있었던 것처럼 이상형을 묻기도 했다.

—그대의 마음이 그렇다 해도. 난 이제 보내줄 생각이 없어.

—새장의 역할이 무엇이라고 생각할까, 그대는.

—언제든지 이 손을 벗어날 생각만 하는 존재를 위해서다. 드디어 닿았다고 안도한 순간 언제 그랬느냐는 듯 흩어지는 누군가를 위해서고. 다른 남자만 애타게 찾는 이를.

—그래, 그런 사람이었지, 그대는. 제 걱정보다도 가족 걱정. 그대는 나를, 우리를 보면서도 보질 않으니.

친분을 다지지도 않은 사이였음에도 처음부터 그녀를 그대라 불렀던 다니엘레. 지금에야 깨달았지만 무심하면서도 잔잔한 금안은 그녀를 볼 때만큼은 거칠게 일렁였었다. 다니엘레는 쭉 온몸으로 강렬한 무언의 고백을 해오고 있었다. 두려움에 빠지게 만들어 움직이지 못하는 사이 발끝부터 서서히 제게 잠기게 만들며 천천히 다가오고 있었다. 이즈리에가 아닌 그녀를 향해.

"난……."

클로에 파르세라는 존재의 생김새를 처음 인지하게 된 순간을 떠올렸다. 그녀의 기억 속 외모와 비슷했다. 다른 이의 몸에 들어왔다고 생각하고 있는 순간이었음에도 이상하게도 비슷하리만치 닮았다고 생각했었는데, 지금은 자연스럽게 빙의가 아니라 클로에 파르세라는 사람의 자리를 차지했노라고 받아들이고 있다.

그 과정에서 간과한 문제가 있었다.

흐릿한 기억 속. 그녀가 이쪽의 세계로 오기 직전에 일어났던 일. 기억 속에서 트럭에 치여 쓰러지는 그녀를 구경하던 사람들의 머리색은 검은색이었다. 그런데 어째서 「기억 속의」 외양과 비슷하다 생각하면서도 검은색이 아닌 자신의 머리색을 보고도 위화감을 느끼지 않았던 걸까.

겪고 있는 모든 일이 공상이 아님을 알고 있었고, 몇 차례고 부유하는 꿈에서 끌려 나오는 감각을 느꼈음에도 불구하고 어째서 상식적으로 이해할 수 없을 상황에 대해 이상하다고는 생각하지 않으려 했을까.

"아니야, 난……."

지안니를 만나기 직전에 겪었던 심리적 불안은 스스로 인지하기도 전에 무의식적으로 본능이 먼저 깨달았기 때문이었으리라. 퍼즐의 조각이 하나씩 모여 맞춰지느라 등장한 새로운 혼란 때문이었으리라.

원작을 알고 있는 위영이 소설 속 세계와 똑같은 세계로 들어온 것이 아니라.

원작을 알고 있다는 기억을 간직하고 있는 그녀 자체가 처음부터 이 세계에서 살아온 클로에 파르세였다면? 기억 속의 자신은 의심하는 그림자 위영, 실재하지 않는 존재가 되었다……고 한다면.

"그대는 그대일 뿐이다."

가슴이 답답하고 머리가 어지러웠지만 이번에는 쓰러지지 않을 수 있었던 이유는 그녀를 떠받치듯 서 있는 두 사람 덕분이었다. 그리고 또 하나의 새로운, 이 자리에 있을 리가 없는 목소리가 들렸을 때 놀라지 않고 담담하게 뒤돌아볼 수 있었던 이유도 마찬가지였다.

저벅, 진중한 발소리가 나고 다니엘레가 등장했다. 이즈리에가 다니엘레까지 초대했나 싶기도 했지만, 새파래진 안색을 보건대 그렇진 않은 듯했다. 그럼 우연일까. 확실한 것은 현장에는 두 동생을 보내고 직접 방문하지는 않을 사람이 이렇게 두 발로 걸어왔다는 점이었다.

"형까지 왜 굳이 오고 그래."

감정이 사라진 조각상처럼 무심하게 서 있는 형을 보고도 미타이는 그저 구시렁구시렁 불만만 작게 덧붙이고 있었다. 의식을 잃고 있는 사람을 포함해 우연인지 필연인지 지금의 클로에가 만났던 등장인물들이 모두 한 자리에 모였다. 다니엘레 오르시니. 지안니 오르시니. 미타이 오르시니. 클로에 파르세. 이즈리에 페인.

바꾸어 상징으로 나타내면 여왕, 세 명의 기사, 마녀. 게임의 참가자가 한 자리에 모두 모였다는 뜻이기도 했다.

"다니엘레님."

애처로운 목소리가 흘러나왔다. 미타이와 지안니 앞에서도 본성을 숨길 생각을 하지 않던 사람이 다니엘레의 등장 이후에는 달라졌다. 눈물을 글썽이며 치맛자락을 곱게 들고 예의 바르게 인사를 했다.

"페인 영애."

다니엘레가 이즈리에를 부르는 호칭 역시 딱딱했다. 이에 흔들리는 푸른 눈을 보니 다니엘레 한 사람만큼은 진심으로 좋아하고 있을지도 모른다는 생각이 들었다. 만약 소설 속 여주인공이 이즈리에였다면 결국 그 소설의 마지막에 진짜 남주로 선택받는 이는 장남인 다니엘레였을까. 문득 궁금해졌다.

"여, 여기까지 오실 필요는 없으셨어요."

보이고 싶지 않은 꼴을 보인 이즈리에는 단숨에 가녀리고 약한 존재가 되었다. 사랑하는 이 앞에서는 차마 진짜 모습을 보이고 싶지 않은 모양이었다. 이즈리에의 돌변에 미타이가 짜증 섞인 얼굴로 혀를 내둘렀다.

"게임은 아직 진행 중이고……. 이, 잊지 않으셨지요? 우리의 약속."

"아아."

따로 나눈 약속이라도 있는 걸까. 이즈리에는 조심스럽게 다니엘레로부터 확답을 받고자 했고, 다니엘레는 애매하게 긍정을 표했다.

"영애가 게임에 이기면 원하는 모든 소원을 들어주기로 한 약속이라면, 잊지 않았습니다."

묘한 광경이었다. 클로에에겐 항상 말을 높이던 지안니는 이즈리에에겐 아랫사람을 대하듯 하대를 했다. 반면 꼬박꼬박 말을 놓던 다니엘레는 이즈리에를 귀족가 여식을 대하듯 정중하게 대했다. 맹수들이 지닌 거리감은 은근한 방식으로 표출되고 있었다.

"물론 반대의 경우도 똑똑히 기억하고 있습니다."

이어지는 말은 이즈리에가 원한 답이 아니었다. 한껏 일그러진 구슬픈 눈동자는 다니엘레를 원망스럽게 향하더니 돌연 클로에 쪽으로 방향을 틀었다. 이즈리에를 물끄러미 바라보며 반대의 경우가 의미하는 바가 무엇인지 고심하고 있던 클로에는 미처 피하지 못했다. 생생하게 타오르는 혹한의 눈빛과 마주치니 도망갈 수가 없었다.

"영애도 기억하고 계시리라 믿습니다."

"그럼요, 기억하죠……."

클로에를 뚫어져라 응시하며 대답하는 이즈리에의 눈꼬리가 휘었다. 미녀가 눈웃음을 지으니 은색의 꽃이 만개하는 기분이 들었다. 역시 아름답다. 새삼스럽게 다시 한 번 미모에 무한한 감탄이 새어 나왔다. 아름다운 여인의 얼굴에 약한 클로에는 이즈리에에게 홀린 채 붉은 입술이 소리 없이 움직이는 양을 멍하니 지켜보았다.

〔오빠 약혼녀 있잖아. 진짜진짜진짜 예쁘더라!〕

〔앗, 너도 만났니?〕

〔응! 와, 세상에 그렇게 예쁜 사람은 처음 봤어. 오빠랑 결혼하면 그런 미인이 나중에 내 새언니가 되는 건가?〕

〔그렇지. 너, 리에한테 심술부리고 그러면 안 된다.〕

〔내가 왜. 그분이 아까운걸. 우리 오빠를 데려가주면 매일 감사 인사를 올려야지!〕

〔허허.〕

징, 긴 진동이 울렸다. 클로에의 눈앞에 어린 소녀와 소년의 환영이 지나갔다. 소녀는 두 팔을 활짝 펴고 신난다며 폴짝폴짝 뛰어다녔다. 소년은 그런 소녀의 모습을 보며 허허롭게 웃고만 있었다. 눈을 감고 털어내도 불쑥불쑥 나타나는 환영은 사라지지 않았고, 장면이 바뀌었다.

〔어라, 웬 미술 서적들이야? 오빤 예술에 아무 관심 없잖아.〕

〔아하하……. 역시 나름 귀족이라는 이름표를 단 주제에 기본적인 소양도 없는 남자는 좀 부끄럽지……?〕

〔엥. 그게 무슨 말이야. 부끄럽다는 뜻이 아니고, 오빤 오빠지. 그냥 사실이 그렇다는 거잖아.〕

〔……으응, 사실 그렇지.〕

〔교양으로 미술사 수업이라도 듣게 됐어? 점수 퍼주는 교수님이라도 계신가?〕

〔아니, 리에가 미술에 관심이 있대서. 같이 공부해보자고 그러더라고.〕

〔미래의 새언니도 지금까진 전혀 관심 없었잖아.〕

〔아냐, 있었대. 꿈도 미술 전공하는 거래. 훌륭한 안목을 지닌 감정사 겸 큐레이터가 되고 싶다던걸. 리에가 꿈을 말해준 건 처음이니까 나도 도와줄 수 있게 노력하려고.〕

〔흐응. ……참, 오빠 저번 주말에 미래의 새언니랑 데이트 어디 다녀왔다고 했었지? 분위기 좋았으면 나도 좀 참고할까 하는데.〕

〔저번 주말? 미술관에 다녀왔어. 리에가 졸업 후 들어가고 싶은 직장이라며 추천했는데 정말 좋더라. 너도 꼭 가봐.〕

〔어느 미술관……?〕

〔응, 오르시니가 운영하는 미술관인데 제국중앙도서관 옆에 있어.〕

〔아하……?〕

네르딘은 속없이 웃고 있었지만 그렇게 행복해 보일 수가 없었다. 네르딘을 향해 게슴츠레 눈을 뜨고 있던 그녀는 이내 한숨을 푹푹 쉬면서 절레절레 고개를 저었다. 그리 좋다는데 무슨 말을 하겠느냐며 뒤돌아 사라지는 그녀의 뒷모습이 흩어지며 장면이 또 바뀌었다.

〔페인 영애는 정말 멋진 사람이에요. 외모만 두고 하는 이야기는 아니에요. 난 영애가 우리 오빠한테 한 짓은 절대 용서할 수 없지만 한 사람으로서 영애를 존경하고 있어요.〕

〔미안하지만, 너 따위한테 존경받아봤자 난 하나도 기쁘지 않아.〕

〔영애 기분 좋으라고 하는 말은 아니었어요. 영애가 택하는 수단은 마음에 들지 않지만, 목표를 이루기 위해서 누구보다도 피나는 노력을 하는 그 열정과 성실성만큼은 대단하다는 게 내 진심이었을 뿐.〕

〔입에 발린 소리는 집어치우고 본론만 말할게. 오르시니한테서 떨어져. 추잡스럽게 젖가슴 살랑이면서 달라붙지 말란 말이야.〕

〔오르시니? 누구를 말씀하시는지. 장남, 차남, 막내?〕

〔셋 다!〕

〔셋 다라……. 난 영애가 내 오빠를 어떻게 이용해먹었는지, 왜 버렸는지 알고 있어요. 그런데 셋 다라고요? 영애가 진짜 노리고 있는 상대는 다…….〕

〔닥쳐. 네가 뭘 안다고 그래? 그 셋은 원래 전부 내 것이어야 했어. 나만을 위해 존재하는 이들이었다고! 그걸, 지금 그걸 네가……!〕

〔원래…… 당신 것이어야 했다고요.〕

그녀를 씨근덕거리며 노려보는 이즈리에는 마치 소설의 내용을 알고 있는 것처럼 보였다. 이즈리에만을 쫓아다니며 구애를 해야 하는 남자주인공들을 생뚱맞게 끼어든 그녀가 빼앗아 갔다고 이야기하는 것처럼 들렸다. 아무리 막말을 쏟아부으며 펄펄 뛰어도 침착함을 잃지 않던 그녀의 말간 눈동자가 미세하게 흔들렸다.

네르딘을 이용하고 버린 데 대한 원망과 그럼에도 도무지 미워할 수 없는 선망이 자꾸만 그녀에게만 접근하려 하는 3형제로 인한 죄책감에 뒤섞였었다. 그녀는 자신을 향한 이즈리에의 원인 모를 증오를 그저 묵묵히 받아내려 했었다.

그런데, 소설과 똑 닮은 세상이라는 사실을 알고 있는 존재는 그녀 혼자만이 아니었던 건가. 그녀의 근원에 깔려 있던, 해소되지 않는 외로움과 소외감을 알아줄 수 있는 존재가 알고 보니 가까이 있었던 걸까. 어쩌면 이즈리에도……. 희망이 솟아나기 시작한 연갈색 눈동자가 그녀를 외면하는 이즈리에를 담은 후, 두 사람이 사라졌다.

〔게임을 하자. 클로에.〕

〔하기 싫다면요?〕

〔거절할 순 없을걸. 아무리 그들이 날고 긴다 해도 네가 잘못되기 전에 찾아내긴 힘들 거거든.〕

〔…….〕

〔아니다. 넌 그 정도로는 굴하지 않지? 그럼 이건 어때? 네르딘. 내 거래를 받아들이면 네르딘과 진짜 제대로 된 이별을 할게. 그가 대신 뒤집어쓴 소문도 정정하고.〕

〔하, 무슨 짓을 하고 다니는지 자각은 하고 계셔서 다행이네요. 뭐, 소문은 정정하지 않으셔도 돼요. 자유분방한 귀족사회라 하나 부와 권력도 없고 작위도 없는 여자에게까지 친절한 사교계는 아니니까요. 오빠가 원치도 않을 테고. ……그래서, 어떤 게임을 하자는 거죠?〕

〔피하고 싶어도 피할 수 없고 중도포기하고 싶어도 할 수 없는 게임이야. 네가 이기면 나도 모든 것을 포기하겠어.〕

〔모든 것?〕

〔당연히 내게 왔어야 하는 이름과 그들의 재산. 나만을 봐야 하는 세 개의 트로피. 그러나 내가 이기면.〕

〔영애가 이기면요?〕

〔어떻게 할까……. 그래, 마녀에게 어울리는 최후는 따로 있지. 내 것을 앗아간 그 얼굴을 짓이기는 것으로 가볍게 시작해서, 네가 그토록 교만하게 굴 수 있는 원천인 마법을 쓰지 못

하게 만드는 것도 좋겠네.〕

일방적으로 불리한 제안이었다. 이즈리에가 이길 때와 그녀가 이길 때의 보상이 확연히 달랐다. 아무리 받아들일 수밖에 없다 해도 거절해야만 하는 게임이었다. 그러나 그녀는 곰곰이 생각하더니 싱긋 웃었다. 좋아요. 산뜻한 수락에 이즈리에의 진주 같은 이마가 구겨졌다.

〔좋아요. 게임의 규칙을 설명해보세요.〕

〔……넌 어느 날 갑자기 모든 기억이 사라진 채 깨어날 거야. 이름도 모르고 가족도 알아보지 못하는 백치가 될 거야. 기한은 네가 일어난 후로부터 두 달. 그전까지 넌, 내가 지정하는 이들에게 애원을 해.〕

〔애원?〕

〔살려달라고 해도 좋고, 죽여달라 해도 좋고. 용서해달라고 해도 좋아. 구차하게 매달리는 행동을 가장 혐오하는 이들에게 애원해. 그런 짓을 하고도 그들의 마음을 얻는다면, 네가 이기는 것으로 하자.〕

〔…….〕

〔이기는 쪽이 먼저 게임의 종료를 알리면 돼.〕

이즈리에는 키득키득, 웃음소리를 참지 못했다. 씁쓸하게 느껴지는 웃음소리이기도 했다. 그녀는 가만히 이즈리에가 웃음을 멈출 때까지 기다렸다. 어쩌면 이즈리에가, 바로 그 이즈리에 페인이 애원하며 매달렸던 적이 있는 상대일지도 모르겠다는 직감이 들었다. 물론 이는 이즈리에가 그녀와 같은 처지에 있는 존재가 아니라는 사실을 알고 있음에도 여전히 남아 있는 죄책감 때문일지도 모른다. 때문에 일방적으로 잔혹한 말을 듣고도 화를 내지 않았다. 그녀는 이즈리에의 요구를 받아들이기로 했다.

회상에서 깨어난 클로에는, 애써 웃고 있는 이즈리에를 보고 싶지 않아 먹먹한 시선을 돌렸다. 찰나의 시간에 빠르게 뇌리를 스친 장면들은 분명 회상이었다.

여왕이 마녀에게 제안한 게임의 규칙이 무엇인지는 깨달았다. 이즈리에가 지정한 이들, 즉 세 명의 기사에게 제발이라는 단어와 함께 애원할 것. 클로에는 스스로 깨닫지 못하는 사이에 게임의 규칙을 충실히 수행해냈다. 한 명에게도, 빠짐없이.

비록 애원의 방식이, 애원을 해야 하는 상황이 이즈리에의 구상에서 벗어났을 뿐이다. 그렇다면 이즈리에의 계획을 틀어지게 만든 요소는, 또 다른 게임 참가자.

"페인 영애."

답답함을 견딜 수가 없었다. 이즈리에와, 그림과, 그림 옆에서 있는 세 명의 남자가 흐릿하게 보였다. 어느새 눈가에 눈물이 고인 탓이었다.

"게임은 「우리」가 이겼어요. 이즈리에 페인, 당신과 「우리」

가 했던 게임에서요."

체크메이트. 강제로 지워져 있던 모든 기억이 떠올랐다. 조금 전, 소리 없이 이즈리에가 사라지라고 외쳤음에도 불구하고 바람과는 달리 기억해버렸다. 클로에는 게임의 종료를 알리는 말을 중얼거렸다.

클로에의 종료 선언에 반응하듯 그림에서 희미한 빛이 새어 나왔다. 게임의 승패를 가르는 징표 역할을 하고 있었던 듯했다. 그 광경을 목격한 이즈리에는 다급하게 그림 쪽으로 뛰어가려고 했다. 바닥에 쓰러져 있는 게르와 라스를 미처 피하지 못하고 걸려 휘청했다. 높은 굽에 잘근 밟히기까지 했는데도 깨어나는 기색은 없었다.

"아니야!"

이즈리에는 생각지도 못한 상대에게, 혹은 우습게 보고 있던 상대에게 제법 아프게 뒤통수를 맞은 듯한 표정이었다. 반면 클로에는 담담했다. 충격을 받은 이즈리에만큼 클로에 역시 놀라고도 남았어야 했는데도 그럴 수 없었다. 그래서 매서운 기세로 다가오는 그녀를 보고도 피하지 않았다. 막아서려 하는 맹수들을 제지했다.

"너! 네가 어떻게! 왜 너 따위를!"

목을 감싸는 옷깃을 잡는 바람에 몸이 힘없이 흔들렸다. 아무리 연약한 손이라도 두 손으로 악에 받쳐 힘껏 잡으니 목이 졸리긴 졸렸다. 상냥하고 순해 보이던 미녀의 눈썹이 한껏 치켜 올라가고 꽁꽁 숨겨졌던 표독스러운 기운이 넘쳐흘렀다. 클로에를 잡고 마구잡이로 앞뒤로 흔들어대면서 소리를 높였다.

"웃어? 지금 웃었어?"

짤짤 흔들리는 와중에서도 비실비실 웃음이 새어 나왔는지. 인지하지 못하고 있었는데 픽 웃어버렸는지 이즈리에의 넘실대는 분노가 한층 더 강해졌다.

"아악!"

클로에 양옆의 맹수들을 제지하는 데에도 한계는 있었다. 목이 졸린 채 콜록거리며 괜찮다, 괜찮다 제지해도 두 번은 통하지 않았다.

미타이에게 손목이 잡힌 이즈리에가 고통 섞인 비명을 지르며 옷을 놓쳤다. 하얀 피부는 사자의 솥뚜껑만 한 손에 의해 벌게졌다. 몇 번 뒷걸음질을 쳤지만 이즈리에는 미타이가 막아서는 정도로는 기죽지 않았다. 차분히 바라보는 클로에를 향해 높이 손을 치켜들었다.

"이익!"

"페인 영애, 말했잖아요."

게르와 라스의 위협으로부터 구해주었을 때처럼 무형의 힘이 이번에도 클로에를 지켜주었다. 지안니였다. 이즈리에는 사로잡힌 팔을 움직여보려 애썼으나 소용없었다. 그나마도 무형의 마법과 고군분투하는 중 곁을 무심히 지나쳐버리는 다니엘레를 본 순간 무너져버렸다.

클로에는 이즈리에에게 마지막 쐐기를 박았다.

"미래는 하나가 아니며, 고정되지도 않았다고."

# 6장. Make Us Complete

붉은 장미꽃으로 화려하게 장식된 원형 분수를 배경으로 한 여자가 서 있다. 분수를 구경하고 있는 여자의 치마를 큼지막하게 부풀린 드레스만으로도 신분은 어림짐작할 수 있는데, 파티에 다녀오기라도 했는지 섬세한 레이스 자수가 아낌없이 사용된 드레스는 분수의 장미에 지지 않을 만큼 화사하다. 입고 있는 옷을 미루어 판단하건대 여자는 귀족 영애다.

옷만큼이나 여자의 머리도 곱게 손질되어 있다. 바람 한 점 없이 잔잔한 저녁 달빛이 여자의 머리카락을 타고 또르르 흘러내린다. 빛이 물결처럼 파도치며 아래로 달려갔지만 여자의 은색 머리카락이 흔들리지는 않는다. 허리까지 내려온 긴 머리는 다소곳하게 등을 덮고 있다.

여자는 고개를 들어 분수 뒤 멀리 우뚝 솟아 있는 성으로 시선을 옮긴다. 그 과정에서 상체의 방향이 약간 틀어지자 옆얼굴도 보인다. 오뚝한 코, 앵두 같은 입술, 처연한 눈꼬리는 여자의 미모가 우수에 젖어 보이게 만든다. 빠져들 것 같은 파란 눈이 성을 바라본다.

아마 여자는 누군가를 기다리는 중인 모양이다. 달빛을 받으며 여자를 향해 저벅저벅 걸어오는 남자가 나타난다. 성에서 파티가 열리고 있어서인지 남자의 옷차림도 화려한 예복이다. 남자는 똑바로 여자에게 걸어오고 여자는 남자를 기다린다. 장미 분수 앞에서 만나자는 밀회 약속을 한 남녀로 보인다.

가까워지면서 남자를 식별할 수 있는 거리가 되니 황금색의 눈동자가 가장 먼저 시선을 사로잡는다. 그렇지 않아도 웃음기 하나 없는 얼굴인데 잔머리 한 올 남기지 않고 뒤로 깔끔하게 빗어 넘긴 까만 머리는 남자의 인상을 차갑게 만들고 있다. 여자를 보러 분수까지 나온 남자는 딱딱한 표정을 시종일관 유지하면서 다가온다.

분수에서 높이 물줄기가 솟는다. 하늘 높이 솟았다가 차르르 산산이 흩어져 구슬처럼 퍼지는 물의 장막에 달빛이 튕겨난다. 깜깜한 밤하늘에 묻힌 어두운 성을 일순간이나마 비추니 윤곽이 희끄무레하게 드러난다. 분수 앞에서 여자가 몸을 완전히 틀어 옆으로 선다. 여자의 앞에 도착한 남자가 마주 보고 선다.

공주와 왕자가 등장하는 동화 속 한 장면처럼 여자와 남자는 마주 본다.

"이 자리에서……."

남자의 입이 열린다. 눈을 내리깔고 있던 여자가 남자와 눈높이를 맞춘다.

"……맹세를."

거리감이 있는지 남자의 음성이 드문드문 들린다. 또렷하게 전부 들리지는 않는다. 잘 들리지는 않지만 여자는 분명하게 알아듣는다. 그리하여 고개를 끄덕이고. 여자가 남자의 말을 받아들이고 얼마 지나지 않아 분수 뒤에서 두 사람이 더 등장한다.

그 순간, 진행되던 장면이 일시정지 버튼이라도 누른 것처럼 멈추었다.

"이즈리에."

장면을 지켜보던 「존재」가 소리를 내었다. 육성으로 자신의 존재를 알렸음에도 불구하고 멈춘 장면은 움직이질 않았다.

그래서 「자신」은 「페이지를 덮었다」.

"……라는 소설 내용, 어때요?"

「지켜보던 존재」가 자신이라는 사실을 인지한 직후 장면이 바뀌었다. 이번에는 이즈리에를 지켜보고 있지 않았다. 다니엘레와 마주 앉아서 자신이 직접 그와 이야기를 하고 있었다. 그가 내려준 차를 한 모금 마시고 깊이 심호흡을 했다.

"남자가 부른 여자의 이름이…… 뭐라?"

언제나 어떤 상황에서 무슨 말을 들어도 침착함을 잃지 않던 남자의 손짓이 멈칫했다. 찻잔 손잡이에 걸친 채로 스륵 눈만 치켜들어 자신을 응시했다. 겉으로는 평온했지만 맹수의 눈을 닮은 금안은 오금이 저릴 정도로 매서웠다.

"음. 이즈리에 페인?"

그토록 무서운 시선을 아무렇지도 않게 받아 넘기는 자신이 이상하게 느껴졌다. 혀를 빼꼼 내밀다 헤헷 홀로 웃음을 터트린 자신은, 이상하다는 생각을 하는 또 하나의 자신을 알아채지 못하고 하던 말을 이었다.

"에이, 그냥 소설이라니까요. 그리고 현실에서도 진짜로 그러면 또 뭐 어때서. 사람이 살다 보면, 응? 그분을 좋아할 수도 있고 말이에요?"

"그대는 또 그런 말도 안 되는 이야기로 나를 세뇌하려 하는가."

"말도 안 되는 게 아니고 진짜라니까요? 제 목소리, 들리긴 하나요?"

"사실은 우리가 소설 속 인물들이고, 원래 우리는 이즈리에에게 푹 빠져야 했으며, 그 모든 것이 페인 영애가 짠 판이었다고. 똑똑히 들었다. 토씨 하나 틀리지 않고 기억하고 있다. 하나 그래서? 그대가 아무리 딴청을 피우고 이상한 소리를 해 봐야 우리는, 나를 비롯해 내 동생 둘 모두 그대에게 빠졌는데.”

“……읏.”

“페인 영애가 우리 셋의 구애를 받고 어느 한 명을 쉬이 고르지 못하고 희망고문만 한다 했던가? 그런데 현실은 다르지 않나. 고르지 않고 답을 미루고 있는 이는 그대인 걸.”

“그, 그건! 제가 언제 돌아갈지 모르니까요.”

시선을 피하고 우물우물 중얼거리는 자신의 태도 때문에 다니엘레는 너무 몰아세웠다 싶었는지 차를 마시는 것으로 숨을 돌릴 여유를 주었다. 자신은 애꿎은 드레스의 천만 잡아 뜯으며 딴청을 부렸다.

“그래서 언제 돌아가는 방법을 찾아낼지 모르기 때문에 우리 중 어느 누구도 받아줄 수 없고.”

“네, 네.”

“이즈리에마저 지키겠다?”

“어? 제 말이 그렇게 되나요……?”

“같은 말이다. 페인 영애에게 아무 짓도 하지 말고 원하는 바를 다 받아주었으면 한다 했으니.”

“그야…… 거듭 말씀드렸지만 자꾸만 다른 사람의 짝을 가로

챈 듯한 기분이라. 그, 그러니 이제라도 모두 함께 행복해지는 장밋빛 미래로…….”

“쯧.”

장난스레 볼을 부풀리고 심각한 분위기를 바꿔보려던 노력은 다니엘레가 혀를 참으로써 바로 소용이 없어졌다. 미간의 주름이 못마땅하다는 기색을 팍팍 드러내고 있었다. 그러나 자신은 그가 원하는 대답을 해주지 않고 그저 씁쓸하게 미소 지었다.

“페인가의 사정이 힘들어진 데에는 저희 부모님 탓도 조금은 있기도 하니까요.”

“사기꾼의 사탕발림에 넘어간 것은 본인의 선택이지. 더구나 파르세 자작님께서 먼저 하신 제안도 아니었건만 그걸 일방적인 탓이라고 하기에는.”

“그건 그런데, 사람 마음이 마음대로 되진 않죠. 원망할 대상이 필요한 법이에요. 무엇보다도 똑같은 고난을 겪은 후였는데 한 쪽은 재기할 수단이 있었고 다른 한 쪽은 없었으니까…….
뭐, 이젠 더 얼굴을 보기가 껄끄러울 정도로 꼬인 사이가 됐지만 한때는 제 오라버니와 결혼할 사람이기도 했으니까요. 그녀가 행복해야 오빠도 슬퍼하지 않을 거예요.”

“다른 세계에서 넘어왔다는 사람치고는 가족에 대한 정이 애틋하군.”

"그야 제가 여기 태어난 이후부터 함께한 가족이니까요."

다니엘레가 끝까지 믿어주지 않는 진실을 가볍게 비꼬아도 자신은 마냥 활짝 웃었다. 자신이 방긋방긋 웃고 있으니 다니엘레도 더 추궁해봤자 소용이 없다고 판단했다. 희미한 미소를 지은 그가 또 한 모금 차를 마셨다. 우아한 귀족의 표본이나 다름없는 남자를 반짝이는 눈으로 구경하던 자신도 그를 따라 찻잔을 들었다.

우연히 함께하게 된 티타임이었다. 다니엘레와 무도회에서 함께 춤을 추고, 테라스로 나가 담소를 나눈 적은 많았어도 저택까지 방문한 것은 오늘이 처음이었다. 지금까지 이런저런 핑계를 대며 저택 초대만큼은 계속 거절해왔는데 어쩌다 보니 홀라당 넘어가버렸다.

찻잔에 입술만 대고 또다시 몰래 다니엘레를 훔쳐보았다. 미꾸라지처럼 요리조리 초대를 피했더니 그는 네르딘이라는 카드를 꺼내 들었다. 자신의 오빠가 추천하면서 한번 맛을 보고 싶다 했던 찻잎을 구했는데 혹 전해줄 수 있겠느냐는 말과 함께 자연스럽게 저택으로 초대했다. 물론 해맑은 네르딘은 제게 이런 선물이 날아들 것이라고는 꿈에도 생각지 않고 있으리라.

자신이 이 남자들을 만나지 않았다면 원작대로 전개되었을까. 의도하지 않았음에도 엉뚱하게도 사랑의 화살 세 개가 모두 자신에게 꽂혔다. 정식으로 3형제와 인사를 나누었을 때는 사교계에 데뷔한 이후이긴 했다. 애써 접점을 만들지 않으려고 해도 종종 우연히 춤을 추기도 했다. 그러나 그뿐일 줄 알았다. 기본적으로 3형제에 호감을 느끼기는 했으나, 그렇다 해도 이런 전개는 예상치 못했더랬다.

그 때문일까. 친하게 지내기는커녕 살가운 대화 한번 나눠본 적이 없었지만 자신은 왜인지 이즈리에를 미워할 수 없었다. 끊임없이 누군가의 애정을 갈구하는 이즈리에에게 응당 향해야 할 사랑을 가로챘다는 죄책감은, 3형제의 마음을 모르는 척하는 이유였다.

"참. 아직 약혼도 하지 않은 그대의 결혼 상대가 누구라고 했던가?"

"네, 네?"

"귀족은 아니라 했고. 돈이 많은 중년의 남자가 이상형이라고?"

몇 번 딱딱하게 미소를 짓는 모습은 봤지만 이번만큼 무섭게 웃고 있는 적은 없었다. 비웃음으로 조롱하는 취미를 지닌 지안니보다도 몇 배는 싸늘하고 섬뜩했다. 언젠가 자신에게 기다리고 있을 미래를 장난삼아 읊었었는데 당시에는 웬일로 반응이 잠잠하더니 속에 담아두고 있었을 줄이야. 인제 와 후회해도 소용없었다. 다니엘레는 다리를 꼬고 턱을 괸 채 곰곰이 귀족 작위가 없는 중년 부자의 명단을 머릿속으로 정리하고 있었다.

"제법 구체적이었던 그대의 조건으로 미루어 짐작 가는 인물이 있긴 한데……. 흐음, 그자가 이상형이라고."

"네? 아, 아뇨, 아니, 네……."

"그런 자가 취향이라. 흐음."

"……."

자신은 얼굴도 모르는 상대건만 다니엘레는 누군지 바로 짚어냈다. 모르긴 몰라도 아무리 좋게 포장하려고 해 봐야 3형제의 발끝에도 못 따라올 사람이다. 자신도 알고 있었고 객관적으로도 그러했다. 그렇기 때문에 다니엘레의 기분도 저조해졌을 터. 그러나 그는 사교계 화법과 처세에 능숙한 귀족답게 아무 일도 없었던 척 넘어가주었다.

"클로에 파르세."

어떻게 그런 남자와 비교를 하느냐, 그런 남자보다 못하다고 평가할 수가 있느냐 화를 내거나 어이없어하는 대신 담담하게 「자신의 이름」을 불렀다. 다니엘레가 손수 내려주는 차가 참 좋다고 감탄하고 있던 자신은 차를 마시다 말고 부름에 응하듯 눈을 치켜떴다.

"약속하겠다. 지안니와 미타이 둘 다 이즈리에에게 신체적인 위해를 가하지 않게 할 것이며, 우리가 먼저 위협을 할 일은 일어나지 않을 거다."

"네, 그 정도면 저도 충분해요."

"그리고 그대에게도."

"네? 저요?"

"한 번은 나도, 우리도 물러나겠지만 기회가 다시 온다면 그땐 봐줄 생각이 없다."

"지금까지 뭘 봐줬다고 가, 갑자기 선전포고예요?"

"선택할 수 없다면……."

공격의 화살이 뜬금없이 자신에게 향하는 바람에 깜짝 놀라 말까지 더듬었다. 다니엘레는 언제나처럼 자신의 실수를 보고서도 즐거워하지 않았다. 오히려 여느 때보다도 더 진지하게 눈을 마주 응시한 채로 맹세를 했다. 그때 조금씩 다니엘레의 목소리가 작아지더니 끝에 가서는 움직이는 입모양은 보이는데 하나도 들리지 않는 상태가 되었다. 당황한 의식이, 차를 마시던 상태로 멈춰 있는 자신의 몸에서 빠져나왔다.

잔잔했던 표면이 휘저어지더니 다니엘레가 사라졌다. 어떻게 된 영문인가 싶어 깜깜한 허공 속을 이리저리 부유하는데, 갑자기 어떤 여자의 목소리가 들리고 천천히 빛이 들어오면서 밝아졌다.

"클로에 파르세라고."

많이 들어본 그 목소리의 주인이 누구인지 떠올리려고 골몰하는 동안 빛이 가득한 공간에 이즈리에가 나타났다. 이즈리에가 말을 하고 있었다. 대화를 나누는 상대는 자신이 아니었다.

"천하의 지안니가 별 볼 일 없는 계집애에게 푹 빠질 줄이야. 기가 막혀서 정말."

"별 볼 일 없다니, 말은 가려서 하……."

"아아아아! 그런 식상한 표현은 쓰지 말아 줄래요? 뇌 없는 사자도 아니고 당신까지 그러면 너무 실망해서 무슨 화풀이를 할지 저도 모른답니다."

"하."

이즈리에는 뒤돌아 서 있는 상태여서 이즈리에와 마주 보고 서 있는 지안니만이 자신의 시야에 들어왔다. 자신은 지금 숨어서 엿듣고 있었다. 대화 중인 두 사람이 자신이 엿듣는 중인지는 눈치채지 못한 듯했다.

"그보다도 그 계집애 부탁 덕에 제게 먼저 손대지는 못한다면서요? 우습기도 해라. 오르시니라는 성이 울겠어요. 하찮은 계집애 하나 때문에 형제가 하나같이 그런 꼴이 될 줄이야."

"사랑에 빠져 맹목적으로 변한 남자는 꽤 보기 좋다고 생각하는데. 아, 영애는 볼 줄 아는 눈이 없겠지만."

"……그렇게 사람을 비웃는 것도 조만간 끝이랍니다. 당신이 그렇게 좋아 죽겠다는 여자, 그 계집앤 이제 당신이 누군지를 잊어버릴 테니까!"

"뭐?"

"그뿐이겠어. 모든 기억이 다 사라지고 나면 그때부턴 당신들을 본능적으로 무서워하도록. 다시 처음부터 관계를 쌓을 수도 없을 정도로 당신들을 기피하게 될 거예요, 그 계집애는."

지안니의 얼굴이 굳었다. 우위를 잃지 않았음을 느끼게 해주었던 비소가 점차 사라졌다. 그 자리에 없는 자신도 알진대 이즈리에는 단연 더 잘 알 터. 지안니로부터 여유를 앗아간 발언은 자신과 관련된 일이다.

"그래서 그런 제안을 하셨나, 영애는. 그녀를 버리라는?"

그늘진 얼굴에서는 맹수의 노란 눈만이 선명했다. 음산한 분위기에도 이즈리에는 물러서지 않았다. 자신과 진행하기로 한 게임 외에도 이즈리에는 따로 지안니와 모종의 거래를 하고자 하고 있었다.

"게임은 제가 이길 테니까요. 그 계집애가 불쌍한 꼴 당하기 전에 기회를 주는 거예요."

"기회를 주는 건 좋은데, 왜 형이 아니고 날 불러냈지? 영애가 진심으로 소유하고 싶었던 이를 불러내지 않고."

"……."

"아, 맞아. 형에게 매달리면서 영애를 선택하지 않으면 그녀를 죽여버리겠다며, 밑바닥까지 드러낼 정도로 자존심을 버리고 싶지는 않았겠지. 혹은, 면전에서 또 한 번 거절당하는 수치를 겪고 싶지 않았다든가?"

"닥쳐! 닥치라고!"

우위를 잠깐이나마 점할 수 있었던 이즈리에가 먼저 흔들려 버렸다. 맹수들의 약점이 자신이라면 이즈리에의 약점은 다니엘레였다. 그 점을 알고 있었던 지안니가 신랄하게 비꼬았다.

"페인 영애. 기회를 준다고 했나? 아니, 우리야말로 영애에게 기회를 줄까 해."

"뭐라고요?"

"영애는 우리와도 게임을 동시에 진행하는 거야. 그쪽이 이기면 원하는 소원이 뭐든 들어주지."

"……뭐든지?"

"뭐든지. 영애가 가지고 싶어 했던, 형의 옆까지도."

지안니는 이즈리에를 유혹할 미끼를 흔들었다. 사기성이 농후한 미소를 보고도 혹할 만큼 유혹적인 미끼였다. 솔깃 귀를 세운 이즈리에는 고민하는 척하고는 있었지만 거의 반 이상 넘어간 상태나 다름없었다.

"대신 게임의 방식은 제가 정해요."

"좋아."

이즈리에에게 유리한 판을 짤 수 있게끔 방식을 고르는 권한까지도 선뜻 넘겼다. 희열로 가득한 푸른 눈이 빛을 내고 맹수들과 이즈리에의 게임도 시작되었다. 자신은 이즈리에와 게임을 하고 3형제 또한 이즈리에와 게임을 한다. 이중 계약이자 이중의 게임이 진행되기 시작했다. 자신은 두 사람의 대화를 몰래 훔쳐봄으로써 알게 되었다.

"어떤 제약과 조건을 걸 생각이신지, 영애?"

"파르세 영애와의 게임에선 특정 징표를 통해 승자가 가릴 수 있답니다."

"징표?"

"네, 어떤 그림…… 대단하신 오르시니의 성에 숨겨져 있다는 그림의 연작."

"어떻게 알았지?"

"아시잖아요. 제가 무슨 일을 하는지. 제게 푹 빠진 어느 한 신성 화가분께서 알려주셨죠."

"입도 싸군."

언제 표독스럽게 굴었느냐는 양 자신을 두고 계집애라고 부르기를 서슴지 않았던 이즈리에도 우아하게 호칭을 바꿨다. 널을 뛰는 변화에도 지안니는 놀랍지 않은지 미동조차 없었다. 그저, 「구름 연작」의 초기 작품을 그리게 된 배경에 대해 미주알고주알 털어놓은 화가의 경솔함에 혀를 찼을 뿐이었다.

"그분의 그림은 이제 부르는 것이 값이에요. 초기작이라고 예외는 아니죠. 요즘 도박과 마약 때문에 생긴 빚으로 아주 약간 허덕이긴 하시는데, 그림을 그릴 수 있는 손은 멀쩡하니 오르시니가 소유한 초기작을 회수해 오고 싶다는 생각은 안 할 거예요. 아마도요. 심지어는 자기를 후원해준 감사의 표시로 그림을 하나 더 보냈죠? 네 번째 그림."

"……그래서?"

"네 번째 그림은 정말 괜찮지 않던가요? 그분께서 혼을 불어넣어 탄생시킨 감사의 선물인데."

"하, 그게?"

"명확하게 손에 잡을 수 있는 실체가 없는 구름과도 같은 허상. 그분은 허상과도 같은 파르세 영애가 진짜 허상이 되길 바라면서 그렸답니다."

"……."

진짜 허상이 되길 바라며? 과연 화가는 자신의 진짜 정체를 알고 그런 표현을 썼을까, 혹은 우연의 일치일까. 어느 누구의 앞에서도 냉소를 잃지 않았던 지안니는 약간의 충격과 불안감에 휩싸인 것처럼 보였다.

자신은 클로에 파르세라는 캐릭터에 빙의하지 않았다. 죽어서 이곳, 새로운 세상에 태어났을 뿐. 이곳이 소설 속이라는 깨달음도 성장한 후에야 우연히 마주했다. 그러나 그 후에도 자신의 삶이 달라지진 않았다. 이곳이 소설 속이든, 그저 같은 이름의 등장인물들이 살아 움직이는 평행세계든 자신은 한때 위영이라는 이름을 지녔던, 클로에 파르세다.

숨어서 듣고 있다는 사실도 잊고 뛰쳐나갈 뻔했다. 지안니에게 충격받을 필요 없다고 하고 싶었다. 자신은 결코 허상이 아니다. 이즈리에의 말처럼 너무 높고 멀리 있어 손에 넣을 수 없는 구름 따위가 아니다. 자신의 가족이, 3형제가 곁에서 살아 숨 쉬듯 자신 또한 그들 곁에 또렷하게 살아 숨 쉬는 존재다.

"그분의 그림엔 소원을 이루어주는 힘이 있다나. 믿기는 힘들지만 혹시나 해서 넌지시 속삭여봤죠. 네 번째 그림을 그려보라고요. 그랬는데 이를 어쩌나. 제 염원이 곧 그분의 염원이었고."

"클로에의 생명을, 앗아가겠다는 의미로군."

잔혹하기만 한 피의 마법사는 즐거움 외의 감정은 느끼지 않을 줄 알았다. 고통스러워하는 금안을 목격한 순간 자신은 깨달았다. 다니엘레에게 고백했듯, 언제가 되었든 원래 세상으로 돌아가고자 한다 말하고 있었지만……. 본심은. 억지로 외면하고 있었던 자신의 마음은. 강제로 눌러야만 했던 자신의 거대한 욕심은.

"그분이 그린 이 그림이 징표가 될 거예요. 제목은, 편의상 다섯 번째 구름으로 해두죠."

자신은 징표라는 그림을 한참을 바라보았다. 구름과 세 개의 덩굴 사슬. 마치 자신과 3형제를 가리키는 상징 같았다. 아니, 상징이리라.

"일정 조건이 갖추어지면 구름은 이 덩굴들에 감싸이겠죠. 물론, 그렇지는 않겠지만요. 반대의 경우라면, 구름은 흩어질 거예요."

인어공주도 아니고. 자신은 쓰게 웃었다.

맹수들의 발밑에 무릎 꿇고 매달려 「제발」이라고 애원하고도 경멸을 당하지 않으면 자신의 승리. 그렇지 않으면 이즈리에의 승리.

"당신들과 진행하는 게임의 승패 여부 또한 이 그림을 징표로 삼죠. 자, 게임의 방식은 간단해요. 기억을 잃은 파르세 영애를 철저하게 무너뜨리세요."

"……."

"가족을 짓밟고, 헛된 희망도 가질 수 없게 발판을 전부 무너뜨리고. 당신들을 두려워하고 싫어할 그 계집애를, 철저히 몰아붙여 유린하세요. 그리하고도 그녀이 「암시」에 걸려들지 않는다면, 제가 진 것으로 하겠어요."

5월의 장밋빛 같다고만 생각했던 이즈리에의 입술은 유난히 피처럼 붉어 보였다. 비죽 올라가는 한쪽 입꼬리는 게임을 시작하기도 전에 승리를 확신한 미소로 보였다. 이에 지안나는 무어라 대답했던가.

대화를 끝까지 듣기도 전에 숨어서 듣고 있던 자신의 몸이 지워지기 시작했다. 장면이 바뀌면서 사라지는 몸은 기억이 지워지고 있음을 나타내는 듯했다. 게임이 정말로 시작된 모양이었다. 본능적으로 저항했으나 소용은 없었다.

그 와중에 해야만 하는 일이 있음을 떠올렸다. 규칙상 단서를 줄 만한, 사정을 설명할 수 있을 만한 장치를 해두어선 안 된다. 자신은 정말 백지가 된 상태로 게임을 시작해야만 했다. 처음부터 끝까지 이즈리에에게 유리한 게임에서의 승률은 자신 쪽이 제로였다. 더불어 3형제 또한.

그래서 진회색 물살에 머리까지 통째로 삼켜지기 직전에 안간힘을 짜내어 몸에 박혀 있는 마력석을 꺼냈다. 이즈리에가 지우려는 기억이 클로에 파르세의 것이라면, 위영의 기억은 살려둘 수 있을 가능성이 높다. 적어도 이즈리에 페인은 자신을 들뜨게 했던, 자신과 같은 존재가 아니었으므로.

소설 속 클로에 파르세로 태어나 자라온 세월이 전부 지워지고 위영의 기억만 남는다. 소설을 알고 있는 기억만 있어도 충분하리라. 그때의 자신 또한 이즈리에의 암시를 깰 수 있으리라는 가능성에 걸었다.

어쩌면 도박일 수도 있다. 게임을 진행시키는 마법의 맹약에 대항하느라 자신의 몸에 있던 마력석이 산산조각이 났다. 부스러기의 조각 하나가 남은 듯도 했지만, 쉽게 사라질 정도의 약한 조각일 뿐. 자신이 완전히 기억을 잃기 전에 본 마지막 장면이었다.

ꕥ

콜록 콜록, 막혔던 숨이 탁 터져 나오며 기침이 났다. 허억 허억, 가쁜 숨을 한참 내쉬고 있노라니 조금씩 정신이 돌아왔다. 꿈을 빌어 휘몰아치며 몰려오는 기억 때문에 눈을 뜨고도 한참을 생시인지 아닌지 멍하니 있어야 했다. 그러다 미술관을 나온 직후 쓰러지듯 기절했던 기억이 났다.

"일단 우리 집은 아니고."

화려한 캐노피와 널찍한 크기의 침대는 그녀와 동고동락하던 가구가 아니다. 어느새 갈아 입혀진 보들보들한 감촉의 잠옷 또한 그녀의 옷장에는 없던 종류였다. 무엇보다도 그녀가 익히 보아왔던 자신의 방이 아니었다. 아마 그녀가 기절하는 바람에 3형제가 바로 자신들의 저택으로 데리고 온 모양이었다.

"오르시니겠군."

땀도 많이 흘렸었는데 뽀송뽀송한 기분이 드는 것을 보면 기절한 사이에 목욕까지 된 듯했다. 기절한 그녀를 파르세 저택으로 돌려보낼 수도 있었겠지만 오르시니 저택으로 데려와 쉬게 해두었다는 점은 맹수들다웠다. 딱히 복잡하게 생각하지 않아도 그녀가 어디에 있는지는 바로 답이 나왔다.

"다시 잡았다고 그 새장에 또 가둬두지 않는 게 어디…… 으으."

몸의 절반만 한 크기의 베개를 끌어안고 중얼거리던 클로에는 새장이라는 단어에 꼬리를 물고 연상되고 만 장면들 때문에 얼굴을 파묻었다. 이제는 새장을 건전한 장소로 생각할 수 없게 되었을지도 모른다.

"이럴 때 짐승남이라 부르면 되는 걸까……."

짐승 같은 맹수들. 아니, 맹수나 짐승이나 같은 말이다. 클로에는 원망스럽게 중얼거렸다. 되찾은 기억 속의 3형제는 비교적 정중하고 신사적이었다. 간혹 지안니가 위험한 일면을 언뜻언뜻 내비치긴 했어도 일정 선을 넘지는 않았다. 손등에 입맞춤을 하며 욕망을 품은 시선으로 올려다보긴 했어도 이렇듯 저돌적으로 덤벼드는 짐승들은 아니었다.

"휴우."

그랬는데 기억이 사라진 클로에를 대할 때는 언제 예의를 차렸었느냐는 듯, 마치 기회를 잡은 것처럼 변했더랬다. 한숨이 절로 푹 푹 나왔다. 어떤 섹스를 했는지 차라리 기억이라도 못하면 좋으련만, 기억이 안 난다 하면 돌아올 때까지 똑같은 밤을 보내게 만들고도 남을 3형제였다. 자연스럽게 함께 떠오르는 밤의 기억들 때문에 빰까지 붉어졌다. 클로에는 베개를 끌어안고 얼굴을 묻었다.

"내가 미쳤지! 미쳤어!"

기억이 남아 있을 때의 자신이라면 하지 않을 짓들을, 기억이 사라졌을 때의 자신은 아무렇지도 않게 저질렀다. 세 명의 애정 공세를 모두 거절한 대가를 이렇게 양손의 꽃 수준을 넘어서는 방식으로 돌려받는 거냐며 훌쩍이던 클로에의 뇌리에 의식을 잃은 사이 꾸었던 꿈이 스쳐 지나갔다.

꿈이라기보다는 기억을 되찾는 과정이었지만 마치 꿈을 꾸는 것처럼 느껴졌다. 때문에 간간이 상대방이 하는 말을 못 알아들은 적도 있었는데, 그중 하나가 지금 떠올라버렸다. 다니엘레와 나누었던 담소의 막바지에 분명 그가 말했었다. 꿈에서는 뒷말을 듣지 못했었지만 지금은 무슨 말을 했는지 떠오를 것도 같았다.

—기회가 다시 온다면. 그땐 봐줄 생각이 없다. 선택할 수 없다면…….

"선택하지 않아도 된다……? 아니야. 그런 말이 아니었어. 음, 선택하지 않아도 되게……."

똑똑, 노크 소리가 나고 대답을 해줘야 하나 말아야 하나 고민하는 사이에 스윽 문이 열렸다. 은색 쟁반을 들고 들어서던 메이드와 시선이 마주쳤다. 침대를 점령한 손님이 깨어났다는 사실을 깨달은 앳된 소녀의 얼굴이 확 밝아졌다. 처음 보는 얼굴이건만 학수고대하고 있었는지 뒤돌아 달려 나가는 기세가 마치 쟁반을 떨어뜨릴 것만 같았다. 저기, 멈춰 세우려는 부름이 닿기도 전에 메이드는 방을 빠져나갔다.

그리고 얼마 지나지 않아 쿵쿵 육중하게 울리는 소리가 들리기 시작했다. 조금 기다려봐도 멀어지기는커녕 가까워졌다. 누군가 클로에가 누워 있던 방으로 달려오고 있었고, 발소리의 주인은 불안해하지 않아도 짐작이 갔다.

“야옹아!”

“미타이님.”

반만 열려 있던 문 두 짝을 활짝 열어젖히며 미타이가 성난 황소처럼 돌진했다. 부스스한 머리카락이 흐트러져 있었고, 어마어마한 덩치에 어울리지 않게 단 한 번도 발소리를 내지 않던 그였는데 멧돼지처럼 정신없이 달려왔다. 용케 문을 부수지 않았다 싶을 정도였는데 막상 침대와 가까워지자 우뚝 멈췄다. 기억을 잃기 전에도 사자의 눈 같다고 생각했던 금안에 물기가 어렸다.

“생명엔 지장이 전혀 없다는데도 영 일어나지 않아서 놀랐어.”

한 발 한 발 다가오더니 풀썩 무릎을 꿇고 침대에 머리를 박았다. 힘없이 중얼거리더니 축 늘어뜨린 클로에의 손등에 이마를 대고 비볐다.

“제가요?”

“응, 아주 때를 잘 맞춰 들이닥친 수사관들이 현장을 목격하고 그 여자를 체포했는데. 야옹이는 보지도 못하고 이미 의식을 잃었더라고. 그런데 마침 시기적절하게 미술관 밖에서 관객들을 진료하고 있던 의료진이 있었더라.”

뺨으로 클로에의 체온을 느끼며 어떻게 된 영문인지 설명하는 어투가 묘하게 책을 읽는 것처럼 들렸다. 책을 읽으며 연기를 하고 있다는 티를 팍팍 내는, 높낮이가 일정한 설명이었다.

“아하.”

“야옹이는 멀쩡한데 못 깨어나는 이유가 마법이 충돌한 탓이래서. 의학적 처치는 할 수 없대서 부랴부랴 저택으로 데리고 왔지.”

때를 잘 맞춘 수사관과 시기적절한 의료진은 처음부터 지안니나 다니엘레가 불러왔겠지. 가늘게 뜨고 새초롬하게 보는 클로에를 눈치채지 못하고 미타이는 눈에 띄게 한시름 놓은 티를 내며 설명을 마쳤다.

“괜찮아? 어지럽거나 메스껍거나 하진 않아? 어디 조금이라도 아프다거나.”

“괜찮아요. 푹 자고 일어난 덕에 가뿐하고 개운하네요.”

“그래……?”

미타이의 머리카락을 만지작만지작 가지고 놀다 손등으로 뺨을 문지르는 장난을 쳤기 때문인지 한시름 놓는 대답에서 묘한 기운이 전해졌다. 기억이 없는 동안에는 거리감을 느꼈기에 하지 않았던 행동이다. 다만 여전히 「미타이님」이라 부르고 있었으므로 클로에가 기억을 되찾았다는 확신이 서지는 않는 듯했다. 게다가 「야옹이」라는 별명은 기억이 사라진 클로에에게 붙였었다.

"그럼 형들 불러올게. 둘 다 밖이긴 하지만 깨어나기만을 이제나저제나 기다리고 있다가 집사한테 엉덩이를 차인 후에 겨우겨우 기어 나갔으니까 즉각 달려올 거야."

"나중에 하셔도 돼요. 방해하고 싶지도 않고, 제가 음, 당장 어디 가지도 않을 텐데요."

어디 가지 않는다는 말을 할 때는 살짝 민망했다. 예법을 따지고자 한다면 오래 머무르지 않고 돌아가거나 네르딘이라도 불러와야 맞겠지. 그러나 알지도 못하는 보는 눈까지 신경 쓸 기력은 나지 않았다.

"응. 말없이 몰래 어디 가지 않을 거지? 그거면 돼."

"그런가요."

목소리만 들으면 다정하고 한편으로는 칭얼거림이 섞인 애원에 가까웠다. 그러나 잠깐 뜸을 들인 사이로 미타이의 눈빛이 위험하게 번뜩였다. 얼핏 숨을 고르는 것처럼 보였지만 클로에를 보면서 이를 드러내고 웃었다.

"쉬고 있어, 야옹아."

쪽, 가볍게 손등에 키스하고 일어난 미타이가 활짝 웃었다. 클로에도 마주 올려다보며 웃었다. 미타이의 얼굴에 더 큰 웃음꽃이 피었다. 나가고 싶지 않은데 어쩔 수 없이 나가는 중이라는 의미를 가득 담은, 질질 끄는 발소리를 들으며 미소로 미타이를 배웅했다.

"네에, 쉬고 있을게요……."

탁, 문이 닫힌 뒤 클로에는 제가 중얼거리는지도 모르고 미타이의 인사를 따라 읊다가 다시금 침대에 누웠다. 기절한 뒤에 잠만 잤을 텐데, 고작 미타이와 짧은 대화를 잠깐 나눴다고 몸이 피곤했다. 자지 않으려고 버텼지만 감기는 눈을 막을 순 없었다.

ଌ

"형님께선 그래, 파르세가에 자아알 다녀오셨는지."

"걱정하지 않아도 정중히 잘 인사드리고 왔다."

"걱정이 아니야. 짜증이지."

천천히 잠이 깨려고 하는지 옆에서 두런두런 대화 소리가 들려왔다. 잠이 들었던 클로에 옆에 있는 두 남자가 누군지는 목소리만으로도 알 수 있었다. 지안니와 다니엘레다. 아직 눈이 반짝 떠질 정도는 아니었지만 무슨 이야기를 나누는지 이해할 수 있는 정도는 되어서, 클로에는 나른하게 눈을 감은 채로 자장가를 듣듯 대화를 들었다.

파르세가에 다녀왔다는 쪽은 다니엘레. 공식적으로 공작 위를 물려받을 후계자이기도 하고 맏형이기도 하니 다니엘레가 다녀오는 것이 가장 효과가 좋긴 할 터였다. 아마도 사실은 숨기고 미술관 소동에 클로에가 휩쓸렸다는 소식을 전하며 이상은 없으나 안정을 되찾을 때까지 돌보겠다는 기별을 손수 남기고 온 듯했다. 힘없이 푹신한 침대에 폭 잠겨 누워 있는 와중에도 머릿속으로 조금의 계산은 하고 있었다.

"너야말로 매스그레이브는?"

"장기란 장기는 다 팔아도 마차 하나 되찾아올 수 없게 된 데다 전 부인을 밤일하던 중에 살해하고 시체를 유기한 증거까지 하루아침에 우연히 나타났으니, 돈 없고 힘도 없는 늙은이는 쉽게 빠져나가지 못할 거야."

화제가 바뀌고 낯선 명사가 수면 위에 올랐다. 누군가의 이름 혹은 성. 호의라고는 전혀 느껴지지 않았다. 비록 말로는 매스그레이브라는 사람에게 닥친 불행에 대해 강 건너 불구경하듯이 전달하고는 있었지만, 그자를 위해 준비된 파산과 증거는 바로 저 두 남자의 공작이리라.

"끝까지 지켜보는 건 잊지 마라."

"말이라고."

심지어 자비도 베풀지 않고 일어나려 하는 즉각 밟아버리겠다니. 모르긴 몰라도 정말 큰 잘못을 저질렀던 모양이지. 가물가물하는 의식으로 그저 안타깝다 동정을 보내고 있던 클로에는 뒤늦게 매스그레이브가 누군지를 떠올리고는 숨을 헉 들이켜며 벌떡 일어났다. 매스그레이브란 소설 속 클로에가 결혼했던 남자의 성이 아니었던가.

"아…… 안녕하세요."

클로에가 경악하거나 말거나 두 남자는 걱정스러운 눈길로 그녀만을 뚫어지게 보고 있었다. 그녀에게 큰일이라도 났나 싶어 초조해하던 기색은 얼떨떨한 인사를 건네자 스르륵 사라졌다. 살짝 긴장했던 맹수들은 가볍게 미소로 응수했다.

"아가씨, 괜찮아요? 미타이는 괜찮더라 하던데."

"네, 네. 괜찮고말고요. 그냥, 매……."

"그냥 매?"

"……."

매스그레이브라는 사람을 괴롭힌 이유가 설마하니 자신 때문이냐고 물어보려던 클로에는 의뭉스러운 미소를 띠고 있는 지안니를 보고 질문하기를 포기했다. 설마가 사람 잡는다. 그녀가 이상형이라고, 그와 결혼하게 될지도 모른다고 했기 때문에 저런 거다. 확실했다.

"조금 기운이 없긴 한데, 너무 오래 자서 그럴 거예요. 제가 얼마 동안 누워 있었죠?"

"하루 꼬박?"

"생각보다 더 오래 잤네요."

배시시 장난스럽게 웃어 보이자 조금은 딱딱했던 분위기가 풀렸다. 이제야 지안니와 다니엘레도 그녀가 정말로 괜찮다는 사실을 받아들일 수 있게 되었나 보다. 가까이 앉아 있던 지안니가 클로에의 앞으로 넘어온 머리카락들을 정돈해주었다.

"저, 배고파요."

"안 그래도 준비해놨어요. 그런데 일어설 수 있겠어요?"

스쳤다 떨어지는 손가락을 멍하니 바라만보다 클로에가 불쑥 입을 열었다. 아닌 게 아니라 배가 고팠다. 그런데 갑작스러운 요구에도 당황하지 않고 팔을 내밀었다. 언제 깨어날지도 모르면서 준비가 되어 있다는 말은 곧 언제 깨어나도 요구하는 즉각 대령할 수 있게 내내 준비를 해놓고 있었다는 뜻이다. 저절로 끙 앓는 소리가 났다.

"일어날 체력도 없을 테니까 여기로 가지고 오라 하죠."

"네."

"그냥 이대로 조금 더 누워 있어요. 금방 가지고 올 테니까."

이마의 열을 재보고 스윽스윽 쓰다듬는 손길에 클로에는 가만히 고개만 끄덕였다. 기억을 잃은 동안의 클로에를 대하는 그는 조금…… 상당히 가학적이었는데. 클로에가 기억을 되찾았다는 사실을 아는지 모르는지, 의중을 알 수가 없는 손길이었다.

"지안니님."

그의 손길에 노곤해진 몸을 산더미같이 쌓인 베개에 묻은 채 메이드를 부르러 가려는 지안니를 불러 세웠다. 미소 짓는 지안니를 보고 있자니 꿀꺽 침이 넘어갔다. 지안니는 무슨 말을 하려다 삼켰는지를 묻는 대신 조금만 기다리면 금방 가져다주겠다며 달랬다.

쉬고 싶다며 사람을 전부 물리고 혼자 남아 있는 방은 을씨년스러웠다. 지금 클로에가 머무르고 있는 침실만 해도 파르세 저택에 있는 그녀의 방을 세 개쯤 합쳐놓은 크기여서 적막한 밤에 혼자 방에 누워 있으려니 방의 공기는 온후한데도 등골이 서늘했다. 사흘간 아무것도 먹지 못하고 잠만 자느라 텅 빈 속을 배려해 나온 무미무취나 다름없는 수프를 몇 그릇이나 걸신들린 듯 먹어치운 후에야 피가 원활히 도는 감각이 나는 손발을 주물렀다.

"미타이는 나를 여전히 야옹이라 불렀지."

맨발로 푹신한 양탄자를 밟으며 방 안을 서성였다. 웬만한 기억은 다 되살아난 줄 알았는데, 무엇을 놓치고 있는 걸까.

"게임은 내가 이김으로써 끝났을 텐데."

까닭 모를 불안감의 원인은 3형제다. 게임이 종료되었는데도 맹수들은 기억이 없을 때의 클로에를 부르던 방식으로 불렀다. 어그러졌었던 상황이 이제는 원래대로 돌아왔다는 것을 안다면 그녀를 대하는 태도 또한 예전으로 돌아가야 마땅한데도 그렇게 하지 않았다. 무의식적인 반응이거니 하고 넘어가기에는 무언가 마음에 걸렸다.

클로에는 이겼고, 이즈리에와 게르, 라스는 오르시니가 처리했다. 미술관 폭파 시도의 범인 혹은 주모자로 체포되었을 테고, 3형제가 버티고 있는 이상 쉽게 풀려날 가능성도 없었다. 징표였던 그림에선 변화가 일어났고, 클로에는 게임의 종료를 알렸다. 동시에 이즈리에가 3형제와 진행하던 이중 게임 역시 종료되었을 터였다.

"끝, 났나?"

한시름 놓았던 심장이 덜컹 크게 요동쳤다. 당연하다고 생각했던 사실이 진실이 아닐 수 있다는 것은 사무치게 겪었다. 그러고 보면 꿈속의 클로에가 엿들은 부분은 이즈리에가 내건 요구사항뿐이었다. 지안니는 대표로 승낙했지만, 어떤 의도로 제

안을 했는지, 무슨 꿍꿍이를 숨기고 불리한 요구를 받아들였는지는 엿듣지 못했다.

"별일 아니겠지……. 아무렴."

미심쩍게 느껴진다 해도 게임이 끝났으니 이제 신경 쓰지 않아도 되는 일이라고 중얼거리면서도 두 다리는 방문으로 향했다. 불안을 해소할 따듯한 차가 절실했다.

"다니엘레님?"

벌컥 열어젖힌 문 뒤에는 놀란 표정의 다니엘레가 서 있었다. 막 노크를 하려던 참이었는지 오른손이 올라와 있었다. 클로에도 사람이, 그것도 다니엘레가 서 있으리라곤 생각을 하지 못했기에 함께 놀란 채로 멈춰 섰다.

먼저 정신을 차린 다니엘레가 클로에를 훑었다. 숄도 두르지 않은 잠옷 차림인 데다 맨발까지 확인한 그의 이마에 주름이 잡히자 클로에도 뒤늦게 제 꼴이 어떤지를 인식했다.

"바닥이 차."

저택 복도의 대리석 바닥에는 러그가 깔려 있지 않아 맨발로는 돌아다니기 힘들다며 다니엘레는 왜 밤중에 저택을 헤매려는지보다 발바닥을 타고 파고들 한기를 염려했다. 클로에가 미처 생각하지 못한 슬리퍼를 꺼내 왔다.

"차가 마시고 싶어서요."

누가 뭐라 하지도 않았는데 마음 한구석을 좀먹는 불안을 들킬까 봐 긴장하게 되니 변명하듯 핑계가 먼저 튀어나왔다.

"방, 방이 춥네요."

하필 이 시간에 차를 찾은 이유도 덧붙였다. 의심을 안 하는 것인지, 아니면 애초에 클로에가 무엇을 하든 하고 싶은 대로 하게 둘 심산이었는지 다니엘레는 가만히 끄덕였다.

"온도를 올리라 하고 차는 방으로 가지고 오라 하겠다. 그런데 무슨 차로?"

"그……."

예전처럼 으레 그가 직접 차를 내려주겠다 할 줄 알았는데 다른 이에게 대신 시키겠다는 말에 클로에는 고민하는 척하며 뜸을 들였다.

다니엘레도 친절하게 신사로서의 예의를 지키고 있다. 언뜻 보면 전혀 문제 될 것 없는 행동이었다. 그런데 어째서 기억이 없을 때의 클로에를 대하는 것처럼 느껴지는지. 만약 기억을 되찾은 줄로 안다면 어떤 차가 마시고 싶으냐는 기호를 묻지 않아야 했다. 예전의 그녀는 딱히 가리는 편이 아니었기에 내려주는 대로 무엇이든 거절하지 않고 마셨으니까. 게임이 끝났으니 그들의 관계 또한 원래대로 돌아왔다 본다면 의향은 묻지 않고 내어주어야 했다.

"달콤한 종류로 아무거나……."

오래 끌 수 있는 고민은 아니다. 적당히 달라고 할 요량으로 생각나는 대로 주워섬기며 고개를 들었다. 참을성 있게 기다려 주고 있는 다니엘레의 얼굴로 등불의 그림자가 져 어둑어둑했다. 말끝이 떨리다가 잦아들었다.

확실히 그녀를 대하는 태도에 대한 차이는 있다. 그러나 근본적으로 기저에 깔린 강렬한 감정 하나만큼은 일관적이다. 클로에를 걱정하는 마음. 클로에만을 응시하는 세 쌍의 눈동자. 클로에를 강하게 옭아매고자 하는 집착.

시간이 퇴색시켜주리라고 믿었던 감정의 깊이는 되레 깊어졌다. 클로에가 이즈리에를 핑계 삼아 셋 중 한 명만 선택할 수 없다며 밀어내는 동안 맹수들의 심연에 피어난 씨앗은 결국 발화했다. 그렇기에 더 이상 예전처럼은 숨길 수 없게 되었나.

"아무거나라."

클로에가 얼버무린 마지막 말은 다니엘레의 목소리를 빌려 반복되었다. 선택을 미루고 결정권을 넘기는 듯한 대답. 고작 차의 기호에 관한 사소한 화제인건만 오늘따라 여상히 넘기기가 힘들었다.

"……네, 전 고르지 않을 테니까요."

파르세 가문은 시골 귀족이었지만 클로에가 태어났을 즈음엔 중앙으로 옮길 정도로 성장했다. 으레 중앙 귀족 가문의 여식들이 그러했듯 클로에도 아카데미에 입학했고 사교계에 데뷔했으며 꾸준히 귀족 아가씨들의 사교 활동에도 참석하곤 했다. 비록 다시 집안이 어려워지면서 예전만 못한 처지가 되었지만. 때문에 그녀라고 힘들지 않았던 시기는 없었다.

마냥 순탄한 삶을 영위하지는 못했다. 악의적인 소문에 휘말려 원치 않았던 꼬리표를 달아본 적도 있고, 네르딘이 힘들어하는 동안에도 지켜만 봐야 했다. 그러나 그때마다 곁에서 지탱해주는 사이좋은 가족, 우애 깊은 오라비가 있었기에 버텨올 수 있었다고 믿었다.

누군가에겐 그림으로 그린 듯한 환경이겠지. 클로에는 자신을 괴롭히는 소문의 출처가 누구인지, 네르딘이 슬퍼하는 원인이 누구인지 알면서도 묵묵히 있었다. 이즈리에를 위한 속죄는 아니었다. 죄책감 탓도 아니었다. 위태위태하게 외줄타기를 하고 있는 이즈리에의 줄을 끊어버리고 싶지 않을 뿐이었다. 그래서 소문을 없애겠다는 3형제의 부탁을 거절했다.

"그대는 어느 한 명만을 선택할 수 없다 했었지."

차에 빗대어 건넨 예전의 관계로 돌아가자는 암시를 다니엘레는 알아들었다. 과거에 고백을 받았을 때 답으로 들려주었던 우회적인 거절을 담담히 회상했다.

"우리가 그대 때문에 반목하는 광경을 보고 싶지 않다, 남보다도 못한 형제 사이가 되는 것을 원하지 않는다. 그러니 사이좋게 서로가 행복해질 수 있는 진짜 제 짝을 찾으라고 했던가."

고백을 한 사람은 다니엘레 혼자가 아니었다. 질 수 없다는 듯 연이어진 세 번의 고백에 감동을 받기보다 당황했었다. 올 것이 왔구나, 두 눈을 감았더랬다.

고민은 길지 않았다. 클로에는 주저하지 않고 진심을 담아 거절을 전했다. 표현은 달랐을지언정 3형제의 우애를 다치게 하고 싶지 않고, 다른 두 사람의 마음을 아프게 하고 싶지 않으니 없던 일로 해달라, 그들을 납득시키고자 노력했다.

역시 이즈리에를 위해서가 아니었다. 프러포즈의 거절만큼은 이즈리에를 위해서가 아니라고 단언할 수 있었지만, 속내까지는 밝히지 않았다. 오해를 받는 한이 있어도 다른 짝을 운운하며 떠나보내는 편이 낫다 여겼다.

"그대가 원한다면 약조하겠다. 그대의 청에 충실히 따르겠다. 나는 그리 답했었지."

클로에를 덮은 그림자가 점점 커지고 짙어졌다. 그녀를 집어삼키려는 어둠을 피해 조금씩 물러나다 이내 팔이 꺾이고 뒤로 넘어갔다. 천천히 커지던 그림자가 단숨에 덮치더니 다니엘레가 뒤로 넘어지는 클로에의 어깨를 감쌌다. 흐트러진 숨소리가 고스란히 전달될 수 있을 만큼 가까워졌다. 다니엘레는 그날의 약속을 상기했다.

"그랬죠……."

이로써 확실해졌다. 다니엘레는, 3형제는 클로에가 기억을 되찾았다는 사실은 이미 알고 있었다. 알면서도 태도를 바꾸지 않았다. 왜? 아직 이루지 못한 목적이 있어서다. 저도 기억이 난다 동조하며 되뇌는 사이, 손등에 입술이 닿았다. 피부로 느껴지는 감촉에 콩닥콩닥 심장이 뛰었다. 내리깐 속눈썹을 위에서 보고 있노라니 어질어질해졌다.

"이만하면 그대의 청을 잘 이행했지 않나 싶어 상을 받고 싶은데."

다니엘레는 무릎을 바닥에 대고 그녀의 아래에 앉아 손등에 키스를 한 채로 멈춰 있었다. 잠깐 현기증에 휘둘리는 사이 대체 무슨 일이 벌어지고 있는지. 합당한 포상을 원하는 기사처럼 올려다보며 클로에의 입이 열리기만을 기다리고 있었다.

그녀의 앞에 꿇어앉아 있는 남자가 무슨 요청을 어떻게 이행했더라. 집에 보내달라고 부탁하니 재깍 보내준 것? 네르딘을 힘들게 하지 말아 달라 한 것? 그러나 본능은 게임이 종료되기 전의 클로에가 했던 요청을 가리키지는 않는다는 신호를 끊임없이 보내는 중이었다.

"아."

아니. 복잡하게 생각할 필요는 없다. 다니엘레는 명확하게 이야기했다. 클로에의 존재 때문에 3형제가 싸우길 원치 않으니 사이좋게 각자가 행복해질 수 있는 진짜 제 짝을 찾으라는 요청. 바로 그 청을 충실히 따랐다, 그리 말했다.

"그러네요."

그렇구나. 정말로 의심하고 불안해하고 꼬아서 생각할 필요도 없었던 문제였다. 처음부터 신경 쓸 필요 없다고, 원망은 그들에게 돌리라고, 그녀에겐 아무 잘못이 없다고 거듭 알려주고 있었지 않나. 앞으로 그 어떤 일이 일어난다 하더라도.

한없이 홀가분해야 할 시점에 자꾸만 미진한 티끌이 걸려 있는 것만 같은 껄끄러움이 남아 있었던 이유를 알았다. 진짜 게임이 아직 끝나지 않았기 때문이다. 여왕이 퇴장한 무대에 남은 참가자들이 진행해야 하는 게임이자…….

"고마워요, 다니엘레님."

클로에는 승부수를 던지기로 했다. 머뭇거리기도 잠깐, 크게 심호흡을 하고 허리를 숙여 다니엘레의 양 뺨을 잡았다. 그의 머리를 뒤로 밀고 제 얼굴을 들이댔다. 단정한 얼굴이 가까워져 코가 닿을 정도가 되었을 때 두 눈을 질끈 감았다.

아주 짧은 입맞춤이었다. 뽀뽀라고 하기에도 부족한, 정말 입술과 입술이 닿았다 떨어지는 그런 정도였다. 클로에의 얼굴색은 그것만으로도 충분히 달아올라 새빨개졌다.

입술로 박치기를 시도하고 나서 다니엘레를 잡은 채로 가쁜 숨을 내쉬던 클로에의 시야에 담겨 있던 광경이 갑자기 거무죽죽한 그림자에 가려 사라졌다. 몸이 붕 뜨더니 뒤로 넘어갔다. 침대로 풀썩 쓰러져 누운 클로에 위로 다니엘레가 올라왔다.

"어……?"

"평소였다면 그 표정만으로도 충분히 보답이 됐겠지만."

다니엘레의 시커먼 그림자가 램프의 아른거리는 빛을 삼키고 클로에의 얼굴로 스며들었다. 그의 두 팔에 갇혀 왼쪽으로도 오른쪽으로도 빠져나갈 수 없었고 치마가 그의 다리에 휘감겨 다리도 옴짝달싹할 수 없었다. 쿵 쿵, 세차게 뛰는 심장 때문에 숨을 크게 쉴 때마다 가슴 부근이 눈에 띄게 오르락내리락했다.

음영으로 얼룩진 얼굴을 바라보던 클로에는 홱 고개를 돌렸다. 한때 금욕적이라고 생각했던 그에게서 욕망으로 가득한 남자가 보였다.

"오늘은……."

그 정도로는 상이 될 수 없다며, 턱을 지그시 누르고 입술을 내리눌렀다. 아주 잠깐 부딪쳤다 도망갔던 그녀에게 키스가 무엇인지를 보여주려는 듯했다. 톡 톡, 노크를 하듯 입술이 짧게 부딪혔다. 이윽고 아랫입술을 문지르고 잘근잘근 깨물자 힘없이 입술에 틈이 생겼다. 혀가 윗입술을 문질문질 밀어 열었다. 열기가 섞인 숨결이 스르르 건너오고 등줄기의 솜털이 곤두섰다. 팔꿈치를 옆구리에 딱 붙이고 갈 곳을 찾아 헤매던 손이 옷깃을 잡아챘다.

"하아."

부드러운 키스가 이어졌다. 격렬하지도 않고 매섭지도 않았지만 차근차근 접근하며 점령하는 영역을 넓혀갔다. 살랑살랑 넘어오는 혀를 저도 모르게 받아 삼키는 클로에의 손가락 마디마디에 힘이 들어갔다. 어느덧 다니엘레의 상의를 꽉 잡고 매달리고 있었다.

"……."

다니엘레의 키스는 담백했다. 그리고 모순되게도 끈적했다. 은근히 어루만지더니 언제 들락날락했느냐는 듯 거두어간 혀의 감각만이 남아 턱없이 부족하다 갈구했다. 내뿜는 숨이 각자의 얼굴에 닿을 정도로 가까이 밀착되어 있음에도 다니엘레는 모르는 척 자리를 옮겨 그녀의 인중에 버드 키스만을 할 뿐이었다. 클로에가 기습적으로 입맞춤이라는 상을 내릴 때 그가 느껴야 했던 갈구를 필히 그녀도 똑같이 느껴보라는 심산임에 틀림없었다.

"제……가."

찰나였지만 격하게 갈등을 했다. 키스를 하며 덮칠 것인가, 밀어낼 것인가. 욕망과 이성, 쾌락을 알아버린 몸이라 그 어느 한 쪽을 쉽게 고를 수가 없었다. 인중에서 코끝, 미간으로 올라간 입술의 감촉에 잔뜩 붉어진 얼굴로 더듬더듬 말을 꺼냈다.

"다시……."

상을 줄게요, 뒷말은 꿀꺽 삼켜졌다. 너무 힘을 주어 옷을 잡고 있는 탓에 나중에는 늘어나 있을지도 모르겠다는 걱정도 들었지만 잠깐이었다. 클로에는 옷을 잡아당겨 움직임을 멈춘 다니엘레의 아랫입술에 힘껏 제 입술을 박았다. 그의 입꼬리가 올라갔다.

박다시피 먼저 들이댄 사람은 클로에건만 주도권은 보란 듯이 빼앗겼다. 헐떡이는 호흡까지 그의 지배 아래 놓인 것만 같았다. 말랑하면서도 단단한 혀가 휘감겼다. 다니엘레의 옷을 잡고 있던 손이 바르작거리다 활짝 펴졌다.

"흐으……."

숨 쉬는 방법을 빼앗기며 뜨겁고 음습한 독에 중독되고 입 안 구석구석이 만져지니 천천히 머릿속이 몽롱해졌다. 입술이 떨어져 나간 후에도 한동안 화끈거리는 여운이 남아 이성을 잠식했다.

"잠, 잠시만요. 제 몸이 이상해졌어요."

좋아하고 있었다는 감정을 자각했기에 이렇게 몸이 빠르게 반응한 것일까. 다리 사이가 축축하게 젖었다. 젖기 시작했다기보다 왈칵 부끄러운 액체가 뭉텅이로 쏟아져 나온 수준이었다. 지금까지 몸뚱이가 보였던, 곧 다가올 쾌감에 대한 기대 반응에 비해 정도가 강해서 순간 낯 뜨거운 실수를 저지른 줄 알았다.

"이상하다고?"

의아하게 물어오는데 차마 화장실에 가서 확인하고 싶다는 말을 할 수가 없어 입술만 꾹 깨물고 다니엘레를 밀어냈다. 그러나 다니엘레는 침대에 본드로 고정이라도 된 것처럼 꼼짝도 하질 않았다.

“잠시만 비, 비켜주시면.”

다니엘레의 무릎이 살짝만 위로 올라와 파고들어도 축축해진 그녀의 다리 사이에 닿을 것만 같아 클로에는 발버둥을 치며 밀어냈다. 젖어든 정도를 느껴보건대 남자를 받아들이기 위해 분비된 액이라기엔 양이 많았다. 다니엘레가 보지 않는 곳에서 확인해보고 싶은데 그녀를 품에 가두고 있는 그가 영 밀려나질 않았다.

“괜찮아.”

부끄러움으로 발개져 열이 올랐을 뺨에 가볍게 입술이 닿았다 떨어졌다. 귓가에 나지막이 괜찮다는 속삭임이 들려오자 머리카락이 곤두섰다. 허망한 움직임이 뚝 멈췄다.

“이상할 리도 없거니와.”

다니엘레는 누워 있는 클로에를 일으켜 제 무릎 위에 앉힌 후 뒤에서 끌어안았다. 여전히 귀에 대고 속삭이고 있어서 허스키하게 가라앉은 음성이 쏙쏙 파고들어 고막을 간질였다.

“설령 이상하다 해도 그대이기 때문에 그 자체로 좋을 테니.”

진지하고 무거운 고백과도 같은 위로에 조금이나마 긴장이

가셨다. 얇디얇은 속옷은 만져보면 물에 담겼던 것처럼 젖어 있을 테지만 그래도 덕분에 불안으로 세차게 뛰는 심장 박동은 약해졌다. 클로에는 힘을 쭉 빼고 다니엘레에게 기댔다.

클로에가 입고 있는 옷, 다니엘레가 입고 있는 옷. 천이 두 겹이나 되는 셈인데도 그녀를 안고 있는 남자의 온기가 생생했다. 알게 모르게 새어 나오는 그녀의 달뜬 숨소리만큼이나 두 사람을 에워싼 공기는 달착지근했다.

"그, 그럼! 전 이만……."

클로에가 걸었던 승부수는 다니엘레를 유혹하는 것까지. 유혹이라고 해봐야 키스에서 멈출 심산이었다. 비록 본능에 넘어가는 바람에 다가오는 다니엘레는 야멸차게 밀어내지는 못했지만.

그녀가 원하는 대로 키스를 했음에도 간질간질한 본능이 충족되기는커녕 욕망만 더 커졌다. 이 이상은 위험했다. 욕구를 해소해달라 넘실거리며 클로에를 유혹하는 본능마저도 이대로 있으면 위험하다고 속삭였다. 가슴이 욱신욱신 아파오고 배 속이 빼근하니 당기더니 밀부에서 뿜어낸 향이 강해지는 착각이 들었다. 몸의 변화를 들킬까 두려워 열기가 감도는 뺨에 다급하게 손부채질을 하며 일어서려 했다.

"어어, 엇?"

직전까지만 해도 다정했던 품이 단단해졌다. 아주 약간만 힘을 주어도 스륵 밀려날 것만 같았던 팔이 석상이라도 된 듯 움직이질 않았다. 일어서지 못하고 꼼짝없이 갇힌 클로에의 뒤에서 어지러이 흘러내린 머리카락을 뒤로 부드럽게 넘겨주는 손이 있었다.

"마무리는 지어야지."

키스가 상이라면 키스로 끝나야 하는 법인데 지을 마무리가 대체 무엇이냐고 물어보려 했다. 어떤 일이 닥쳐도 차분하게 가라앉아 있던 금안에 익숙하지만 생소한 열망이 담겨 있었다. 갈증이 심해지고 있다는 중얼거림이 언뜻 들린 듯도 했다.

기실 충동이었다. 정신을 차리고 보니 자신도 모르게 다니엘레의 뺨을 만지고 있었다. 가까이 다가왔지만 아슬아슬하게 닿지 않은 상태로 느릿느릿 눈을 깜빡이는 남자를 보다가 그만 한쪽 뺨을 감쌌다. 무심한 듯 클로에를 응시하는 눈동자는 평온한 외면과는 다르게 매섭게 타오르고 있었다. 한참을 금안을 바라보다 핑 돌면서 어지러워진 탓에 눈을 감았다.

눈을 감는 순간에 입술이 스쳤다. 태풍의 눈을 벗어나고 들이닥친 태풍처럼 기다리고만 있던 남자의 기세가 돌변했다. 게걸스럽게 입술을 삼켰다. 조금 전처럼 안달하게 만들기 위한 목적이 아니었다. 타는 듯한 갈증 속에서 참고 참았던 물을 드디어 마시게 된 사람처럼 쭈욱 쭉 빨아 삼켰다.

"괜찮겠는가."

아랫입술이 몇 번이고 바깥으로 말리고 잘근잘근 씹혔다. 타인의 타액으로 촉촉하게 젖은 이와 입술이 반들반들 반짝였다. 등을 기대고 앉아 있던 자세도 바뀐 지 오래였다. 그의 다리 위에 걸터앉고 마주 보고서 숨 가쁜 입맞춤을 받아내다 잠시 숨을 돌리는데, 뒷머리를 쓰다듬던 다니엘레가 이마를 맞대고 조용히 의향을 물어왔다. 이번에는 숨은 뜻을 바로 알아들었다. 클로에는 머뭇거리다 끄덕이며 수락했다.

하늘하늘한 잠옷이 벗겨졌다. 편히 쉬게 해주기 위해 가능한 한 조이고 답답한 종류는 입히지 않은 탓에 팬티 대신 입고 있던 드로어즈 외에는 아무것도 걸치지 않은 맨몸이 드러났다. 알몸을 처음 보이는 것도 아닌데 새삼스럽게 부끄러워 가슴을 가리는 동안 다니엘레도 상의를 벗어 던졌다.

"가리지 마."

가슴을 가리고 있던 손이 잡히고 아래로 끌어내려졌다. 시선이 턱을 지나 쇄골을 스치고 양 가슴에 머물렀다 배꼽으로 내려갔다. 직접 만지지 않고 보기만 하는데도 숨을 쉬느라 오르내리는 가슴의 들썩임이 조금씩 강해졌다.

두 손목은 각각 잡혀 있고 그녀는 다니엘레의 허벅지를 다리 사이에 끼우고 올라타고 있었다. 부끄러움에 끙 끙 새어 나오던 앓는 소리가 다니엘레에 의해 꿀꺽 삼켜졌다. 두 팔이 뒤로 돌아갔다.

클로에의 두 손목을 한 번에 잡으며 자유를 찾은 다른 한 손으로 그녀의 허리를 감쌌다. 잡힌 팔이 뒤에서 끌어당겨지자 등이 살며시 둥글게 휘었다. 버드 키스를 하던 다니엘레의 입술이 턱을 두드리고 목에 닿았다 했더니 때마침 흰 상체 때문에 불쑥 가슴이 앞으로 내밀어졌다. 쇄골 근처 곳곳에 따끔따끔한 감각을 전하고 있는 원인인 입술이 천천히 아래로 내려갔다. 둥글게 부풀어 있는 등선의 초입에 막 다다랐을 때 클로에가 다급하게 요청했다.

"불! 불을 꺼주세요."

환한 불빛 아래에서는 너무 잘 보이기 때문에 쾌락에 젖어 변할 스스로의 몸이 뚜렷하게 보인다면 부끄러워 미쳐버릴지도 모른다. 크게 외쳤음에도 못 들은 척하고 있는 그를 원망스럽게 내려다보며 다시 한 번 요구하려고 했을 때였다.

"전부 다 꺼줘?"

"……!"

굉장히 불퉁한 목소리가 뒤통수를 때렸다. 다니엘레는 아니다. 그러나 익숙한 목소리였다. 당황해 뒤로 돌아보는 클로에의 시야에 팔짱을 끼고 있는 미타이가 보였다.

"미타…… 읍!"

딱히 죄를 지은 것은 아니지만 원망스럽게 노려보고 있는 사자를 보자니 죄를 지은 기분이 들었다. 난감한 표정으로 미타이에게 변명을 시도하려고 하는데 입이 막혔다. 벗어나려고 해도 잡고 있는 다니엘레의 힘이 너무 강해 벗어날 수가 없었다.

"흡, 읍……!"

"우리 야옹이 진짜 너무한다. 괜찮아졌으면 나를 먼저 찾아야지 왜 형이 먼저야."

턱이 한껏 들리고 목이 뒤로 꺾였다. 클로에의 고개를 뒤로 젖히게 만든 맹수가 사납게 입술을 탐했다. 다니엘레가 남겼던 흔적을 무자비하게 지워냈다. 클로에가 빨개진 얼굴로 헐떡이자 숨을 돌릴 여유를 주고는 볼을 부풀린 채 볼멘소리를 했다.

"적당히 해."

클로에가 힘들어하니 다니엘레가 제 동생을 타이르긴 했지만 그라고 해서 클로에를 풀어주지는 않았다. 되레 미타이가 낚아챌까 클로에를 제 품에 안아 가두었다. 놀라서 콩닥거리는 심장이 맞닿은 다니엘레의 피부로 전해졌다.

"느낌이 좋지 않아서 혹시나 하고 와봤더니. 이렇게 가로채기야?"

"상을 받는 것뿐인데."

"하?"

미타이가 화를 냈지만 보기만 해도 심장이 벌렁거리는 사나운 기세를 보고도 다니엘레는 태연하게 어깨를 으쓱일 따름이었다. 안고 있는 클로에의 등을 위아래로 쓰다듬었다. 어깨에 이마를 대고 기댄 채로 클로에가 좌우로 데굴데굴 굴리며 침을 꼴깍 삼켰다. 야릇하게 변해버린 상을 미타이가 알아버린 것도 민망했지만, 보나마나 그가 어떻게 나올지 예상이 갔기 때문이었다.

"그럼 나도 상 줘. 나도 야옹이 때문에 고생했다고."

"……."

"야옹아?"

"……."

예상대로였다. 클로에가 대답을 않자 미타이가 털썩 옆에 주저앉았다. 거구의 사내가 힘 있게 앉으니 침대가 출렁이는 바람에 대고 있던 이마가 위로 붕 뜨면서 똑바로 클로에를 응시하고 있는 미타이와 눈이 마주쳐버렸다. 다니엘레가 혀를 차는 소리가 들렸다.

"나도 상."

안겨 있는 클로에를 억지로 끌어내는 행동은 하지 않았지만 팔짱을 끼고 다리를 꼬고 앉아 제 무릎을 툭툭 두드렸다. 상이 무엇인지는 몰라도 클로에가 다니엘레 다리 위에 앉아 있었으니 제 다리 위에도 앉으라는 의사 표시이리라. 이러지도 못하고 저러지도 못하고 머뭇거릴 때였다.

"그 상, 내게도 줘야 하지 않나요."

뒤에서 또 다른 사람의 목소리가 들렸다. 문이 열리고 닫히는 소리도 안 났는데 대체 어떻게 소리도 없이 잘만 다니는지 모르겠지만, 일단 다니엘레가 바로 앞에 있고 미타이가 바로 옆에 있으니 뒤에 있는 사람은 최소한 이 두 사람은 아니다. 그렇다면 저택의 주인이 있는데도 버젓이 방에 들어올 수 있으면서 클로에를 보러 올 용건이 있는 사람 중 남은 사람은 단 한 사람.

"지안니님……."

다니엘레와의 야릇했던 분위기는 미타이가 등장함으로써 깨어졌다. 그나마 미타이까지는 클로에가 어떻게 제어할 수 있을지도 모른다는 희망이 남아 있었지만, 지안니는……. 이쯤 되면 정사가 아니라 서바이벌이 아닐까. 클로에는 힘없이 중얼거렸다. 삐죽 비웃고 있는 지안니의 눈빛이 위험하게 빛났다.

3형제가 한방에 모였다. 단순히 모인 것이 문제가 되는 것이 아니라 시간과 상황이 문제였다. 클로에와 다니엘레는 거의 다 벗었고 찰싹 달라붙어 있는 상태. 미타이는 양반 다리를 하고 앉아 마찬가지로 옷을 훌렁훌렁 벗어 던진 직후였다. 누가 보아도 평범하게 담소를 나누는 상황으로 보긴 힘들 것이다.

"난 다치기까지 했는데 말이에요."

설명을 듣지 않아도 대강 어떤 연유로 말이 오고 갔는지 이미 알고 있다는 투였다. 아예 상의를 들추어 아직 배에 감고 있는 붕대를 보란 듯이 보여주는 통에 시선을 피해야 했다. 지안니가 성큼성큼 걸어와 거리를 좁혔다.

“상은 누구보다도 내가 받아야 하는 것 아닌가? 어떻게 생각해요, 아가씨?”

톡 톡, 제 입술을 두드리는 모양새가 클로에가 상을 준답시고 다니엘레에게 어떻게 했는지 다 알고 있음을 보여주고 있었다. 미타이는 감으로 기습했을 테고, 지안니는 어떻게 알고 온 걸까.

“공적이 같으면 상도 공평해야 하죠?”

대놓고 물어오니 대답을 피할 수도 없었다. 머뭇거리며 확답을 미루고 있는 그녀 대신 정리를 해준 사람도 지안니였다.

“난 양보할 생각 없어.”

클로에를 빼앗길 것 같다는 불안이 들었는지 미타이가 불쑥 끼어들었다. 팔을 뻗어 지안니와 클로에 사이로 들이밀었다. 보호하듯 가로막은 그 때문에 지안니의 미간이 짜증스레 구겨졌다.

“그렇다고 형님만 독차지하게 두고 싶진 않은데 말이죠.”

클로에가 안겨 있는 다니엘레를 향해서도 신경질적인 기색을 드러냈다.

“그러면 이렇게 하는 게 어때? 야옹이가 나랑 작은형한테도 상을 주는 거야! 큰형은 먼저 받았으니까 건너뛰고.”

“아하.”

묘안이랍시고 내놓은 절충안에 지안니가 의외로 수긍하듯 끄덕였다. 썩 마음에 들지는 않지만 그렇다고 완전히 싫은 것도 아닌 반응이었다. 독차지할 수 없다면 한 사람에게만 빼앗기는 것만은 막겠다는 의미이기도 했다.

"야옹인 어때?"

미타이와 지안니가 최종적으로 의견을 구한 상대는 다니엘레가 아닌 의외로 클로에였다. 다니엘레는 이미 받았기 때문에 물어볼 필요도 없으나 클로에는 상을 주는 당사자이기 때문에 물어봐야 한다는 사고의 결과임을 알았다. 그러나 막상 선택권이 주어지니 곤혹스러웠다.

"형에게만 상 주고 그렇게 치사하게 나오면 평생 쫓아다니면서 상 달라고 할 거야. 절대 꿀꺽하고 못 튀게."

"흠, 배가 제법 욱신거리고 아프네요. 상처가 덧나려고 그러나 본데요?"

미타이는 전혀 진지하지 않은 말투로 세상에서 제일 진지하게 협박했다. 지안니는 피식 비웃으며 부상을 빌미로 댔다. 이대로 다니엘레의 품 안에 숨어버리고 싶었는데 아무리 그가 가능한 한 감싸 가려주고 있다고는 해도 작아지지 않는 이상 한계는 있었다.

"사, 상…… 드릴게요."

대체 어쩌다 이렇게 됐지. 아무리 일부러 그녀가 먼저 다니엘레에게 먼저 입을 맞췄다고는 하지만, 아니다, 그녀가 먼저 유혹했기 때문인가.

클로에는 항복했다. 초롱초롱하게 눈을 빛내는 미타이도 부담스러웠고 서늘하게 웃으며 뒤통수에 구멍이 나도록 노려보고 있는 지안니도 무서웠다. 물론 그녀를 안고 있는 다니엘레라고 무시할 수 있는 존재감은 아니었지만 당장은 두 사람이 주는 압박을 이길 정도는 아니었다. 후, 한숨을 쉬며 먼저 미타이가 있는 방향으로 옮겨가려 했을 때였다.

"이대로도 충분해."

다니엘레가 놓아주질 않았다. 안고 있는 자세 그대로 꽉 옭아매고는 풀어주질 않아 하는 수 없이 목만 쭉 뺐다. 미타이가 보이지 않는 꼬리를 흔들며 대신 가까이 다가왔다. 상이 무엇인지 모르는 미타이는 상기된 눈을 크게 뜨고 있는 바람에 클로에가 대신 눈을 감았다. 지그시 감고 가볍게 쪽, 입술을 맞대고 비볐다.

"헤에……."

더 강렬한 키스도 해놓고는 고작 가벼운 뽀뽀에 마타이가 들뜬 감탄사를 흘렸다. 클로에는 뒤돌아보기 위해 다니엘레를 살짝 밀어냈다. 방금까진 빠져나가지 못하게 세게 잡고 있었지만 이번엔 쉽사리 밀려나주었다.

"조금만, 숙여주시……."

"아, 참."

그러나 온전히 풀어주지는 않아 여전히 빠져나오진 못했다. 클로에는 아직 다니엘레의 다리 위에 앉아 있는 상태였다. 상체만 살짝 뒤틀어 지안니가 서 있는 방향으로 뒤돌았다. 우뚝 서 있는 그와 맞추어 일어설 수 없었기 때문에 조금만 허리를 숙여달라고 부탁을 하려고 하는데 턱을 만지작거리던 지안니가 손을 들어 제지시켰다.

"입 말고요. 여기에 해줬으면 좋겠어요."

"네?"

"다른 사람한테 이미 준 것과 똑같은 건 받고 싶지 않아요."

아무것도 아니라고 간단하게 말은 하지만 손가락이 가리키고 있는 부위는 아래였다. 입술보다도 한참 아래, 앉아 있는 클로에의 눈높이와 비슷한 위치에 있는 지안니의 낭심.

"인제 와서 말 바꾸기 없어요. 참, 불을 꺼달랬나?"

불을 꺼달라고 했을 때 등장한 사람은 미타이였는데 정작 꺼주는 사람은 지안니라니 웃지 못할 아이러니였다. 몇 차례의 손짓만으로도 방 안은 어두워졌다. 창문을 통해 들어오는 밝은 달빛 덕에 식별을 못할 정도는 아니어서 지안니의 얼굴은 잘 보였다.

"형, 치사……."

"그러는 넌 상을 두 번이나 받았지. 형님도."

치사하다고 끝까지 채 외치기도 전에 지안니가 차갑게 잘라냈다. 미타이는 칫 혀를 차며 입술을 삐죽였다. 동시에 지안니는 다니엘레의 저지도 미연에 방지했다. 다니엘레도 횟수로 치면 한 번은 아니긴 했다.

"못 하겠으면 미향을 피워드릴까요? 강한 놈으로 피워 이지를 빼앗고 육욕의 노예로 만든 다음 붉은 살덩이만 먹고 싶어지게 만들어드릴게요."

어둠 속에서도 금색의 눈이 위험하게 빛났다. 그녀를 두 형제에게 빼앗길 뻔했다고 생각한 탓일까, 섬찟하게 느껴지는 강렬한 감정이 생생하게 전달되었다. 맨정신으로 하기 힘들다면 다른 방법도 있다며 친절하게 제안하는데 클로에는 정신없이 고개를 좌우로 흔들었다. 하더라도 제 의지로 스스로가 원해서 그를 먹어치우는 쪽이 차라리 낫지.

"제가……."

떨리는 손으로 바지를 벗겨냈다. 몇 번 손이 미끄러질 때엔 지안니가 손을 덮어 잡고 벗기기 쉽게 이끌어주었다. 잘 때 편하도록 간단하게 몇 겹 입지도 않은 터라 흉흉한 물건은 금방 밖으로 튀어나왔다. 기억을 되찾고 난 후에는 처음 보는 그의 물건은 기이하게 길쭉하고 이마 반쯤은 일어서 있었다.

"상, 상을……."

상을 주는 입장인데도 막상 닥치니 두려워졌다. 꿀꺽, 침을 두세 번 삼키고 심호흡도 두어 번 한 후에야 입을 벌릴 수 있었다. 어둠에 물들어 까맣게 보이는 성기의 끝에 살짝 혓바닥을 댔다. 뜨거운 것이 혀에 닿고 입술을 눌렀다. 우물거리던 말꼬리가 흐려졌다.

위아래 입술을 안으로 말고 앙다물었다. 혀로 기둥을 할짝거리며 주욱 입 안에 있던 공기를 삼켜 흡착했다. 볼이 홀쭉해지고 입술이 기둥에 찰싹 달라붙었다. 절반도 삼키지 못하고 끝부분만을 머금은 채 끙끙 애를 쓰는데 위에서 작은 웃음소리가 들렸다.

지안니가 풀어 헤쳐진 머리카락 사이로 손을 넣어 다발을 움켜 쥔 순간 오른 다리가 옆으로 죽 당겨졌다. 고정된 머리를 움직이지 못해 눈만을 굴려 살펴보니 범인은 미타이였다. 발목을 잡고 제 쪽으로 끌어당기더니 엄지발가락을 답삭 물었다. 축축한 혀가 발가락 사이를 파고드는 바람에 소스라치게 놀란 클로에가 몸을 들썩였다. 그러나 입은 물고 있던 것을 뱉질 못했다.

"기사는 충성을 맹세하기로 한 상대의 발에 키스하는 거야. 나는…… 네게 하는 거고."

아무리 봐도 미타이가 하는 것은 키스가 아니라 발을 핥고 빠는 행동이었지만 그의 뾰족하게 선 혓바닥이 발바닥을 간질이기 시작했을 땐 이미 아무 생각도 할 수 없어졌다. 미치도록 간지러운 발바닥을 빼내지도 못하고 꿈틀꿈틀 몸을 떠는데 허리를 잡고 단단하게 고정해주는 손이 있었다. 다니엘레였다.

중심을 잡지 못하고 바르르 떨다 휘청이는 몸을 잡아주었다. 팔을 그의 어깨에 둘러 짚고 지탱할 수 있게 했다. 미타이가 아직 낚아채지 않은 다리도 그의 허리를 감게 했다. 자신에게 기대라는 나직한 속삭임이 파고드는 목덜미의 털이 쭈뼛거리며 섰다. 등을 어루만지는 손에 안심이 되는 듯하다가도 어떻게 변할지 몰라 불안함이 가시질 않았다.

"아가씨, 나한테도 집중해줘요. 물고만 있지 말고. 세상 하나뿐인 선물을 주는 건데 이렇게 부끄러움을 타서야 되겠어요."

톡 톡, 긴 손가락이 뺨을 두드렸다. 허리를 깊이 숙이고 건네는 속삭임 때문에 다니엘레로 인해 곤두섰던 목덜미에서부터 찌릿찌릿 전류가 흐르더니 두피가 땅기는 느낌이 들었다. 이윽고 지안니가 클로에의 턱을 잡고 뒷머리를 조금씩 눌렀다.

"그대와 나도 마무리를."

시작해야지, 다니엘레가 작게 중얼거렸지만 클로에에겐 아주 크게 들렸다. 입 속을 가득 메운 긴 성기를 물고 있는 상태에서 허리가 약간 들리나 싶더니 벌어진 다리 사이의 음부에 누군가의 손이 닿았다. 더듬더듬 안쪽을 헤집어 수풀을 축축하게 적신 액체를 손가락으로 훔쳐냈다. 끈적하고 야릇한 향을 물씬 풍기는 액을 확인하고는 다시 손을 아래로 넣었다. 한번 쏟아져 나왔다가 말라붙은 자리에선 또다시 애액이 울컥 울컥 나오고 있었다. 촉촉해진 두 개의 손가락이 질구를 가리고 있는 도톰한 계곡을 잡아 벌렸다.

서늘한 공기와 함께 뜨거운 덩어리가 밀부에 닿았다. 클로에의 눈이 크게 떠지는 바람에 제가 물고 있는 성기의 뿌리와 아직 다 삼키지 못하고 한참 남은 기둥을 봐야 했다. 숨이 가빠졌다.

“으…… 으, 읍!”

아까부터 간질간질했던 다리 사이를 성기가 파고들었다. 울퉁불퉁한 표면이 좁은 내벽을 좌우로 벌리며 긁었다. 어깨를 짚고 있던 손등이 하얘지고 엉덩이가 바들바들 떨렸다. 다니엘레가 허리를 잡고 아래로 쑤욱 끌어내리는 순간 내부를 꽉 채운 것이 어느 한 지점을 건드렸고 짧은 빛이 번쩍 튀었다.

“힘들 테니까 도와줄게.”

“흐……읍.”

오른쪽 다리를 잡고 있던 미타이는 다니엘레의 중심부를 몸안 깊숙이 품고 움찔움찔 떠는 클로에의 엉덩이를 꾹 눌렀다. 두 다리 사이를 가르고 들어온 성기의 굴곡 때문에 내벽이 휘저어지는 바람에 호흡이 가빠졌다. 덕분에 혀를 누르고 입천장을 쿡 쿡 찌르고 있던 페니스를 쭉쭉 빨았다. 머리 위에서 지안니의 만족스러운 신음 소리가 들렸다.

굵은 손가락이 엉덩이 골에서 미끄러져 안으로 쑥 들어오더니 기둥을 세게 물고 있는 주변을 더듬었다. 간질간질한 터치가 언제 매서운 공격으로 돌변할지 몰라 허덕이는데 손가락도 제가 목표로 하는 바를 찾아내었다. 손가락의 목표는 클리토리스였다. 흥분의 열기가 슬그머니 모이고 있던 부위를 툭 건드리니 아니나 다를까 질구가 바득바득 입을 조였다. 다니엘레의 입에서도 결국 낮은 신음이 터졌다.

이를 신호로 잡혀 있는 허리가 강하게 옥죄었다. 몸이 흔들리면서 철퍽 철퍽 부딪히는 소리가 났다. 미끈미끈해진 살과 살이 부딪히면서 내는 끈적끈적한 소리가 방 안을 울렸다. 배 속을 가르고 뚫어버려는 기세로 찔러오는 성기를 놓지 못하고 흔들리는 클로에가 팔에 힘을 주어 힘껏 매달렸다. 땡땡 부풀어 예민해져 있는 가슴의 돌기가 다니엘레의 맨살에 쓸렸다.

"으브…… 응, 응……!"

구슬이라도 박아 넣은 것처럼 울룩불룩하고 휘어 있는 페니스가 내벽을 드륵드륵 긁으며 안으로 파고드는 사이 몇 번이고 깜깜한 시야에서 빛이 점멸했다. 자극에 약한 신경이 몰려 있는 부위가 집요하게 비벼지는 바람에 하체에도 힘이 들어갔다. 헐떡이면서도 입 또한 물고 있는 것을 놓지 못했다. 머리카락이 잡혀 있는 탓도 있었지만 몸 전체가 흔들리면서 길고 긴 성기가 안으로 깊숙이 파고든 탓도 있었다. 매끈매끈한 굵은 뱀이 입을 누볐다.

"으…… 흐…… 흐으으……."

두툼한 두 손가락 틈에 잡혀 있던 음핵이 콰득 비틀렸다. 덜컹덜컹 흔들리는 동안에도 뭉근하게 문지르며 애매하게 감각을 선사하기 직전에 손을 떼곤 하더니 기습적으로 가한 공격이었다. 자극으로 한창 달아오른 중이었던 터라 짜릿한 불꽃이 터지며 눈앞이 하얗게 변해버렸다. 클로에는 제 안에 꽂혀 있는 페니스를 조이며 다리를 덜덜 떨었다. 혀가 얼얼할 정도로 문질렀던 살덩이가 때마침 스르륵 빠져나갔다.

그녀의 입을 헤집었던 성기의 주인이 뻐근한 턱을 누르며 마사지를 해주었다. 클로에는 오르가즘으로 인한 쾌감의 여운에서 빠져나오지 못한 채 축 두 팔을 늘어뜨리며 고개를 떨구고 아직 그녀의 안을 가득 메우고 있는 물건의 주인에게 기댔다.

새액 새액, 숨을 고르고 있는데 이마에 맺혀 있는 땀을 닦아주는 손길이 있었다. 누구인지 신경을 쓸 기력은 없었는데 이대로 눈을 감자니 이마가 따가웠다. 상이 끝나지 않았다고 항의라도 하는 시선이 무더기로 쏟아지는 탓인지. 맹수들의 원망을 축적시키면 시간이 지날수록 클로에만 힘들어질 뿐이다. 눈을 떠야 한다고 생각하면서도 천근만근 무거워진 눈꺼풀은 도통 들리질 않았다.

ଛ

깜빡 잠이 들었다 깼다. 다니엘레에게 기대고 눈을 감았었건만 어느새 똑바로 누워 있었다. 분명 잠들었었단 자각은 있는데 눈만 감았다 뜬 기분이 들었다. 하루가 통째로 사라진 것이 아니라면 분명 시간이 많이 흐르지는 않았으리라.

"옷이 없어졌네."

끈끈하게 만드는 땀은 깨끗하게 닦여 보송보송했지만 잠옷이 입혀져 있지는 않았다. 옷을 입혀두기 전에 깨버린 걸까, 일부러 벗겨둔 것일까. 그러나 이불을 가슴께까지 올린 후 알몸으로 돌아다닐 수 있을 만큼 훈훈한 방을 둘러보고는 깊게 생각하지 않기로 했다.

"물이 어디 있…… 앗."

건조한 탓에 목이 말랐다. 가까운 협탁에 놓여 있는 주전자의 물을 따라 마시려 침대 아래로 발을 디뎠다. 다리 사이에서 무언가가 주룩 흘러나오는 감각이 느껴졌다.

"이 인간들이 정말."

샅샅이 살피지 않아도 어디에서 뭐가 흘러나왔는지는 알고 있었다. 이마가 잔뜩 찌푸려졌다. 기절하듯이 잠든 사이에 꼼꼼하게 구석구석을 닦고 심지어는 산발이 되었던 머리까지 정리해준 인간들이 음부만 그대로 둔 속셈이야 뻔했다. 흘러나온 것이 클로에 자신의 애액이든 다니엘레의 정액이든 의도야 명백했다. 정사의 흔적만큼은 없애고 싶지 않다는 음심이렷다.

물을 마셔 정신이 되찾은 후 고용인을 호출하는 종을 잡아당겼다. 사람을 기다리는 동안 이불을 뒤집어쓰고 침대에 걸터앉았다. 머리를 비우고 문이 열리기를 기다리고 있자니 곡명을 알 수 없는 허밍이 흘러나왔다. 어디선가 들려오는 소리가 아니다. 그녀의 입에서 나오고 있었다. 흔들흔들 다리가 흔들렸다.

"부르셨습니까."

몇 번의 노크 후 메이드가 허리를 깊이 숙여 인사를 하며 조용히 문을 열었다. 클로에는 들어오라 마라 별다른 지시를 내리지 않고 메이드를 응시했다. 자신의 입에서 나오는 낯선 허밍은 그대로였고 흔들리는 다리도 그대로였다. 밤중에 불러놓고는 세워만 두고 있자 의아해진 메이드가 주춤거리며 허리를 폈다. 힐끔, 곁눈질로 클로에의 얼굴을 확인한 메이드의 안색이 하얗게 질렸다.

"죄, 죄, 죄송합니다, 아가씨!"

클로에보다도 메이드가 먼저 알아보았다. 낯이 익었다. 표정

변화 없이 다리만 까닥까닥 흔들며 기억을 더듬었다. 허리를 꾸벅꾸벅 숙이며 바들바들 떠는 앳된 얼굴의 소녀를 어디서 봤는지 어렵지 않게 떠올릴 수 있었다. 하필 오늘 밤 당번이 저 아이라니. 난처한 우연의 일치인가, 소녀가 감당해야 할 심술궂은 대가인가. 후자일 가능성이 높아 피식 쓴웃음이 터졌다.

"지안니님께 여기로 오십사 전해줄래요?"

종을 울리면 보통은 시중들 고용인이 오지만 아무래도 평범하지 않은 입장이니 하녀보다는 다른 사람, 예를 들어 그녀를 벌거벗은 상태로 둔 남자들 중 한 명이 올 줄 알고 호출용 종을 울리긴 했다. 예상외의 인물에 조금 놀라긴 했으나 그뿐이었다. 파르세가의 고용인이 아니니 적당히 예의를 지키면서 원래 당장 달려왔어야 할 사람들 중 한 사람의 이름을 댔다.

"알, 알겠습니다!"

떡 하니 감히 공작가 자제의 이름을 막 불러대는 정체불명의 여자에게 어린 메이드가 놀라 히끅 사레가 걸렸다. 터져 나오는 딸꾹질을 억지로 누르려다 새빨개진 소녀를 덤덤히 바라만 보았다.

이즈리에를 독살하려고 했다는 누명을 쓰는 데엔 저 메이드의 공로가 없지는 않았다. 결정적이고 열정적인 증언이야 다른 메이드가 했지만, 찻잔에 진짜 독을 발라놓은 메이드가 바로 저 소녀였으니.

물론 발코니 위에서 훔쳐봤던 장면으로 추측했을 때 협박에 못 이겨서 한 짓이었을 것이다. 그러니 3형제도 소녀에게 큰 벌은 내리지 않고 그대로 일하게 두었나 보다 하며 속으로 끄덕였다.

"참, 찻잔에 독을 바른 날 말예요."

"그, 그, 그게 무, 무, 무슨 마, 말씀이신……."

평정을 잃은 소녀는 심하게 말을 더듬었다. 솔직히 위험한 일을 시키기에는 너무 담이 작아 자칫 잘못했다간 일을 그르칠 타입이었다. 누구의 안목이건 저 소녀를 고르다니 참 도박에 가까웠겠다 싶을 정도였다.

"주머니를 건넨 메이드는 잘 지내고 있어요?"

독을 직접 찻잔에 바른 사람과 찻잔 옆에 클로에가 서 있는 장면을 목격했다고 증언한 사람 중에서, 전자가 이렇게 멀쩡하다면 으레 후자도 가벼운 처벌만을 받고 끝났을 확률이 높은 법.

어깨를 덮은 이불을 제대로 여미고 날씨를 묻듯, 아침 식사 메뉴를 묻듯 물었는데, 글썽거리면서 말을 더듬고 비틀거리는 메이드의 꼴이 금방이라도 제 발에 걸려 넘어질 것 같았다. 클로에를 발견했을 때보다도 더 심한 공포에 사로잡히니 목소리도 나오질 않았다.

아직 10대로 보이는 나이를 감안하면 굉장히 안쓰러운 반응이었으나 한참 전부터 무겁게 가라앉은 클로에의 가슴은 반응을 보이지 않았다. 땀을 흘리며 떠는 반응만으로도 갈색 머리의 메이드가 어떻게 되었을지는 짐작이 되었다.

"뭐, 다시 볼 일은 없겠군요."

클로에의 기억을 빼앗은 다음 일방적으로 제게 유리한 게임을 하고 있었다 치자. 그녀가 너무 미운 나머지 이참에 분풀이를 하자 마음먹었다 치자. 분풀이가 아닐 가능성도 고려는 하고 있다. 이즈리에는 클로에가 달아나고 싶어지게끔 도와주겠다고 했으니. 그렇게 상황을 만들어주겠다고 했었다. 덕분에 일어나지 않을 수 있었던 소설 속 에피소드도 일부 실현되었다. 그래, 그렇다 치자.

"어, 어, 어떻게……."

소녀는 겨우겨우 쥐어짜내 물었지만 클로에는 대답해주지 않았다. 협박당하고 이용당한 소녀에게 동정심이 생기는 것과는 별개다. 소녀는 신분상 윗사람인 클로에가 묻는 말에 대답을 해야 하지만 클로에는 소녀의 의문에 대답할 의무가 없었다.

이즈리에는 이곳 세상에서 보낸 삶의 기억이 사라졌던 클로에조차도 제 안위를 내팽개치면서까지 걱정했던 가족을 건드렸다. 그러니 지금의 클로에라고 다를까. 어설펐다 하나 살인미수에 네르딘을 엮어 넣고 끌어들인 점 때문에라도 떨고 있는 소녀에게 넌 휘말렸을 뿐이라며 성인인 척 자비롭게 굴 수가 없었다.

오르시니라고 쉽게 용서했을 리도 없었다. 네르딘 때문이 아니라 배후에 있던 이즈리에가 겨냥했던 목표가 클로에였기 때문에. 그들은 사건의 전말을 단연 클로에보다도 빨리 파악했다. 갈색 머리 메이드에겐 누가 사주를 했는지, 소녀는 어쩌다 엮였는지. 범행의 주범에겐 손속에 자비를 두지 않았을 테고, 소녀에겐 일부러 클로에의 시중을 들게 했으리라.

이유야 간단했다. 소녀의 처분은 클로에에게 맡기려는 심산이다. 직접 마주하고도 크게 경을 치지 않는다면 소녀는 살아날 테고, 조금이라도 부정적인 반응을 보이면……. 한숨을 쉬며 떨고 있는 이에게 이만 물러가라 휘휘 손을 내저었다.

"별일 없을 테니 이만 가보……."

"생각보다 일찍 깼네요, 아가씨."

순간 어둠 속에서 그림자가 솟아나는 환각이 보이더니 지안니가 소리 없이 나타났다. 화들짝 놀라 비명을 내지르는 메이드에게 지안니는 싸늘하게 물러나라며 턱짓을 했다. 주인 앞에서 경망스럽다고 혼이 날 만한 일이었는데도 소녀는 아무 꾸지람도 듣지 않고 허둥지둥이나마 나갔다. 클로에가 그 일을 덮기로 했다는 이유만으로 소녀는 이번에도 무사할 수 있었다.

"늦었어요. 부르면 재깍재깍 오셔야죠."

저택 안에서도 마법으로 이동하는 습관은 당하는 사람 입장에선 고약한 악취미에 가깝긴 하다. 그러나 정작 클로에는 무심하게 넘기며 그를 보자마자 타박부터 했다.

"그보다 왜 나를 먼저 부를 생각이 들었을까요, 아가씬?"

마법사 역시 그녀의 타박에 불쾌해하지 않았다. 아니, 싫어할 리가 있나. 성정이 잔인하고 타인에게 측은지심 따위 느끼지 못한다던 남자는 클로에가 건네는 말 한 마디 한 마디에 일희일비하곤 했으니.

"행복해질 수 있는 짝을 찾으라고 했지, 기억을 잃은 사람을 데리고 뭐 하는 짓이에요, 그게."

"그게?"

"새장이요. 다른 건 몰라도 새장만큼은 이즈리에의 요구가 아니었죠? 지하감옥이면 몰라도 그렇게 온갖 보석과 금으로 치장된 새장에다 절 넣으라고 할 리 없으니까요."

볼을 빵빵하게 부풀리고 불만 가득한 타박을 이어갔다. 누구의 아이디어든 새장은 결국 공통의 의견이라 봐야겠지. 그래도 지안니의 취향이 가장 많이 반영된 것 같았지만.

"그러고 보니 아가씨가 새장의 문을 여는 순간을 봤어야 했는데……."

"이즈리에는 참 여러 가지를 간과했네요. 당신들을 싫어하도록 세뇌해두려고 했던 내 감정. 이즈리에의 요구조차도 날 가질 수만 있다면 기꺼워할 당신들의 감정. 그리고 이즈리에의 머리 위에서 놀 당신들."

입맛을 다시며 새장의 문을 여는 방법을 늘어놓으려는 그의 말을 안 들리는 척 잘라버렸더니 지안니는 딴죽을 거는 대신 삐딱하게 입꼬리를 끌어 올렸다.

클로에가 바라는 대로의 남성상을 담백하게 연기하려면 할 수도 있겠지만 무엇보다도 음습하다고도 할 수 있는 감정을 숨길 생각은 없어 보이는 남자. 한 발 한 발 다가와 숨통을 조이든, 방심할 때까지 기다리다 낚아채든, 아무것도 모르고 안심하면서 홀라당 넘어가게 만들든 어느 쪽이건 상관없다. 수단 따위 중요하지 않은 이들에게 중요한 목적은 따로 있다.

"내가 한 명만을 선택할 수 없다고 해서."

각자 걸맞은 제 짝을 찾아서 행복해지겠다고 맹세하긴 했지만 그 짝을 클로에로 하지 않겠다고는 하지 않았다. 클로에가 한 사람만을 고를 수 없기 때문에 차라리 모두의 곁에서 떠나겠다고 한 순간, 그들은 맹세를 지키면서도 동시에 원하는 상대를 얻을 방법을 강구했다.

"그래서 이즈리에를 이용한 거죠?"

그녀를 유린하라는 요구조차도 기꺼워할 3형제. 이즈리에가 실패한 원인은 클로에가 틀어놓은 작은 흐름의 탓이 아니다. 3형제 자체가, 이즈리에의 계획이 틀어지고 클로에의 당부가 무너진 원인이었다.

"내가 떠나겠다고 하면 어떻게 할래요?"

3형제는 어떤 사람이라고 봐야 할까. 클로에를 범하라고 명령한들 양심의 가책을 느끼며 어쩔 수 없이 따랐을까. 클로에의 가문을 파산시키라 했던들 비탄에 젖어 피눈물을 흘리며 게임에 임했을까. 클로에의 오라비를 폭행하도록 조종했던들 제 손과 발을 차라리 짓이기고 싶다 그리 하늘에 외쳤을까.

목적을 달성하기 위해 이즈리에의 계획을 역이용할 궁리를 하면서도 겉으로는 클로에의 부탁을 순순히 들어주는 척하고 있었다. 고분고분하게 무슨 부탁이든, 설령 이별을 암시하는 제안을 내민다 해도 받아들이는 동시에 뒤로는 그녀가 가고자 하는 길을 없앨 준비를 했다. 매스그레이브가 단적인 예였다.

"괜찮아요."

지안니는 가볍게 대꾸했다. 클로에의 결단을 가벼이, 그저 농담으로 여겨서가 아니다. 클로에가 떠나버린다 해도 정말 괜찮다는 의미다. 왜냐하면.

"우리는 변함없이 아가씨의 뒤를 지키며 언제까지고 기다릴 테니."

결국 돌아오리라는 것을 알기에. 혹은 돌아올 수밖에 없게 된다는 것을 알기에. 아니면 그렇게…… 만들 것이기에.

물론 불안이 지나쳐 숨겨진 행간의 의미를 과하게 해석했을지도 모른다는 가능성 역시 인정은 한다. 동시에 떠올린다는 자체가 가능성의 현실성을 인정한다는 뜻이기도 하다.

왜 하필 저인가요? 꼭 저여야만 하나요? 저를 사랑한다면 놓아주세요……. 수가지의 애원, 호소, 요청이 혀끝을 맴돌았다. 어느 하나도 툭 입 밖으로 내보내질 못했다. 말만큼 그렇게 쉽게 던져버리기 쉬운 것이 없었는데 도통 쏟아낼 수가 없었다. 대야째 물을 엎질러버리고 싶은데 스스로가 대야가 뒤집히지 않도록 잡고 있었다.

"아가씨는 제법 영악해요. 스스로도 그리 생각하고 있죠?"

보통은 좋은 의미로 사용되지 않는 「영악하다」를 지안니라고 칭찬으로 사용했을 리 없는데도 기분이 나쁘지 않았다. 비난도 아니고 단어 그대로 객관적으로 정의 내렸을 뿐이라는 것을 알고 있기에 클로에는 화를 내지 않았다.

스스로도 깨닫고는 있었다. 그녀에게 구애한 셋 중 한 사람만을 선택함으로써 다른 둘에게 마음의 고통을 가하는 나쁜 역할을 수행하고 싶지 않다는 감정이 자리한 가운데, 마찬가지로 그렇다고 해서 셋을 모두 선택함으로써 도덕적 굴레를 깰 용기가 없는 그녀는 영악하게 세 남자 모두에게 상처를 주는 방식으로 혼자만 편해지려 했다.

"무슨 말씀이세요. 전 착하게 살려고 노력하는걸요. 타인의 슬픔에 공감하고 걱정할 줄 아는, 어려운 사람을 도울 줄 아는, 비루한 제 한 몸 바쳐 사회에 공헌하면서."

입은 생각과는 다른 말을 줄줄 뱉었고, 그를 이용하려고 했던 비열함을 들킬까 표정을 가다듬었다. 지안니가 잘 속아 넘어갔을까. 눈빛으로는 읽어내기가 힘들었다.

"아가씬 욕심도 많고."

무슨 말도 안 되는 자화자찬이냐는 비웃음이 어렸다. 비난에 가까워 보이지만 실은 맞는 말이 또 던져졌다. 나쁜 사람이 되지 않으려는 위치를 고수하겠다는 욕심은 정녕 욕심이 맞았다. 이어지는 객관적 평가에 무심코 끄덕일 뻔했다.

"제가 무슨 욕심을 부렸어요. 비싼 장신구를 끝도 없이 사달라고 조르지도 않았고 오르시니의 권력을 이용하려고 하지도 않았는……."

말꼬리가 조금씩 흐려졌다. 줄줄줄 막힘없이 근거를 대야 주장의 타당성이 보완되는데 순발력이 떨어지는 뇌는 적당한 핑계를 떠올리지 못했다. 애당초 가지고 싶다고 생각한 것 중에선 자신의 능력으로 가질 수 없는 것이 존재치 않았던 삶을 영위했던 그녀가 욕심을 부리지 않았다고 할 수는 없다. 하물며 인간의 본능일진대. 무엇보다도 지금 그녀가 늘어놓고 있는 근거는 일반적으로 여성에게 강요되는 선입견인데, 그런 종류의 욕심을 부리지 않았다고 무욕의 삶을 살았다고 할 수 있느냐 하면 그렇지는 않았다.

"아가씬 머리도 나쁘고요."

"……아직 끝나지 않은 게임의 승패는 어떤 방식으로 가려지죠?"

이번에는 욕이다. 분명 욕이다. 명백한 도발에 울컥 치밀어 오르는 감정을 다스리지 못했다. 지안니와 이즈리에가 주고받았던 대화를 엿들었다는 사실을 들키지 않고 속내를 떠보려 했으나 실패했다.

"이런, 알고 있었어요?"

우위를 점하지 못했다는 자책에 깊게 숨을 들이쉬는데 지안니가 갑작스럽게 얼굴을 가까이 댔다. 풀어 헤쳐진 머리카락을 쥐고 당겨 클로에의 고개를 옆으로 기울게 한 후 귀에 소곤소곤 속삭였다.

"어디까지 알고 있을까. 난 아가씨가 못 알아챘으면 했는데. 문제는 아가씨가 적당히 멍청하고 적당히 욕심이 있고 적당히 착하단 말이죠. 그래서 어설프기도 하고요."

마지막에는 욕인지 칭찬인지 구분이 가지 않는 화법을 구사하는 통에 어안이 벙벙해졌다. 키득거리는 소리가 딱히 유쾌하게 들리지는 않았다.

"지안니."

"……."

잠긴 목소리로 나직하게 마법사의 이름을 불렀다. 간만에 마법사가 움찔하는 기색을 보였다. 경칭을 빼고 이름만 부르니 그와 둘이서 마법 연구를 하던 시절로 돌아간 것만 같은 감각이었다. 클로에는 가까이 붙은 지안니의 뺨에 손끝을 댔다.

“아무리 남아 있는 마무리가 있다 해도, 언제까지고 이대로 지낼 순 없잖아요.”

“…….”

“이만 끝내요, 우리.”

스스로가 듣기에도 단호하고 냉정했다. 그에겐 더 혹독하게 들렸으리라. 미타이처럼 불같이 화를 낼까, 다니엘레처럼 얼음같이 분노할까. 표현 방법의 차이일 뿐 이별 통보나 다름없는 선고를 듣는다면 결과는 하나다.

“좋아요. 원하는 대로…….”

손의 날로 눈꺼풀을 지그시 눌러 눈두덩을 덮었다. 시야가 가려진 만큼 나지막이 뇌까리는 혼잣말이 또렷하게 들렸다. 얄팍한 속셈을 간파했을까, 아닐까. 소름이 돋을 정도로 지독하게 낮아진 속삭임이 전신을 사로잡았다. 허공으로 몸이 떠 한 바퀴 돌더니 방을 은은하게 채우고 있는 향이 바뀌었다.

“어?”

예고도 없었던 공간이동 마법에 클로에 대신 다른 사람이 놀랐다. 차단되었던 시야에 서서히 아른거리는 불빛이 새어들었다. 깜빡, 깜빡 어지러움을 떨치기 위해 느릿하게 눈을 감았다 뜨자 갑작스러운 등장에 놀란 미타이가 휘둥그레 뜨고 있었다.

방금 전까지 대화를 나누던 곳이 아닌 다니엘레의 방으로 보였는데, 참 우애가 깊은 형제간이라 하더니 이렇듯 야심한 시각에 난데없이 마법으로 훌쩍 들이닥쳐도 되는 사이일 줄이야. 카우치에 기대어 반쯤 누워 머리를 괴고 있던 미타이는 벌떡 일어나는 것으로 제법 정상적인 반응을 보여줬고, 안락의자에 앉아 묵직한 양장 책의 페이지를 넘기고 있던 다니엘레는 눈썹 하나만 까닥 움직였다. 새삼 놀랄 일이 아니라는 의미였다.

"뭐야. 야옹이 깼다고 잠옷 직접 건네주겠다며 가더니? 이불이 잠옷이야?"

"응, 깜빡했네."

이불로 칭칭 에워싸고 있는 클로에에게 후다닥 달려와 번쩍 들면서 볼멘소리로 투덜거리는 동생에게 지안니는 눈 하나 깜짝 안 하고 거짓말을 했다. 오히려 너무 당당해서 잠옷은 핑계였다는 사실이 드러났다.

"그건 그렇고 여긴 왜 왔어? 형이 끌고 온 거야, 네가 혼자서는 무서워서 못 자겠다 한 거야?"

진짜 아기 고양이라도 이렇게는 안 다루겠지. 아주 아이 취급에 머리를 쓰다듬는 손을 치웠더니 미타이의 볼이 부풀었다.

"내가 멋대로 데리고 왔지. 내가 아가씨 말을 왜 들어."

"아, 그러셔."

지안니가 비웃거나 말거나 듣는 둥 마는 둥 미타이는 한 번 더 머리 쓰다듬기를 시도했다. 투박하고 큼지막한 손이 얹혔다.

그녀가 아는 미타이라면 「무서워서 혼자는 못 자길 바라며」 하는 말에 가까워서 두 번째에는 제지하기를 포기했다.

"아뇨. 제가 오자고 했어요."

"응?"

낮지만 똑똑히 들릴 만한 크기의 음성으로 티격태격하는 형제 사이로 불쑥 끼어들었다. 클로에는 달라붙어 있다시피 한 솥뚜껑만 한 손을 치우며 중얼거렸다. 미타이는 물론 놀랐거니와 지안니도 예상을 못 했는지 새초롬하게 눈을 떴다. 묵묵히 책을 읽고 있던 다니엘레도 스윽 고개를 들었다.

"제가 이만 끝내자고 했거든요."

"뭐……?"

기습 발언에 세 쌍의 황금색 눈동자가 위험하게 반짝였다. 파장을 각오하고 의도적으로 꺼내긴 했지만 역시 매서워지는 방 안의 공기는 새삼 맹수라는 단어가 떠오르게 했다.

"지금, 뭐라고?"

굳어 있던 상태에서 가장 먼저 움직인 이는 미타이였다. 클로에의 양어깨를 잡고 있는 손등에는 핏줄이 돋았다. 그러나 잡힌 어깨는 아프지 않았다. 화를 내고는 있지만 당황과 혼란에 이성이 사로잡히려는 와중에서도 클로에가 제 악력에 다칠까 힘을 제어하고 있었다.

"당신들 때문에 대체 얼마나 고생했는지 알고는 있어요?"

"그건."

보란 듯이 원망을 내비치며 세 마리 맹수를 차례로 돌아보았다. 고생을 시켰다는 자각은 있는지 미타이의 팔에선 힘이 쭈욱 빠져나갔다. 시선만으로도 두 번 다시는 끝내자고 할 수 없게 만들 기세였던 지안니와 다니엘레의 기운도 조금은 수그러들었다. 결국 툭 치는 것만으로도 어깨에 얹혀 있던 무게는 떨어졌다.

"제가 아무것도 모를 때를 틈타 꾸민 계략도 마찬가지예요."

처음부터 질 생각으로 게임에 참여하는 이는 없다. 3형제는 불리한 시작점에서 시작하는 점도, 페널티를 안고 게임을 진행하는 것도 수락했지만 질지도 모른다는 각오를 하고 받아들이지는 않았으리라.

아니, 게임의 참가자 모두가 질 생각은 추호도 없었다.

이즈리에는 이기기 위해 클로에의 기억을 지울 때 일종의 안전장치로 최면을 걸었다. 기억이 사라진 동안 클로에가 절대명제처럼 매달렸던 여주인공에게서 남자주인공을 빼앗으면 안 된다는 자기 세뇌는 실은 이즈리에가 걸어둔 강한 암시였다. 원래 클로에에게 걸렸던 암시는 실제로는 「오르시니는 이즈리에의 것.」이었지만 당시엔 소설 속 세상인 줄 알고 있었기에 오르시니는 남자주인공으로, 이즈리에는 여자주인공으로 치환되었다.

따라서 클로에는 자신이 3형제를 좋아한다는 사실을 모른 채 필사적으로 달아나려 했다. 왜인지 모르게 무서워서. 눈에 띄기라도 했다간 해코지를 당할 것만 같아서. 소설 속 엑스트라였던 클로에 파르세의 비참한 운명을 알고 있었기에 3형제를 두려워하고 있는 줄 알았었다, 스스로도. 그리고 오르시니는 이즈리에의 것이어야 한다는 각인에 따라 3형제로부터 멀어지려 애를 썼다.

"알고 있었어……?"

그런데 기억을 잃은 클로에의 행동은 모순적이었다. 3형제가 무서워 달아나려 하면서 정작 강압적인 그들의 접근은 허용했다. 극복할 수 없는 신체의 차이라거나 힘의 우열, 사회적 신분의 고하 따위의 외부적인 요인 때문이 아니다. 클로에는 기억이 없었음에도 소설 속 남자주인공에 불과하다 생각했을 3형제에게 몸을 허락했다.

언젠가 깨어날 고작 소설 속 세상이라 쉽게 생각하고 그들을 받아들였던 걸까. 그래서 소설이 아닌, 생생하게 실존하는 세계임을 깨닫고 나서도 돌이킬 수 없게 된 걸까.

"당연하죠. 이래 봬도 오르시니 미술관에 새로운 보안 시스템을 구축한 마법사가 저였는데. 그 정도 눈치는 있다고요. 뭐, 그때 그 보수를 받기 전에 게임이 시작되어버렸지만."

"끄응. 이래서 형들이 꿍꿍이가 있을 땐 야옹이 몰래 하려는 거구나.”

아니, 어떤 이유를 가져다 대든 그럴듯해 보이기만 할 뿐이다. 이즈리에가 본인이 이기리란 확신에 차서 게임을 시작했듯 클로에 또한 최소한 결코 지지는 않으리란 확신으로 응했다.

3형제는 클로에가 그 어떤 짓을 저지른다 해도 개의치 않을 맹수들임을 믿었다. 클로에가 어떤 몰골이 되든, 얼마나 비참해지고 추잡해지든 마음이 변하지 않을 사람들임을 알았다. 언제고 이즈리에가 한 번 그랬듯 무릎을 꿇고 발목에 매달려 제발이라고 애원한들, 대상이 클로에라면 경멸의 시선으로 내려다볼 리가 없음을 예감했다.

그리고 클로에 그녀 역시도…….

“그런 관계로. 이즈리에와 따로 하고 있던 그 게임 말인데요.”

클로에가 매달린다면 3형제는 오히려 희열의 미소를 지었겠지. 이즈리에가 생각했던 대로 될 리가 없었는데. 프러포즈를 거절당했을 때 맹수들의 눈에 스쳤던 어두운 빛을 클로에는 놓치지 않았다. 오히려 음산할 정도로 짙어진 금안에는 온갖 격정적인 감정이 소용돌이쳤었다.

모르긴 몰라도 납치하고 감금하기 위한 다양한 방법 수십여 가지가 지나쳐 가지 않았을까. 심지어 감금으로 끝날 리는 없고, 그녀의 눈과 귀를 막고 날개를 꺾어 울음소리만 낼 수 있는 새장 속의 새로 만들기 위한 방법 또한 수십여 가지는 떠올렸으리라. 그럼에도 그녀가 거절한다면 그들밖에 모르는 인형으로 만드는 방법까지도 마찬가지로 생각했을 터였다.

영겁과도 같은 찰나가 흐르고, 어느 누구 할 것 없이 금안은 이지를 되찾곤 했더랬다. 티끌같이 간신히 버티고 있던 이성이 맹수들을 사람으로 되돌려놓았었다. 그들이 되돌아올 수 있었던 원인 역시 클로에였다. 그러한 남자들이 클로에가 고작 불쌍한 꼴로 매달린다고 마음이 변할까. 당연히 아니었다.

"슬슬 끝내야 하지 않겠어요?"

그녀를 제외한 세 남자가 약속이라도 한 듯 동시에 긴장했다. 클로에의 짐작대로 이즈리에와 3형제는 클로에를 두고 이중 게임을 하고 있었다. 팽팽해진 공기에 숨을 돌릴 겸 방 안을 둘러보던 클로에의 눈에 익숙하면서도 생소한 그림이 들어왔다.

캔버스 위에 그려진 하늘 속 구름을 향해 뻗어 올라가고 있는 세 개의 덩굴 사슬. 허공에 떠 있고 실체가 없을 구름은 땅에서 자란 덩굴들에 이제는 완전히 잡혔다. 하늘로 높이 팔을 뻗친 덩굴은 필사적으로 구름을 잡아두고 있었지만, 구름이 마음만 먹는다면 환상처럼 흩어져 사라질 수 있을 터. 다만 구름의 높이가 미미하게 바뀐 것 같다는 그녀의 착각은 아마도 착각이 아니리라.

이즈리에와 클로에가 질 게임을 시작하지 않았듯 세 명의 기사도 질 게임을 시작하지는 않았다. 정확히는 반드시 이길 수 있다는 확신이 있었다기보다는 그들로선 이기지 않으면 의미가 없었다고 봐야 하겠지.

오래전에 만나 오랜 시간을 들여 천천히 관계를 구축한 사이였다. 어디까지나 본성을 누르고 욕망을 숨기고 조심스럽게 접근해 클로에의 마음에 들어가는 데 성공했다고 생각한 순간 그들은 내쳐졌다.

클로에가 기억을 잃게 될지도 모른다는 이야기를 들은 순간 누군가는 기회라 생각했다. 그래서 이즈리에가 하는 양을 수수방관했고, 그를 이용해 편승했다. 이즈리에의 요구를 들어주면서 방심을 유도하고 한편으로는 아무것도 모르고 있을 클로에를 그들의 공간에 숨겨두고자 했다.

그리고 게임의 조건을 그들만의 방식으로 비틀었다. 이즈리에는 「제발.」이라고 말하며 매달리면 된다고만 했을 뿐, 구체적인 상황까지 지정하지 않았다. 그래서 3형제는 그들이 듣고 싶은 방향으로 이끌기로 했다. 클로에가 스스로 원해서 매달리기를. 설령 몸뿐인 관계가 될지라도, 그녀가 먼저 그들을 원해서 육체라도 갈구하기를.

'아. 안 되겠다.'

그리하여 그들에게 있어 모든 것이자 하나인 클로에를 놓치지 않기를.

클로에를 유린하라는 이즈리에의 요구에 따라 3형제는 기억이 없는 그녀와 육체관계를 맺었다. 차근차근 그녀의 육체를 함락시켜가며 언제가 되었든 제발이라고 애원하며 매달리게끔 했으니 여왕과 마녀의 게임에서 클로에가 이기는 것은 시간문제.

그 과정에서 클로에가 아주 조금이라도 그들에게 마음이 있는지를 확인하고 싶었겠지. 구름이 나무 덩굴이 있는 땅으로 내려간 그림으로 바뀐다면 그녀의 추측이 맞았다는 의미다.

“마지막이라 생각하고 오세요. ……세 분 다.”

끝을 위해서라도 이제는 정말로 미루고 외면했던 매듭을 지어야 할 때였다. 속으로는 작게 탄식하며 겉으로는 도발적인 미소를 입꼬리에 걸었다.

“셋…… 다?”

“네, 빠지고 싶으면 빠져도 돼요. 다른 두 사람이랑 즐기면 되니까.”

마음에 안 드는 기색이 역력한 다니엘레더러 보란 듯이 미타이의 목에 팔을 두르고 몸을 감싸기 위해 잡고 있던 이불을 놓아버렸다. 어깨에서부터 스르륵 이불이 미끄러지고 상체가 드러났다. 지안니와 다니엘레에게 흘깃 시선을 던지고 주저하지 않고 미타이의 양 볼을 감싸며 잡았다. 아주 약하게 아래로 당겼을 뿐인데 미타이는 허리를 푹 숙여주었다. 클로에는 눈을 감고 미타이의 입술에 제 입술을 겹쳤다.

"야옹이 네가, 먼저 온 거야."

사자는 기회를 놓치지 않았다. 클로에의 머리를 잡고 거칠게 입술을 벌렸다. 부드럽게 부푼 입술을 쪽쪽 빨면서 으르렁 뇌까렸다. 잠시 위로 올라갔던 속눈썹이 다시 아래로 내려옴으로써 수궁의 뜻을 더했다. 오랜 갈증에 시달리다 만난 오아시스의 물을 마시듯 탐닉하는 혀에 얽히면서 조금씩 얼굴에 열이 오르기 시작한 클로에는 무의식적으로 미타이의 등을 더듬었다.

"이젠 늦었어요, 아가씨."

오른팔이 휙 낚아채였다. 어깨가 아플 정도로 세게 뒤로 꺾였다. 놀람의 비명은 미타이의 입 안으로 사라졌다. 도발에 넘어오기로 한 이상 사정을 봐주지 않겠다는 의미였는지 잡힌 손목이 욱신욱신 아팠다. 바로 뒤로 바짝 다가붙은 지안니의 기척이 느껴졌다. 머리카락이 다발째 들리고 목덜미에선 알싸한 아픔이 느껴졌다. 앞으로는 입술이 물리고 뒤로는 목이 물렸다. 깨물고서는 할짝 혀로 핥아 통증을 식혀주지만 저돌적인 접근은 자제하지 않았다.

"침……대로 가요."

작은 속삭임을 놓치지 않은 미타이가 클로에를 안아 든 채로 성큼성큼 침대로 걸어갔다. 침대의 주인인 다니엘레에게 양해를 구하는 과정은 없었다.

침대에 조심스럽게 내려주려는 미타이의 목에 매달려서 있는 힘껏 끌어당겼다. 거구의 사자에겐 그보다 작은 체구의 여자가 힘을 줘봤자 미동도 않을 수준일 텐데도 순순히 이끌려 털썩 쓰러져주었다. 클로에 위로 다가오는 묵직한 그림자를 옆으로 밀어내고 천장을 보고 눕게 된 미타이의 배 위로 올라탔다.

천천히 미타이의 넓은 가슴에 손바닥을 댔다. 수차례 만지고 매달렸던 몸이었는데도 손바닥에 닿은 단단한 감촉이 신기했다. 잠옷 상의를 꼼지락꼼지락 풀어헤치고 드러난 맨살을 꾸욱 꾸욱 눌렀다. 느릿느릿 움직이는 손바닥이 평평한 가슴 위에 볼록 솟아 있는 유두를 건드렸다. 3형제가 그녀의 가슴을 만지기 전에 느끼는 느낌이 이러할까. 엄지와 검지에 침을 묻혀 남자의 유두를 툭 건드렸다.

"야옹아."

"어때요?"

"별 느낌 없는데. 그보다 네 찌찌를 빨고 싶어."

"……안 돼요. 가만히 있어요."

"칫."

허리로 슬금슬금 올라오는 손을 탁 치니 그 자리에서 멈췄다. 시무룩해진 사자의 귓불을 쓰다듬으며 고개를 돌렸다. 노려보는 시선에 가까운 싸늘한 금안이 클로에를 뚫어버릴 듯이 응시하고 있었다.

남녀 간의 교합에 있어서는 능숙하거나 지식이 많지 않으니 딱히 어떻게 해야겠다는 생각은 들지 않았고, 따라서 유혹을 하는 손짓은 지안니가 보기에 무척이나 서투를 터였다. 클로에가 왼팔을 들자 줄이 달린 인형이라도 된 듯 가까이 다가선 그의 긴 머리를 잡아당겼다. 풀썩 침대로 올라온 지안니와 클로에의 눈높이가 비슷해졌다.

클로에는 가만히 시선을 마주하다 그의 머리끈을 휙 잡아당겼다. 나풀거리는 머리끈이 손에 들어오자 풀려난 머리카락이 흐트러졌다. 알몸의 여인이 제게 하는 양을 흥미로운 시선으로 좇던 남자의 목에 머리끈을 매었다. 클로에는 쥐고 있던 머리끈을 잡아당겼다.

"당신은 구속을 좋아하니까."

"음, 내가 당하는 것보단 아가씨를 구속하는 쪽이 취향이긴 한데. 어디 보자, 의자에 앉혀 손목과 발목을 묶어놓고 내 자지를 울면서 빠는 광경을 보는 것도 짜릿하겠네요."

톡 토옥, 손가락을 목에 걸린 머리끈을 치고 보란 듯이 클로에의 목을 가리켰지만 풀지는 않았다. 도발에도 여유를 잃지 않은 지안니가 외설스러운 말을 뱉었다. 힘없는 머리끈 하나에 목을 매인 남자가 끌려와 무릎을 꿇고는 목줄을 쥐고 있는 손등에 입을 맞추며 속삭였다.

"언제든 분부만 하신다면."

허락만 한다면 언제든 달려들어 제 밑에서 울게 해주겠다,

끈적하고 음란한 속삭임을 거리낌 없이 담는 입을 막아버렸다. 머리끈을 세게 당겨 비딱한 웃음을 흘리고 있는 지안니의 입술을 깨물었다. 날카롭던 눈매가 호선을 그리고 아랫입술을 물어뜯는 하얀 이를 툭 혀로 건드렸다.

지안니의 목줄을 잡고 키스를 나누고 있으려니 슬쩍 머리끈을 쥐지 않은 손이 들렸다. 미타이가 제 입으로 가져가 손바닥을 할짝거렸다. 뭉툭한 혓바닥이 날름 손바닥을 쓸었다. 메마른 손이 축축해지기 시작했다. 저를 보라는 의도가 담긴 행위에 눈을 아래로 내리깔았다. 배고픈 사자가 클로에의 다리 밑에서 히죽 웃었다.

"으음……."

지안니는 잠깐의 한눈도 허락하지 않겠다는 듯이 클로에의 관심을 빼앗았다. 머리끈을 들고 있는 클로에의 손목을 밀어내며 더 강하게 입술을 밀어붙였다. 잘근잘근 씹혔던 그의 입술에서 비릿한 냄새가 나기도 잠깐, 덮쳐온 혀의 해일이 클로에를 잡아챘다.

미타이는 손가락을 하나하나 제 입에 넣어 쪽 쪽 빨았고 지안니의 혀는 똬리를 푸는 뱀처럼 움직이며 클로에의 입 속을 헤엄쳤다. 손가락 사이사이가 습윤한 숨결에 집어삼켜지고 미끌미끌한 혀가 점막을 두드리며 애를 태웠다. 얼굴에 조금씩 열꽃이 피기 시작했다.

"여기 빨고 싶어."

미타이의 복근과 접촉한 부위가 투명한 애액에 젖기 시작했음을 클로에가 자각했을 때 미타이도 눈치챘다. 클로에의 손을 잡고 그녀의 다리 사이를 가리키게 했다. 그의 큰 손 안에서 끄트머리만 빠져나와 있는 세 개의 손가락 끝이 스스로의 은밀한 부위를 만져버렸다. 흥분으로 감각이 예민해진 속살이 작은 자극에도 움찔했다.

"빨게 해줘, 응?"

미타이가 클로에의 손가락을 더 안으로 깊이 밀어 넣었다. 살짝 구부러진 손끝이 짙은 음모를 누르고 도톰한 둔덕을 살살 쓸었다. 수풀이 머금고 있던 이슬방울들을 손끝으로 옮겼다.

"목줄을 놓아서야 쓰나요, 아가씨."

미타이 배 위에서 자위를 하는 모양새가 되고 찌를 듯한 시선을 느끼자 절로 힘이 풀렸다. 머리끈을 놓아버릴 뻔하니 지안니가 재빠르게 낚아챘다. 클로에의 손등을 감싸며 제대로 머리끈을 잡게 해주었다.

"흣……."

미타이는 음부를 비비게 만들고 질이 내보내는 액을 훔쳐내게 한 손끝을 답삭 삼켰다. 뭉근한 열기가 피어나기 직전에 떨어져 나간 애매한 압박감에 질구가 아쉽다며 바르르 떨었다. 속 시원하게 해소해주지도 않은 손가락 끝이나마 없어지니 허전했다. 흐으, 앓는 소리를 내는 클로에의 목덜미로 지안니의 입술이 달려들었다. 냉정해 보였던 마법사가 굶주린 맹수처럼 달려들어 쪽 쪽 빨았다. 숨결에 덮일 때마다 등이 따가웠다.

따가운 원인은 사실 하나 더 있다. 클로에는 살짝 뒤돌아 방 안에 줄곧 아까부터 있었던 마지막 한 사람에게 시선을 던졌다. 다니엘레는 표정 없는 얼굴로 말없이 뒤엉킨 세 사람을 주시하고 있었다. 턱을 괴고 다리를 꼰 채 뒤로 기대어 앉아 마치 아무 감흥 없다는 듯 무심하게 바라보고 있었다. 그러나 클로에의 뒤통수를 찌를 듯이, 목을 졸라버릴 듯이, 등허리를 베어버릴 듯이 보고 있던 사람도 다름 아닌 다니엘레였다. 클로에가 미타이와 지안니만을 제 품으로 끌어당겼을 때부터 무심한 듯, 그러나 누구보다도 열기 띤 눈으로 노려보고 있었다.

"이리 와요."

클로에는 그에게 턱짓했다. 두 손은 두 마리 맹수에 잡혀 있어 움직일 수 있는 부위로 움직이다 보니 오만하게 보일 법도 했지만 다니엘레는 신경 쓰지 않을 것이다.

문제는 다니엘레가 꿈쩍도 하지 않는다는 점이었다. 제 형제들과 섞여 뒹굴고 싶지 않아서라고 하기엔 오늘이 처음도 아니고, 클로에와 몸을 섞고 싶지 않아서라고 하기엔 그의 눈은 명백히 클로에를 원하고 있었다. 그럼에도 움직이지 않는 이유를 짚어보던 클로에는 힐끔 그림을 훔쳐보고, 사르르 웃으며 입을 떼었다.

"당신을, 원해요. ……다니엘레, 지안니, 미타이, 당신들을, 원해요."

그러니 어디 한번 날 울부짖게 해봐.

마지막 주자인 다니엘레를 움직이게 만드는 주문. 클로에만을 응시하고 있던 다니엘레가 속삭이듯, 노래하듯 유혹하는 마지막 말을 듣고서야 스윽 일어섰다. 소매의 단추를 각각 풀면서 침대로 저벅저벅 걸어오기 시작했다. 느릿하게 숨을 들이쉬었을 때 다니엘레가 셋 앞에 섰다. 클로에는 눈을 감았다.

색정적이지만 한편으로는 일말의 여유가 감돌았던 공기가 달라졌다. 지척에 서 있던 첫 번째 맹수가 등을 보이고 있는 여인을 제게로 끌었다. 주륵 뒤로 미끄러지며 끌려가는 여인의 미간이 살포시 찌푸려졌다. 젖은 음부가 깔고 앉아 있는 세 번째 맹수의 배와 마찰을 일으키면서 간질간질한 열감을 느낀 탓이었다.

"아……."

여인의 턱을 잡고 머리를 뒤로 젖혔다. 첫 번째 맹수와 눈이 마주친 여인이 뜻 모를 신음을 흘렸다. 이마에 짙은 그림자가 지고 따듯한 입술이 내려왔다.

이마와 콧잔등에 부드러운 버드 키스가 내려앉는다고 목 아래 역시 평온한가 묻는다면 아니라 답할 수 있겠다. 세 번째 맹수는 제 형이 낚아챈 여인을 제 품으로 돌려놓으려 허리를 잡고 당겼다.

“흣, 흐읏…….”

맞닿아 있는 단단한 피부 위로 엉덩이가 주룩 미끄러졌다. 삽시간에 상체가 뒤로 넘어가나 했지만 첫 번째 맹수가 워낙 흔들림 없이 잡아주고 있던 탓에 넘어진다는 불안은 들지 않았다. 문제가 있다면 여인의 은밀한 부위가 세 번째 맹수의 아가리에 삼켜지게 되었다는 것. 촉촉한 수풀을 헤집던 혀가 파르르 떨고 있는 계곡을 파고들었다. 말랑하지만 집요한 혀에 붙잡힌 붉은 속살이 쿨쩍 쿨쩍 울었다. 여인의 허리가 비틀렸다.

“흡…….”

하체를 점령하기 시작한 열락에 빠져들고 있는 여인이 쥐고 있던 끈을 놓치자 두 번째 맹수가 달려드는 강도를 높였다. 목덜미를 야금야금 먹어치웠던 입이 게걸스럽게 움직였다. 두 번째 맹수의 입이 지나가는 자리마다 반짝이는 별이 피었다. 두 번째 맹수의 손이 등을 쓸어내리며 탐욕스러운 입이 쇄골에도 흔적을 남기고 풍만하게 부풀어 있는 산등성이에도 닿았다.

피가 잔뜩 쏠린 탓에 민감해져 꼿꼿해진 젖꼭지를 두 번째 맹수의 혀끝이 살랑거리며 감쌌다. 배꼽 밑에서 부글부글 끓고 있던 용암에서 올라오는 기포의 수가 늘어난 기분이 들었다. 뾰족하게 부풀어 구슬처럼 된 유두를 혀로 이리저리 굴리며 쭙 쭙 빨았다. 빨리는 부위는 가슴인데 여인은 날개뼈가 조여지는 느낌이 들었다. 어깨가 뒤로 향하며 가슴이 위로 솟았고 맹수는 제게 바쳐진 정찬을 반가이 맞았다.

"아흣, 흑, 으응…… 읍!"

여인의 밀부에서는 열기를 더하는 샘물이 쉴 새 없이 새어 나왔다. 세 번째 맹수가 제 입을 떼지 않고 할짝할짝 음핵을 비틀어 노크한 다음 질구에서 나오는 달콤한 샘물을 받아 마셨다. 짜릿한 전류가 흐를 때마다 여인의 엉덩이가 들썩였다. 두 번째 맹수가 제 앞에서 흔들리는 붉은 과실을 놓치지 않고 이로 낚아채었다. 맛을 보면 볼수록 뱉고 싶지 않아지는 달달한 과실을 자근자근 씹었다. 입에 한 번에 다 넣지 못한 반대편 과일은 두 손가락으로 잡고 동글동글 굴려 죽 잡아당겼다. 배속과 가슴을 전기가 흐르는 무언가에 얻어맞은 듯한 느낌에 눈앞이 까매지고 두 다리가 바짝 굳었다. 여인의 허리가 둥글게 휘며 부들부들 떨었다. 첫 번째 맹수가 쏟아지는 신음을 고스란히 삼키며 여인의 부드러운 입술에 제 입술을 붙였다. 보들보들하게 튀어나온 살덩이를 쪽 빨고 달큼한 한숨을 꼭꼭 씹어 삼켰다.

"클로에."

짧고 강한 오르가즘의 여운에서 벗어나지 못해 떨고 있는 여인을 부르는 속삭임이 있었다. 흐릿해진 눈을 들어 누가 부르는지 보려 했는데 몸이 반대로 뒤집혔다. 세 번째 맹수의 배 위에 누워 있던 자세였다가 뒤집혀 엎드린 자세로 바뀌었다. 머리카락이 차르륵 아래로 쏟아졌다.

깜빡, 눈을 감았다 뜨니 세 번째 맹수의 환한 얼굴과 마주 보고 있었다. 맹수가 여인의 뺨에 키스하고 입술에 제 입술을 비볐다. 무게가 실린다 한들 퍽이나 무겁겠느냐마는 여인은 팔에 힘을 주고 깔고 엎드리지 않으려 팔에 힘을 주고 상체를 지탱하려 했다.

그러나 허리를 감싸 안는 품에 갇혀 상체를 바짝 붙이고 엎드려야 했다. 실오라기 하나 걸치지 않은 가슴끼리 맞부딪쳤다. 거센 자극을 받았던 터라 저 혼자서 실룩실룩 곤두서 있는 유두가 살갗에 스쳤다. 여인의 목이 구르릉 천둥 치듯 울렸고 세 번째 맹수가 제가 안은 여인의 붉어진 눈가를 혀로 훔쳤다.

허리는 강하게 옥죄고 있는 팔뚝에 갇혀 있지만 다리는 아니다. 둥근 엉덩이가 하늘을 향해 솟았다. 굵은 넓적다리가 여인의 허벅지를 좌우 바깥으로 밀어내 벌렸다. 한참 전부터 여인의 다리를, 엉덩이를 쿡 쿡 찌르던 물건이 이번에도 어김없이 피부를 스쳤다.

"삼켜줘, 응?"

제 존재를 과시하는 물건의 정체를 여인도 알고는 있었다. 세 번째 맹수가 칭얼거리듯 애원하고 있었지만 동물의 동공처럼 빛나는 금안은 잔뜩 부푼 기대와 열망으로 가득 차 있었다. 여인이 희미하게 끄덕이자 신이 난 맹수가 허리를 놓고 여인의 다리를 잡았다. 스스로의 걱정과는 달리 자신의 몸이 맹수들에게는 종잇장처럼 가볍다는 사실을 새삼스레 깨달았다.

"흣……!"

아직도 맑은 액을 내보내고 있는 질구가 빠근하게 벌어졌다. 우람한 성기의 머리가 한 발짝 한 발짝 천천히 들어오고 있었다. 좁게 여며져 있던 입구는 문의 크기보다도 큰 기둥이 들어오려 하자 활짝 문을 열어 맞이했다. 샘물은 여전히 입구를 촉촉이 적시고 굵은 성기가 조금이라도 더 편히 들어올 수 있게 도와주었다.

"하아, 하아."

여인의 다리를 가르고 들어가던 움직임이 멈췄다. 가쁜 숨을 내쉬며 힐끔 보니 귀두만 삼키고 멈춰 있다. 더 들어갈 수 없어서라기보다는, 다른 두 마리 맹수 때문이었다. 여인이 세 번째 맹수와 키스를 나누는 동안 여인의 종아리와 발을 탐하고 있던 두 맹수의 입술이 엉덩이 부근까지 올라왔다.

엉덩이가 들썩였다. 입술이 지나간 자리가 화끈거렸다. 맹수의 뛰는 심장 때문인지 맞대고 있는 여인의 심장도 두근두근 뛰었다. 할짝, 입맛을 다시는 소리가 나더니 두 짝의 엉덩이가 좌우로 당겨졌다.

천장으로 치솟은 엉덩이가 큼직한 손에 가득 찼다. 각각 다섯 손가락이 살을 꾹 눌러 당겨 엉덩이 골짜기 속에 숨어 있는 붉은 동굴을 찾아냈다. 휑한 공기에 닿은 동굴의 주름이 꿈틀거렸다.

"으응……."

향유로 미끌미끌해진 손가락 하나가 쑥 동굴 속으로 들어왔다. 주름이 벌어졌다가 손가락을 삼키며 오므라들었다. 경쟁하듯 또 하나의 손가락이 푹 꽂혔다. 여인의 신음이 가늘어졌다.

송골송골 땀방울이 맺혀 있는 곡선이 흔들렸다. 다리로 버틸 힘이 부족하니 둥근 두 개의 달덩이가 차차 아래로 지기 시작했다. 귀두만 조금 집어넣은 성기가 꿈틀거리며 질 내벽을 파고들어 존재감을 뚜렷하게 알렸다. 여인의 숨소리가 더 가빠지기 시작했다.

"아흐응!"

좁은 내부를 꽉 채웠던 손가락들이 쑤욱 빠져나가며 뜨겁디 뜨거운 몸속으로 서늘한 공기가 스며들었다. 몸의 일부가 아닌 것이 아주 잠깐 뒤흔들고 헤집었다 나가버렸는데도 엉덩이 사이가 빠끔빠끔했다. 여인은 더듬더듬 헤매며 짚다 손에 잡히는 뭉텅이를 쥐고 울었다.

아마도 세 번째 맹수거나 두 번째 맹수의 머리카락이겠지. 여인은 제가 쥐느라 아프게 뽑힐 머리카락의 주인을 걱정할 겨를이 없었다. 간지러워, 이상해, 부족……. 무슨 말을 하는지도 모르고 매달렸다.

"괜찮겠어요?"

두 번째 맹수가 속삭였다. 만지지 않아도 느낄 수 있을 정도로 예민해져 퉁퉁 부은 음핵에 온기가 닿아 허리가 들썩였다. 귓가에 봄바람 같은 따스한 숨결이 닿자 목에서부터 등까지 솜털이 주르르 서며 다리에 힘이 들어갔다. 미칠 것처럼 간질간질한 감각이 뇌를 쥐어짜려고 했다. 흥분으로 인해 몸에서 만들어내는 액에는 최음 성분이라도 있는 게 아닐까 하는 착각마저 들었다.

"괜……찮아……."

간신히 마지막 남은 이성을 더듬어 찾아내 괜찮겠느냐는 질문의 의미를 이해했다. 여인이 수락하자마자 번쩍 두 다리가 잡혔다. 두 번째 맹수가 여인의 엉덩이를 세게 쥐고 길쭉한 물건을 꼼꼼히 밀어 넣었다. 성감대가 없다고 알고 있었던 부위에선 본래의 용도와 다른 방향으로 들어오는 페니스를 꾸역꾸역 삼켰다.

"헉, 허억."

숨이 턱 턱 막혀 *끄윽끄윽* 제대로 숨을 쉬지 못하자 움직임이 멈췄다. 도리질을 치는 여인의 땀으로 젖은 머리를 부드럽게 쓰다듬는 손이 있었다. 자장자장 아기를 재우듯 등을 두드리는 손길도 있었다. 숨소리가 조금 안정되었다 싶었을 때 여인이 후들후들 떨리는 손을 들어 맹수의 피부를 긁었다. 잡으려고 했으나 미끄러지는 바람에 손톱으로 긁어버렸다.

"응, 으응, 흐읏!"

여인의 행동을 신호로 두 번째 맹수가 단숨에 반쯤 일어서 있던 제 물건을 밀어 넣었다. 반동으로 밀려난 여인의 질구가 물고 있던 세 번째 맹수의 성기를 뿌리 끝까지 삼켰다. 배 속을 가득 채우는 압박감에 여인이 아득히 눈물을 흘렸다.

잡을 것을 놓치고 떨어지는 팔이 침대와 부딪히기 전에 누군가 낚아채었다. 첫 번째 맹수였다. 여인은 눈물로 퉁퉁 부은 눈을 떠 첫 번째 맹수를 올려다보았다. 보슬비를 머금은 진흙과도 같은 눈동자였다.

"그대를 원해."

선연한 금색의 눈동자가 여인에게 청하고 있었다.

"……이리로, 와요."

여인이 젖은 음성으로 허락했다. 첫 번째 맹수가 마지막으로 고민할 틈도 주지 않고 상체를 비틀어 세웠다. 여인은 흉흉한 기세로 일어서 있는 물건을 콱 물었다. 이가 살짝 표피에 스쳤으나 맹수는 눈썹만 잠시 움직일 뿐 별다른 반응은 보이지 않았다. 아니, 반응을 보였다.

"흡!"

여인이 도발하고 스스로 받아들이겠다 하긴 했으되 여인의 몸속을 차지한 것들은 통제를 벗어났다. 앞뒤로, 위아래로 거센 절구질이 여인을 두드렸다. 살덩어리에 꿰뚫린 여인의 몸이 정처 없이 흔들렸다.

"응, 으으, 읍…… 으…… 흐읏."

볼이 빵빵해지도록 비틀어 넣어 여인의 뺨이 다람쥐처럼 부풀면 손가락으로 쓱쓱 문질러 쓰다듬더니 금세 벌어진 입 안을 구불구불한 뱀이 유영하다 혀뿌리를 누르고 목청을 빠르게 쑤셨다. 여인의 교성 섞인 신음이 억눌린 채로 터져 나왔다.

아래쪽에서도 세찬 허릿짓에 의해 몸뚱이가 쉴 새 없이 튕겨 올랐다. 잡아주는 속옷이 없는 유방이 덜렁덜렁 흔들려 아픈 것도 잠시, 뒤에서 강하게 부딪쳐오는 움직임에 가누지 못하는 몸이 낭창하니 흔들렸다. 넓적다리가 센 악력에 고정되고 두 손이 잡혀 있는 덕에 이리저리 튕기다 쓰러지지 않을 수 있었으나 그만큼 동시다발적으로 밀려오는 진동이 몸으로 흡수되면서 배 속이 터질 것같이 끓기 시작했다.

여인이 파들파들 떨 때마다 집요하게 괴롭힘을 당한 질 내벽으로부터 맞물린 성기를 피해 몸을 비틀었다 싶으면 또다시 쫓아와 끈질기게 찌르고 문질렀다. 합을 맞추어 뒤에서 후벼 파고 들어오는 날카로운 귀두가 여인을 동시에 압박까지 하니 아찔아찔한 시야에 번쩍거리는 빛이 튀었다. 눈이 멀 것만 같았다.

용암이 끓는 듯했던 배 속은 앞뒤로 쉬지 않고 이어지는 자극에 가라앉지 못하고 수차례 폭발했다. 등줄기를 내달렸던 전류는 목을 조이고 뒤통수를 팡 팡 때렸다. 발가락 열 개가 부채처럼 펴졌다. 심장을 뭉툭한 둔기에 세게 얻어맞은 느낌이었다. 울음 섞인 교성은 입이 막혀 있어 도로 삼켜졌다.

여인은 저를 잡고 있는 손을 매달리듯 꽉 쥐었다.

ᘓ

먼저 도발을 해놓고도 설마 가능할까 스스로도 의심했는데 진짜로 셋을 받아들일 수 있는 몸이었을 줄이야. 말 그대로 육체적으로. 물론 몸 구석구석 쑤시지 않은 곳이 없었고 일어나 걷는 다리가 후들거렸지만 풀썩 쓰러질 정도는 아니었다. 그래도 아프지 않다고는 할 수 없어 클로에는 주위를 흘겨보았다. 남자 셋이 모처럼 숙면을 취하고 있었다.

처음 일어났을 때 3형제가 옆에서 자고 있어 놀랬더랬다. 밤새도록 그녀 혼자만 절정에 오르게 만들고 눈물을 쏟는 꼴을 보고 나서야 성기를 빼는데, 한 번으로 끝나지 않고 체위를 바꿔가면서 했으니 당연히 가장 늦게 일어났어야 할 사람은 그녀였다. 그런데 웬걸, 일어나니 세 사람은 조용히 자고 있었다.

문득 자는 척 흉내를 내고 있는 건 아닐까 의심스러워졌다. 가장 가까이 달라붙어 있는 미타이의 뺨을 쿡 찔렀다. 탱탱한 볼살이 움푹 파이자 사자의 미간이 좁아졌다. 그러나 그것도 잠깐, 미타이는 금세 헤실헤실하며 도롱도롱 잠들었다. 잠꼬대인지 아닌지 헷갈리게 “야옹아.”라는 웅얼거림이 맴돌다 사라졌다.

클로에는 흐음, 고개를 갸웃거리다 미타이 건너편에 누워 있는 지안니의 목젖을 꾹 눌렀다. 다소 심술이 가득 담긴 행위에 숨이 막히자 마법사가 눈을 떴다. 하기야 이 정도는 아무리 진짜 자고 있었어도 깰 정도긴 했다. 무표정하게 내려다보며 가만히 있으려니 지안니는 피식 웃고는 눈을 감았다. 곧바로 새근새근 잠에 빠지는 소리가 들렸다.

그다음에 클로에는 가만히 옆으로 돌아 숨소리도 내지 않고 곧은 자세로 자고 있는 다니엘레의 얼굴 위로 손바닥을 휘휘 흔들었다. 손이 만들어내는 그림자가 어지럽게 춤을 추었지만 다니엘레 역시 미동도 없었다. 진짜로 자는지 아닌지 다른 방법으로 확인해볼까 고민하던 클로에는 고개를 저으며 그만두기로 했다.

3형제가 자는 모습은 처음이었다. 언제나 그녀가 먼저 기절하듯 잠들고 항상 해가 중천에 뜬 후에야 겨우 일어났기 때문이다. 이토록 무방비하게 곁을 내어주고 자는 맹수들은 처음이었다. 잠깐 깨긴 해도 그녀를 확인하고는 안심하며 다시 마음 놓고 잠을 청했다. 클로에는 자고 있는 그들은 물끄러미 응시하다 갈라진 목과 쑤시는 몸뚱이를 이끌고 침대에서 빠져나왔다.

살금살금 발소리를 죽이고 바닥에 널브러져 있는 옷 중 아무거나 하나를 집어 몸을 가렸다. 전신에 붉은 꽃이 핀 몸과 천에 쓸려 따끔거리는 유두에 한숨만 나왔다. 빨아봐야 찝조름한 체취만 느껴질 젖가슴이, 몸 전체가 뭐가 그리 맛있다고 끝도 없이 먹어댔는지. 가관인 건 체액이란 체액은 침이고 애액이고 눈물이고 땀이고 다 좋다고 핥아댄 짐승들이다.

창가로 터벅터벅 걸어갔다. 동이 터오고 있었다. 깜깜한 밤은 물러가고 하루의 시작이 밝아오고 있었다. 눈물이 말라붙어 눈곱이 잔뜩 낀 눈을 비비며 가늘게 뜨고 창밖을 바라보았다. 정원 너머로 하얗게 물든 장막이 올라가는 어슴푸레한 하늘에는 구름 한 점 없었다. 클로에는 홀짝 두 손으로 컵을 잡고 물을 마시며 창틀에 걸터앉고 방으로 고개를 틀었다.

"후우."

상념의 시간에서 벗어나, 자고 있는 세 남자가 그려내고 있는 능선을 눈에 담았다. 간밤 세 개의 거센 풍랑 사이에서 흐느끼느라 한숨을 토해내는 목이 까끌까끌했다. 물을 벌컥벌컥 마시고도 정신이 돌아오는 데는 시간이 좀 걸려서 클로에는 컵을 쥔 채 한동안 멍하니 다리를 모으고 앉아 있었다.

분명 끝내자는 선고를 내리면서 시작한 섹스였건만 맹수들은 너무도 편안히 자고 있었다. 클로에가 떠날지도 모른다는 두려움 따위는 모르는 듯.

"아니면 그런 건 상관없다는 거려나……."

3형제와 클로에의 인연은 상당히 일찍 이어져 제법 오랫동안 엮여 있었다. 어린 날의 미타이가 가슴에 품고 있던 사람은 숨어서 그를 몰래 도와주던 클로에. 다니엘레가 시선으로 좇고 있던 사람은 아무도 몰랐던 그의 속마음을 눈치채고 배려하려 했던 클로에. 지안니가 호기심을 느끼고 유심히 관찰하던 사람은 그의 형제들의 마음을 훔치기도 한 마법사로서의 클로에. 네 사람의 인연은 어느 한쪽이 쉽게 상대를 버리고 떠날 만큼 얕지 않았다.

"그런 만큼…… 게임은 확실히 끝내야겠죠, 우리."

나직한 중얼거림이 이어졌다. 클로에는 한 번 더 세 사람을 눈동자에 담았다.

어느 한 사람만을 선택할 수가 없었다. 한 사람의 프러포즈를 받아들임으로써 다른 두 사람이 상처 입는 것을 보고 싶지 않다는 마음은 진심이었다. 진실로 셋이 그녀를 떠나 다른 짝을 찾아 행복해지기를 바랐다.

클로에 자신은 이기적인 욕심쟁이였다. 한 명만을 정하지 못한다고 해서 차라리 사회적 금기를 깨보겠다는 생각을 한 것도 아니었다. 그저 시간이 해결해주리라 믿으며 셋 모두를 놓아버리는 길을 택했다.

사실은 이즈리에의 암시를 눌러버릴 정도로 세 사람을 모두 좋아하면서.

세 사람을 모두 사랑한다니, 그런 말도 안 되는 일이 어디 있나 싶어 차라리 3형제의 곁을 떠나고자 했다.

이즈리에가 우습지도 않은 게임을 제안하지만 않았어도 클로에는 정말로 차차 떠날 생각이었다. 미술관의 보안 시스템에 도움을 준 대가로 적당한 보수를 받아 네르딘에게 일부를 건네고, 나머지로……. 다니엘레에게 건넸던 우스갯소리처럼 과거의 세상으로 돌아가지는 못한다 해도, 그들을 위해서라도 떠나는 쪽이 좋지 않을까 했더랬다.

"승리, 축하해요. 당신들이 이겼어."

듣고 있지 않을 3형제를 향해 계속해서 중얼거렸다. 지난날 있었던 일들은 그들을 좋아하지도 않으면서 받아들일 수는 없는 종류였다. 이제는 인정했다. 더 이상 외면하고 거짓말을 하기가 힘들었다.

애당초 넷이 같이 살아가자며 청혼을 한 적은 없었다. 분명 처음에는 제 형제들에게 클로에를 양보할 생각 따윈 없었다.

그런 남자들이 어느 날 갑자기 한데 모였다. 그녀가 거절하는 진짜 이유를 눈치챈 맹수들은 의논 끝에 서로가 한 발씩 양보하기로 했다.

클로에가 허락한다면, 넷이 함께. 금기를 깨려는 미래에 대한 두려움과 죄책감을 클로에가 느끼지 못하게, 최종 목적지에 다다를 때까지는 강압적으로 밀어붙인 강요에 못 이겨 그녀가 어쩔 수 없이 받아들였다 생각하게끔. 그렇게 해서라도 곁에 머무르겠다며.

"그렇지만 당신들에게만 짐을 지우고 싶진 않아."

이대로 3형제의 계략에 넘어가는 바람에 새장이 갇힌 새가 된 것 같은 흉내를 낼 수도 있다. 아무것도 모르는 척 울면서 하늘만 바라보는 새가 될 수도 있었다. 그러나 클로에는 그렇게 할 수 없었다.

"안녕, 여러분."

자박자박 가벼운 발걸음 소리가 아직 아침 햇살이 들이치지 않은 바닥으로 스며들었다. 클로에는 침대를 지나쳐 방문을 열었다. 그녀의 뒤로, 벽에 걸려 있던 그림 속 구름은 명백히 땅으로 내려와 있었다.

## 7장.
## 이야기 뒤의 이야기

녹음이 우거진 달이었다. 여자아이는 읽던 책을 덮고 한숨을 쉬며 잔디밭에 벌러덩 드러누웠다. 여름이 다가오고 있어서 그런지 햇살은 따스했지만 여자아이가 나고 자랐던 시골과 비교하면 아무래도 청량감이 약했다. 그래도 오염을 유발하는 요인이 많이 발달하지 않아서 여자아이의 기억 속에 있는 세상보다는 훨씬, 아주 훨씬 깨끗한 대기였음에도 불구하고.

"오빠 약혼녀 이름을 어디서 많이 들었는데 기억이 날 듯 말 듯 안 난단 말이지."

이번에 여자아이의 오빠가 정식으로 집안끼리의 약혼을 주고받았다. 첫째가 태어나기도 전부터 구두로 했던 약속은 티타임의 농담이 아닌 신의를 지키는 실제가 되었다. 상대방 가문에는 여아만 있었고, 여자아이의 가문에는 남아도 있었기 때문에 자연스럽게 짝이 정해졌다. 네르딘 파르세, 여자아이보다 몇 년 먼저 태어난 상냥한 오라비는 페인 가문의 여아와 약혼을 했다.

파르세 부부는 황제를 알현해 비록 작위는 낮아도 유서는 깊은 가문끼리의 예비 결합에 대한 인가를 받고 아들의 약혼식도 치를 겸 수도로 올라왔다. 약혼식을 열어 페인가와 함께 진행하기로 한 사업을 위한 투자자도 찾으려는 목적도 있었다.

아직 부모가 하는 일을 이해하기에는 어린 나이이긴 했으나 여아는 왜 부모가 시골의 저택을 처분하고 거금을 치러 수도의 저택을 구입했는지 알고 있었다. 뛰어난 영재여서가 아니다. 지나가다 들리는 부모의 대화만 듣고도 전후 사정을 파악할 수 있을 정도의 판단력을 지니게 된 배경은 전생 때문이었다.

그러나 한국에서 무슨 이름으로 몇 년을 어떻게 살다 죽었는가 따위는 살아가는 데 하등 쓸모가 없어 전생의 기억은 심연에 묻어둔 지 오래였다. 여아는 그저 조용히 여덟 살 나이에 맞게 행동하며 지냈다. 때로는 진심으로 전생을 잊고 있었던 적도 많았다. 죽었다 해도 그녀의 장례를 치러줄 가족조차 없었던 생이었다.

"클로에."

"왜, 오빠."

"나 잠시 자리 좀 비울게. 부모님께서 찾으시면 잘 말해줘."

"어디 가는데?"

"리에가 장미꽃과 인형을 사달라고 부탁을 해서. 지금이 아니면 안 된대."

"응, 알았어."

새초롬하게 눈을 치켜뜨는 여동생의 기분을 살피던 네르딘이 난처한 웃음을 흘리다 자리를 떴다. 리에. 이즈리에는 한 번씩 네르딘에게 이런저런 부탁을 하곤 했다. 또래의 아이들이나 보는 눈이 있을 때면 얼마나 사랑받는지를 시험하는 행동을 하곤 했는데 주로 투정을 부리는 대상은 네르딘이었다. 오늘도 다른 여자아이들의 감탄과 선망을 사기 위해 뜬금없는 부탁을 한 모양이었다. 클로에의 오라비는 겉가죽은 봐줄 만했고 성격도 좋았던 데다 현재의 파르세는 조금은 잘나가고 있었으니까.

"오빠가 아깝다는 생각이 드는 건 내가 못된 탓일까?"

솔직히 봐줄 만하다고 하기엔 부족하다. 고양이 같은 남매라는 소리를 자주 들을 정도로 선이 여리고 고와서 그렇지, 네르딘의 외모는 보기 좋았으니까. 잘생겼다기보다는 예쁘다는 표현에 가깝다는 점이 흠이지만 그 정도야 성장기가 끝나면 달라지리라. 클로에는 혼자 납득하고는 눈을 감았다.

기분 좋은 봄바람에 솔솔 잠이 들려고 하는데 단잠을 방해하는 소음이 멀리서 들렸다. 무시하고 뒤척이며 자려고 했지만 소음은 그치질 않았다. 어린 아이들이 싸우는 것만 같았는데 적당히 하고 헤어지기는커녕 격화되는 듯했다. 클로에는 신경질을 내며 벌떡 일어났다.

"아이씨."

소음이 나는 곳을 찾아 두리번두리번 노려보는데 덤불이 흔들렸다. 울창한 덤불 울타리 뒤에서 한 무리가 뭉쳐 싸우는 모양이었다. 들어보니 아이들이 싸우는 듯했는데 여럿이 모여 한 명을 괴롭히는 것 같았다. 끼어들까 말까 머리를 부여잡고 한참을 고민하다가 클로에는 꿀꺽 침을 삼키고 결국 성큼성큼 덤불로 걸어갔다. 어디까지나 가늘고 길게 살자는 좌우명을 머리맡에 두고 자곤 했는데 왜 그날따라 오지랖을 부렸을까.

그래도 다행이라면 다행이었던 점은 클로에 대신 오지랖을 부린 아이가 또 있었다는 것이다. 청초한 은발에 사파이어 같은 푸른 눈의 여아가 클로에 반대편에서 뛰쳐나와 무리 속으로 끼어들었다. 이즈리에 페인, 그녀가 일방적으로 맞고 있던 한 소년을 감싸고 섰다.

"괴롭히는 건 나빠!"

이즈리에는 용감했다. 용감하고도 무모했다. 그리고 이상했다.

"이게 지금 어디서 끼어들어!"

소년을 때리던 무리의 우두머리 격으로 보이는 소년이 주먹을 치켜들었으나 워낙 가로막고 선 이즈리에가 가녀린 소녀여서 차마 때리지는 못하고 있었다. 비키라고 윽박지르고 크게 고함을 질러도 이즈리에는 꿋꿋하게 버티고 섰다.

힐끔힐끔 아무도 눈치채지 못하게 시선을 돌리는 것이 누군가 오기라도 기다리는 듯했다. 어린 소녀가 믿는 것 하나 없이 뛰어들 리는 없었으니 다행이라면 다행이었지만 클로에가 알기로 이즈리에는 누군가를 위해 몸을 던지는 성격이 아니었다는 점이 약간 마음에 걸렸다. 그리고 소년이 맞고 있는 장면을 보면서도 뛰어들 타이밍을 재고 있었다는 점도 신경 쓰였다. 물론 타이밍 재기에 정신이 팔려 클로에를 발견하지 못해서 다행이었지만.

"어미 잡아먹는 귀신 따위 감싸봤자 너한테 도움 되는 것도 없을 텐데?"

동시에 아직 덤불 뒤에 있는 클로에를 눈치챈 아이들도 없어서 다행이랄까. 클로에는 숨어서 탄식했다. 맞고 있던 소년이 누군지 눈치채버린 탓이었다. 툭 치면 쓰러질 정도로 비쩍 말랐고 머리카락은 쥐어뜯긴 듯 듬성듬성했으며 그를 괴롭히는 무리에게 반항 한번 하지 못하고 참고 맞기만 하던 그 소년은 오르시니 공작의 3남, 미타이 오르시니. 공작이 미타이 보기를 꺼림에 따라 자연스럽게 귀족 자제들도 미타이를 무시하기에 이르렀다.

처음에 그런 소문을 들었을 때 「응? 걔는 사랑받고 자라서 불행 따위는 모르지 않아?」라고 물었다가 네르딘으로부터 잔소리를 들었다. 클로에는 한참을 갸웃거리며 「이상하다, 걘 넘치는 사랑을 받는 앤데.」 하고 근거도 없이 한결같은 주장을 펴다가 엉덩이에 오라비의 애정 어린 손길을 받아야 했더랬다. 클로에 스스로도 왜 미타이 오르시니는 사랑받는 존재라는 공식이 굳게 각인되어 있는지를 몰랐지만 적어도 오늘 직접 보니 그녀가 틀리게 믿고 있었다는 점은 확실했다.

"자기보다 불쌍한 사람을 괴롭히는 건 나쁜 짓이야."

이즈리에는 상냥하게 소년을 타일렀고, 결국 화를 참지 못한 소년은 욱하고 팔을 휘둘렀다. 클로에는 아아, 한숨을 쉬었다. 이즈리에의 눈빛에 숨어 있던 멸시와 우월감에 가득한 동정심을 읽어버렸다. 역시 네르딘이 아까울지도 모르겠다. 물론 자신이 오라비에 대한 애정 때문에 억지로 이즈리에의 흠을 찾으려고 하는 것일 수도 있겠지만.

"꺄악!"

이즈리에는 맞고 비명을 지르며 쓰러졌다. 웅크리고 있던 소년이 저를 감싼 소녀가 쓰러지자 당황해서 일어나 소녀를 감싸려 했고, 그를 지켜보던 일당이 큰 소리로 비웃었다. 클로에는 덤불 뒤에서 쭈그리고 앉아 나무 막대기로 빙글빙글 원을 그리며 아주 작게 미끄러지라며 중얼거렸다.

"네까짓 게 어디서, 비…… 우와악?"

이즈리에를 감싸고 웅크린 미타이를 밟으려고 다리를 들던 소년이 갑자기 벌러덩 뒤로 자빠졌다. 우두머리가 우스운 꼴로 나자빠지자 뒤에서 비웃고 있던 아이들이 미타이에게 달려들다 차례로 우당탕 미끄러졌다. 놀라서 눈을 동그랗게 뜨고 주위를 살피던 미타이가 동태를 살피던 클로에와 눈이 마주쳤다.

'쉿.'

클로에는 윙크를 하며 입에 검지를 대고 신호를 주었다. 미타이가 말없이 끄덕였고, 넘어졌던 아이들이 일어나려 할 때 클로에는 최근에 배워 열심히 배우고 있던 마법주문을 외웠다. 아이들 위로 얼음물이 쏟아졌다.

"미타이!"

동시에 멀찍이 미타이를 찾는 소리가 들렸다. 오르시니 공작은 제 아들을 멀리하는지도 모른다지만 적어도 미타이의 두 형은 그렇지 않았다. 이번에도 사라져 어디선가 맞고 있을 제 동생을 두 형 중 한 명이 찾으러 오는 모양이었다. 당황한 클로에는 들켜서 일이 복잡해지기 전에 걸음아 나 살려라 튀었다.

so

수도에도 햇볕은 공평히 뜨겁게 내리쬐었다. 오히려 더위를 식혀줄 산바람이 불지 않는 평지의 수도는 클로에가 살았던 시골보다도 더웠다. 얇은 드레스를 입고도 더워서 헐떡이며 늘어지고 싶었지만 보는 눈을 의식해 자세를 고쳐 잡았다.

일가 전체가 도시로 옮겨온 후로 약 5년 가까이 흘렀다. 클로에와 네르딘은 중앙의 대귀족 자제들이 다닌다는 중앙아카데미에 다니고 있었다. 어른들의 사교계에 데뷔할 나이가 되기에도 멀었고, 학업에 열중해야 하는 시기지만 귀족 가문의 여식들은 아카데미 내에서 이미 나름의 미니 사교계를 형성했다. 수도에 올라온 이상 클로에도 피할 수는 없는, 소녀들만의 작은 사회였다.

사실 클로에는 나름 잘 지내는 편이었다. 소녀들의 세계는 부모의 작위나 권력이나 재력으로 계급이 나뉜다. 클로에의 배경은 비록 뛰어나게 좋지는 않았지만 그렇다고 해서 무시당할 정도로 나쁘지도 않았다. 게다가 네르딘의 존재가 한창 풋풋한 첫사랑을 꿈꾸는 소녀들 사이에서 편하게 지낼 수 있게 돕는데 큰 몫을 하곤 했다.

"미래의 여왕에 비하면야 한참 부족한 스킬이지만."

"응? 뭐라고 했어, 클로에?"

"아냐, 아무것도."

잘 지내고 있다고 한들 이즈리에만 할까. 클로에는 새끼손가락을 쳐들고 홍차를 마시며 중얼거렸다. 담소를 나누고 있던 소녀 중 한 명이 의아하게 물어왔지만 클로에가 배시시 웃으며 눈웃음을 치자 별 싱거운 친구를 다 보겠다는 듯 장난스럽게 눈을 흘기고 예쁜 드레스에 대한 화제로 뛰어들었다. 클로에는 방긋 웃으며 쿠키를 아그작 물었다.

이즈리에는 명실공히 미니 사교계의 여왕이었다. 청순의 극치를 자랑하는 외모와 겉으로는 누구보다도 친절하고 상냥한 성격, 넉넉한 씀씀이와 고운 품성. 소녀들이 동경하는 네르딘을 약혼자로 두고 있고, 모든 남자들에게 나긋나긋하다. 이즈리에가 지나갈 때마다 뒤돌아보지 않는 자가 없었고, 그녀가 걷는 길에 꽃이 뿌려지지 않은 적이 없었다. 작위가 낮은 것이 흠이긴 했지만 아직까지는 소녀들의 세계에서는 크게 문제가 되지 않았다. 이즈리에보다 신분이 높은 영애는 많았어도 그녀보다 예쁘고 착한 영애는 없었기에.

"뭐? 그게 진짜니?"

"응, 들은 소문도 아니고 내가 직접 봤는걸. 그 아이, 3미술실로 마일가 공자와 단둘이 들어갔어."

"3미술실이면 사람이 거의 드나들지 않는 곳 아니니?"

정확하게 말하자면 이즈리에보다 이성에게 예쁘고 착한 영애는 없다. 바꿔 말하면 이즈리에는 영애들의 적이었고, 그녀의 일거수일투족은 영애들의 간식거리가 되었다. 제국 아카데미에 입학한 학생들은 조금 더 우아하고 고상하게 뒷담을 했기 때문에 직설적인 욕은 오고 가지 않았지만 이즈리에 페인을 마음에 들어 하지 않는 것만은 변하지 않았다.

"단둘이 들어갔다고 파르세 공자를 두고 무슨 일이 일어나리라는 법은 없지만……."

"마일가 공자는 내가 짝사랑하던 분이었는데……. 흑."

클로에의 눈치를 보면서 섣불리 단정 짓지 말자고 눈치를 주는 소녀도 있었고, 그와는 상관없이 속상해서 눈물을 터트리는 소녀도 있었다. 누군가 하고 봤더니 몇 달 전 교양시간에 이즈리에에게 창피를 줬던 소녀라, 묵묵히 차만 홀짝였다.

"자자, 화제를 바꾸자. 본인이 없는 자리에서 이야기가 길어지면 좋은 이야기가 나오지 않는단다. 교양 있는 숙녀는 그래선 안 돼."

두셋이 훌쩍훌쩍 우는 소녀에게 손수건과 따듯한 우유를 건네며 달랬다. 침묵으로 소녀를 함께 위로한 후 모임의 주최자가 손뼉을 치며 대화의 주제를 바꾸었다. 소녀들은 재잘재잘 요즘 배우고 있는 수업 이야기로 담소를 나누기 시작했다.

클로에도 어제 들은 마법기초 시간에 있었던 일을 꺼낼 타이밍을 재는데, 티타임이 열리고 있는 파빌리온을 막 지나쳐 사라지는 여자의 뒷모습이 우연히 눈에 들어왔다. 특징적인 은발로 상대의 정체는 쉽게 추측할 수 있었고, 이즈리에가 소녀들의 대화를 어디부터 어디까지 들었는지는 알 길이 없었다. 사실, 그 거리까지 전해지지도 않았으리라고 생각은 하지만.

티타임이 끝나고 웃는 낯으로 내일을 기약하며 영애들과 헤어진 클로에는 네르딘을 찾아다녔다. 파르세 부부는 아직은 어린 남매에게 성인이 될 때까지는 가능한 한 같이 귀가하도록 했고 매일 마차를 보내곤 했다. 자식 된 도리로 부모에게 걱정을 끼칠 생각은 없었기에 클로에는 함께 하교할 오라비를 찾으러 아카데미 안을 헤맸다.

"오빠!"

행동반경이 한정적인 네르딘을 찾기란 쉬웠다. 클로에는 네르딘을 발견하자마자 폴짝폴짝 뛰며 제가 있음을 알렸다. 친구와 같이 있던 네르딘도 클로에를 보고는 환한 미소를 지었으나 방해를 받았다는 생각이 들었는지 친구의 표정은 딱딱해졌다. 라스 공자라고 했던가, 친우의 동생에게 무례하게 굴지 않았음에도 남자의 이름은 처음 들었을 때부터 불쾌했다. 그렇지만 클로에는 내색하지 않았다. 오라비의 친구를 두고 단지 이름이 기분 나빠서 싫다고는 할 수 없는 노릇이니.

"음, 미안한데 조금만 더 기다려줄 수 있겠니? 교수님께서 시키신 심부름이 있어서."

"어? 응. 친구분과 같이 해야 하는 일이야?"

"아니, 라스는 전달해준 것뿐이야. 도서관에서 기다리고 있으면 내가 거기로 갈게."

"응. 교수님들 연구실 건물에 붙어 있는 도서관이지? 학생들이 잘 안 가려고 하는."

"응."

상세한 부연 설명을 듣고 쿡쿡 웃은 네르딘이 클로에의 머리를 헝클어 쓰다듬고는 타닥타닥 달려갔다. 라스는 오라비가 진작 작별 인사를 해 돌려보냈으니 보다 더 가벼운 마음으로 도서관으로 향했다. 햇빛이 잘 스며들어 책을 베개 삼아 자기 딱 좋다고 애용하는 구석을 네르딘도 익히 알고 있으니 헤매지 않고 찾아오리라.

"어?"

그런데 그 자리는 클로에만의 비밀장소가 아니었는지 누군가 다녀간 흔적이 있었다. 바닥에 떨어져 있는 카메오 펜던트를 주워, 혹시라도 아직 주인이 근처에 있는지 찾아보았는데 클로에가 현재 있는 층은 텅 비어 있었다. 주인을 짐작해보려

앞뒤로 살펴도 이름 약자 하나 없었다. 세공의 정교함을 보건대 상당한 고급품이고 묻어 있는 세월의 흔적으로 미루어 잃어버려도 괜찮을 목걸이가 아닐 텐데 약자조차 없어 난감했다. 이럴 때 가장 무난한 방법은 사서나 입구의 관리인에게 맡기는 것이겠으나 내려가기가 귀찮았던 클로에는 일단 네르딘을 기다리기로 했다.

"주인이 누구인지 알 것 같은데."

해답은 의외로 멀지 않은 곳에서 나왔다. 늦지 않게 클로에를 찾으러 온 네르딘에게 펜던트를 보여주며 이야기하자 바로 주인을 짐작해냈다. 뒷면의 문장이 오르시니 문장이라며, 3형제 중에서 아카데미를 다니고 있는 다니엘레나 미타이 중 한 명인데, 미타이는 도서관에 오질 않으니 다니엘레 아니겠느냐 했다. 이 오라비의 추리력이 어떠냐며 의기양양하게 웃던 네르딘의 안색이 갑자기 하얗게 질렸다.

화를 낼 줄 모른다고 할 만큼 감정의 동요를 격하게 겪지 않는 네르딘이 크게 동요하는 원인은 몇 없다. 가족 아니면 약혼녀. 클로에는 네르딘의 얼어붙은 시선이 향하는 방향을 따라갔다. 창가에 붙어 서 있는 그들의 시야에 건물 뒤쪽 그늘진 구석에서 키스를 나누는 남녀가 들어왔다. 남자의 손이 여자의 엉덩이와 가슴을 지분거리고 있었고 여자는 남자의 손을 쳐내면서도 정작 남자가 미안하다 손을 물리면 어깨를 떨며 남자의 품에 폭 달려가 안기는 광경을 보여주었다.

"오빠."

남자는 아까 교수의 심부름을 전달해주었던 친구고 여자는 특징적인 긴 은발을 지닌 청초한 미녀다. 네르딘을 달랠 방법도 상황을 타개할 방법도 떠오르지 않은 클로에는 초조하게 네르딘을 불렀다.

"……아, 응?"

얼이 나가 있던 네르딘은 한 박자 늦게 정신이 돌아왔다. 솔직히 처음 겪는 일도 아니었는데 그때마다 네르딘은 이즈리에에게 화를 낸 적이 없었다. 네르딘은 매번 쓰게 웃으며 머리를 긁적였었다.

"내가 또 크게 잘못해서 리에가 화났나 보다, 하하."

지금처럼, 말도 되지 않는 변명을 하며.

"오빠."

"으응."

"이즈리에가 그렇게 좋아?"

"응? 응……."

"……그래."

"……넌, 괜찮겠니?"

"……."

"사실 어느 정도는 알고 있어, 이즈리에도 그렇고…… 네 이야기도. 네게 피해가 가지 않도록 막으려고 노력은 하고 있는데……."

"오빠. 오빠 마음 가는 대로 해. 우리가 잘못 알고 있는 걸 수도 있지. 오해일 수도 있고. 그냥 난 오빠가 슬픈 것보다는 행복한 게 좋으니까. 알잖아, 내가 누구한테 마음이 약해지는지."

"나뿐만 아니라 부모님께도 약하지, 응."

"그러니 내가 조만간 이즈리에에게도 마음 약해지는 날이 오지 않……."

네르딘이 꿈꾸는 이즈리에와 가정을 이루는 날이 올 것이라고, 우회적으로 돌려 말하며 오라비를 다독이려던 클로에의 말이 끊겼다. 클로에는 조금 전의 네르딘처럼 딱딱하게 얼어붙어 갔다. 머리를 숙이고 씁쓸하게 웃느라 미처 눈치채지 못한 네르딘은 제가 쥐고 있던 카메오 펜던트를 클로에에게 돌려주었다. 클로에는 네르딘과 눈이 마주치기 전에 바로 표정을 다듬었다.

"이거 다니엘레 오르시니 공자께 돌려주렴, 네가. 다른 이에게 맡기는 것보단 그 편이 안심일 거야."

"오빠가 전해줘."

"내가?"

"장남에겐 꽃이 너무 많이 달라붙어 있어. 독한 꽃향기를 한 송이 더 추가할 필욘 없지.”

“내 동생은 5월의 싱그러운 풀잎처럼 향긋한 향만 나는데?”

클로에는 손을 흔들며 먼저 나가겠다는 신호를 주었다. 벽에 기대어 주르륵 미끄러져 앉아 있던 네르딘이 당황해서 일어나려 했지만 클로에는 기다려주지 않았다. 휙 돌아서자마자 고개를 푹 숙이고 뒷머리를 앞으로 끌어와 눈을 조금 가린 채 타다닥 뛰었다. 뒤에서 “잠깐만! 지금 앞에 다니엘……!”이라고 외치다가 도서관이라 네르딘이 차마 끝까지 외치지 못한 틈에 있는 힘껏 달려 나갔다.

주의력이 현저히 떨어져 앞에 사람이 서 있었다는 사실 자체를 알지 못했다. 충격으로 눈물이 가득 차올라 흰자위가 빨개졌을 눈을 오라비에게 보일 순 없었다. 오로지 자리에서 벗어나겠다는 일념으로 주변을 돌아볼 여유도 없이 뛰어나가다 그녀가 있는 방향으로 오려던 사람과 부딪쳐버렸다.

정숙을 지켜야 하는 도서관에서 저지르는 무례에 눈살을 찌푸리며 나무랄 법도 한데, 상대방은 말없이 넘어질 뻔한 클로에를 잡아주었다. 경황이 없어도 반사적으로 튀어나오려는 감사 인사를 위해 고개를 들 때까지도 상대방은 잠잠했다. 눈시울이 붉어진 클로에의 흐린 눈동자가 살며시 흔들리고 있는 금안과 마주쳤다.

카메오 펜던트를 어디서 떨어뜨렸는지를 되짚어보고 짐작

가는 곳으로 찾으러 온 듯했다. 아마도 꽃향기 운운의 대화를 다 들었으리라. 누군가의 욕은 아니라 해도 자리에 없는 사람을 화제로 삼아 이야기를 했으니 기분이 나쁠 수도 있을 터. 일찍부터 익혀두었던 예법에 따라 사과를 했어야 했지만 클로에는 그러지 못했다.

들릴 듯 말 듯 겨우 감사 인사만 조그만 목소리로 건네고는 네르딘이 쫓아올세라 황급히 달아났다. 언뜻 뚝, 한 방울 떨어진 그녀의 눈물을 닦아주려고 했던 것도 같았지만 착각일 테지. 무엇보다도 그 후로도 클로에는 한동안 다니엘레와의 첫 만남을 되새길 여유가 없었다.

이즈리에와 네르딘이 파혼을 한다는 내용의 글귀가 쓰여 있는 하얗고 네모난 화면이 시야를 점령한 탓이었다.

"으아악, 진짜로 소설 속 세상이잖아!"

신경질적으로 인형을 패대기쳤다. 애꿎고 불쌍한 인형이 침대로 다이빙했다. 인형보다 몇 배는 큰 클로에가 뒤이어 침대로 다이빙해 쫓아간 다음 인형을 붙잡고 데굴데굴 굴렀다. 「나는야 뛰어난 추격꾼, 으하하하!」 따위를 외치다 급격히 시무룩해져서 곰 인형의 금색 털을 손톱으로 긁고 푹 볼을 찔렀다.

"내가 어떡하면 좋지. 아니, 뭘 할 수나 있나?"

파르세 부부와 페인 부부의 공동 사업이 망해가는 징조가 보였다. 물론 아카데미 학비를 내지 못해 당장 나와야 할 정도도 아니고 아직 한창 사춘기를 겪을 나이의 딸에게 집안 사정을 시시콜콜 털어놓을 부부도 아니었다. 잊고 있던 소설 내용이 떠올라버렸기에 심상치 않은 분위기를 토대로 추론한 결과였다. 그래서 확신도 못 했다.

어떻게 소설인지를 몰랐는지 놀랍기도 했지만 또 한편으로는 납득이 되긴 했다. 사고를 할 수 있을 때쯤 천천히 자연스럽게 전생을 자각했지만 전생의 모든 일이 세세히 기억나는 것은 아니었다. 클로에가 위영으로 살았을 때 겪었던 굵직한 이슈 위주로 떠올랐지 죽기 직전에 읽고 있던 소설 내용까지 떠올릴 겨를은 없었다. 제일 큰 이유는 다시 태어난 삶이 너무 만족스러워 안주해버린 탓에 있었지만.

"오빠! 오빠 오빠 오빠!"

"……응?"

"나 돈을 벌어야겠어! 아아아아주 많이! 엄청나게! 황실 고위직 마법사가 되어서 막! 돈을 이이이이만큼 벌어서! 오빠가 소박을 맞아도 내가 왕녀와의 혼담을 추진하게 만들 정도로!"

"혹시…… 내가 꼭 소박을 맞아야만 하는 거니……?"

주말을 맞아 집에서 뒹굴던 클로에는 모처럼 집에 붙어 있는 네르딘에게 달려가 방문을 벌컥 열고 소리를 질렀다. 아직은 집안이 망하지도 않았고 네르딘이 파혼을 하지도 않았지만, 이 세상이 소설이라면 그 미래는 피하기 힘들겠지.

왜 하필 전제가 그러냐며 곤란하게 웃고 있는 네르딘을 올려다본 클로에는 새초롬하게 노려보다 팽 콧김을 내뿜고 되돌아갔다. 호구 네르딘은 끝내 호구가 되겠지. 몇 번이나 다른 남자와 스킨십을 하는 이즈리에를 보거나 듣거나 하면서도 애정은 변하지 않아 그녀가 하는 부탁은 무엇이든 들어주었다. 몇 가지만 빼고.

하나가 여동생 클로에와 이즈리에 단둘만 남게 하는 상황. 다른 하나는 다니엘레 오르시니와의 자리를 마련해달라는 것. 네르딘이 다니엘레와 같은 수업을 들을 때가 계속 은근히 이어지다 보니 잊을 만하면 나오는 부탁이었다.

이즈리에의 말로는 오르시니가 후원하는 사업에 관심이 있어서라고는 하지만, 속내는 다른 데에 있다. 이즈리에가 아카데미에서 정복하지 못한 유일한 남자는 오르시니 형제뿐이었으니까.

네르딘이 이즈리에의 요구를 거절한다는 말은 곧 약혼녀의 본성을 조금은 알고 있다는 의미였다. 그리고 제 동생을 달갑지 않게 생각하는 약혼녀의 속마음을 어느 정도는 눈치채서다. 그럼에도 제어를 벗어나 끌리는 마음은 어쩔 수 없는 듯했다. 클로에도 제 오라비만큼이나 서글펐다.

한 주의 시작이 돌아오고 클로에에게도 좋은 소식이 날아들었다. 황실 마법연구소 견학 허가였다. 연구소장과의 일대일 면담이라는 옵션까지 끼어 있는 이 견학은 일 년에 한 번만 진행되는데 매해 경쟁률이 높아 당첨되기가 하늘의 별 따기였다. 신청 자체는 돈이 들지 않으니까, 라는 각오로 신청했는데 덜커덕 허가가 났다.

솔직히 소설 속 세상이 정말 맞는다면 클로에의 미래는 암담하기 그지없다. 그 사실을 깨달았던 도서관에서의 그날로부터 약 2년이 지났다. 문제는 클로에가 아직도 어리고 소설을 바탕으로 예견할 수 있는 미래가 극히 제한적이라는 것.

지금의 클로에로선 할 수 있는 일이 전무했고, 그래서 더더욱 연구소 견학을 용감하게 신청했다. 뛰어난 마법사가 되면 암담하기만 한 미래에도 한 줄기 빛이 비치지 않을까 하는 기대 때문에 우울했던 것도 잊고 출발 전날까지 들떠 있었더랬다.

너무 화려하지 않게 그러나 너무 수수하지도 않게 동시에 너무 움직이기 불편하지 않게 신경 써서 차려입고 꾸민 클로에는 같은 아카데미생들과 함께 연구소를 방문했다. 외부인에게 공개된 몇몇 연구실을 가이드의 안내에 졸졸 따라가 돌고 나니 금방 점심시간이 되었다. 각자 알아서 점심을 해결하고 나면, 마법 재능에 대한 점검도 받고 연구소장과의 개인 면담도 할 수 있다는 안내를 들은 클로에는 총총총 카페테리아 구석으로 가서 싸 온 도시락을 열었다.

주방장이 양껏 재료를 넣은 샌드위치를 두 손으로 들고 입을 아주 크게 벌려 앙, 물은 직후에 카페테리아의 전면 유리 너머로 빠르게 걷고 있는 무리를 발견했다. 클로에보다 조금 더 큰, 그러나 다니엘레보다는 아직 어려 보이는 소년이 어른 대여섯을 대동하고 걸어가고 있었는데 어른들의 허리가 반쯤 숙여져 있는 자세로 보아 마치 소년의 말을 경청하는 것 같았다.

머리끈으로 대충 머리카락을 하나로 묶고 망토를 휘날리며 앞장선 소년은 뒤에서 무어라 이야기하는 어른들의 말을 귓등으로도 듣고 있지 않았다. 미소를 짓고는 있지만 시선은 사람이 없는 정면을 향하고 있었다. 연구소 어른 마법사들이 어쩔 줄 몰라 하는 대상, 그가 바로 지안니 오르시니이리라.

도서관에서의 그날 이후로 세간의 소식에 귀를 기울이려 노력했었다. 확실히 세상 돌아가는 일이 보다 잘 귀에 들어오게 되었다. 그중에선 오르시니 3형제 이야기가 단연코 압도적이었다.

몸이 약하고 심약했던 미타이는 어느 날을 기점으로 달라지려고 노력하더니 뒤늦게 성장해 지금은 또래는 물론이고 한참 위의 형들보다도 커지고 성격도 밝아졌다. 다니엘레는 졸업과 동시에 정식 후계자가 되어 공작 대신 전면에 나설 예정이라 일찌감치 다니엘레를 선점하려는 중매가 하루가 멀다 하고 들어오고 있다 했다. 그리고 지안니는 제국 아카데미 과정을 밟는 대신 최연소 황실마법사가 되어 초고속 승진을 했다. 소문에 의하면 연구소 소장 자리도 제의받았으나 지루하다는 이유로 거절했다고.

정보를 알고 있으니 유추는 어렵지 않았다. 지안니와 눈이 마주친 것 같다는 착각도 들었으나 떨어져 있는 거리가 거리이니만큼 착각이 맞을 터, 클로에는 물고 있던 샌드위치를 아그작 씹었다.

그리고 평탄하게 지나가리라 믿어 의심치 않았던 하루가 망가졌다. 마지막이었던 클로에 차례가 되었을 때 연구소장은 급한 일이 생겨 가운도 벗지 못하고 부랴부랴 슬리퍼를 신은 채로 달려 나갔고, 클로에는 덩그러니 남겨졌다. 연구소장이 내년에 오면 꼭 첫 번째로 해주겠다 약속했지만, 내일도 아니고 클로에에겐 의미가 없었다. 터덜터덜 걸어 나가려는데 끼익 문이 열리고 한 소년이 들어왔다.

"안녕하세요."

"안녕하세…… 앗."

본능적으로 마주 서서 꾸벅 인사하려던 클로에는 순간 혀를 깨물 뻔했다. 지안니 오르시니가 들어온 문을 닫고 있었다. 연구소장으로부터 대타를 부탁받았다는 소년은 소장의 의자에 아주 자연스럽게 앉아 다리를 꼬았다.

"귀가 따갑도록 매일같이 듣는 것만으로는 목이 말랐는데. 마침 기회가 와서 와봤답니다."

"네?"

"어디 보자. 마법사 지망이긴 한데 분야는 뭐든 상관없다?"

대체 왜 지안니가 왔지. 천재 마법사이며 클로에보다 나이가 많다고는 해도 아직은 미성년이다. 누군가를 맡아 지도하며 상담을 할 연륜도 없고, 무엇보다도 그런 종류의 업무를 가장 싫어할 법한 사람이 오더니 영문 모를 소리만 늘어놓았다.

그는 클로에가 알아듣지 못해도 개의치 않고, 클로에의 간단한 소개서를 뒤적였다. 나이차가 나야 얼마나 난다고 꽤 건방진 태도였는데도 너무 자연스러워 위화감을 느끼지 못했다.

"파르세 영애, 정말로 장래희망이 고액 연봉 마법사예요? 마력석도 몸에 박아 넣으실 생각이시고?"

"네? 네."

"마력석은 어디에 박으실 건데요?"

"글쎄요. 이마?"

"아주 떼어가라고 광고를 하게요?"

"어어, 그럼 배꼽?"

"거긴 좀 마음에 드네요. 통과. 다음으로는 제일 아끼고 사랑하는 것 셋만 꼽아봐요."

"음……. 부모님과 오빠…… 그런데 그건 왜요?"

"셋이 불타는 배에 갇혀 있는데 딱 한 사람만 구할 수 있다고 하면 누굴 먼저 구할 거예요?"

"저, 질문은 대체 무슨 관계가……."

"대답해야 재능 검사를 할 수 있어요."

"앗. 그, 그럼. 음……. 못 고르겠어요."

"꼭 골라야 한다면요?"

"그래도 못 골라요. 셋 모두 구하는 방법만 생각할래요."

"한 사람만 고르지 않을 경우 영애의 마력을 빼앗기고 손톱과 발톱이 하나씩 뽑히고 이와 혀도 뽑힌다면요?"

"……그래도 싫어요. 한 명만 못 골라요."

"그렇구나."

어느새 식은땀으로 축축해진 손바닥을 치마에 닦으며 클로에가 두 눈을 부릅뜨고 지안니를 노려보며 대답했다. 여상히 던지는 질문이었는데도 기묘하게도 지안니에게서 흘러나오는 기세가 무서웠다. 간신히 울음을 억누르긴 했으나 몸이 떨리는 것까지 막지 못했다. 클로에의 대답을 들은 지안니가 피식 웃었다. 한쪽 입꼬리만 올라가는 웃음.

"좋아요, 마력 측정 해볼게요."

언제 몰아세웠느냐는 듯 분위기는 순식간에 풀렸지만 클로에의 긴장이 따라 풀리진 않았다.

그날의 대화를 끝으로 사교계에 데뷔할 때까지 클로에가 지안니를 다시 만나는 일은 없었고, 강렬했던 대화였음에도 기억에는 오래 남지 않았다. 파르세 부부와 페인 부부의 공동 사업은 결국 막대한 빚만 떠안는 결과로 마무리되었고, 공동사업은 파르세 부부가 먼저 한 제안이 아니었음에도 네르딘과 이즈리에의 파혼은 끝내 결정되었다. 또한 공개적으로 드러난 파혼의 책임은 네르딘에게 돌아가는 방향으로 마무리되었다.

# 종장.
# Sweet Cage

"클로에!"

팔을 크게 흔들며 클로에를 부르는 인영의 얼굴이 역광 때문에 잘 보이지 않았다. 클로에는 강한 햇빛 때문에 실눈을 뜨다 견디지 못하고 새침하게 고개를 팽 돌렸다. 어차피 목소리만으로도 누가 부르는지는 알고 있기에 보이는 태도이기도 했지만, 목소리의 주인은 요즘 클로에에게 벌을 받는 중이기도 했다.

"오빠를 보고서도 그냥 가버리는구나?"

"어머, 오빠인 줄 몰랐어."

네르딘이 후다닥 계단을 내려와 클로에의 어깨를 잡고 헐떡였다. 너무한다는 시선에 클로에는 장난스레 입술을 삐죽이며 시치미를 뗐다.

"오빠야말로 영애들에게 둘러싸여 있었으면서?"

"응? 길을 물어보길래 대답해준 것뿐이야."

네르딘은 여전했다. 여전히 상냥하고 친절했다. 이즈리에에게 그만큼 이용당해놓고서도 여전히 여성에게는 나이를 막론하고 친절했다. 파르세 가문의 재정 상태가 조금씩 나아지면서 초췌하고 그늘이 가득했던 네르딘의 얼굴에 수려한 꽃봉오리가 피자 벌레 보듯 피하던 영애들이 하나둘씩 접근하기 시작했다.

"길을 물어보면서 오빠 취미가 뭔지, 요즘 어느 클럽을 주로 다니는지, 어느 파티에 참가할지도 겸사겸사 묻고."

"잘 아네?"

"호구 멍청이 바보 똥개 바람둥이."

"저기, 바람둥이는 아닌 것 같은데……."

예전 같았으면 오라비에게 무슨 말버릇이냐고 부드럽게 타일렀을 사람이지만, 지은 죄가 있어서 여동생이 신랄하게 욕설을 퍼부어도 손만 꼼지락거리며 어깨를 축 늘어뜨리고 얌전히 듣고만 있었다. 마지막 단어 하나는 소심하게 반박해봤지만 클로에가 째려보자 재깍 입을 다물었다.

"이즈리에 면회 다녀오는 길이잖아. 호구 멍청이 바보 똥개는 맞지."

"응……."

소원대로 바람둥이는 빼주었는데 네르딘의 얼굴에는 더 큰 그늘이 졌다.

이즈리에는 페인 부부와 네르딘의 간곡한 호소로 교도소행은 면했지만 벌을 피할 순 없었다. 일정 시간 사회봉사를 해야 했는데 봉사 외 시간에는 외출이 금지된 요양원에서 지내야 했다.

현장에서 잡혀간 것치고는 봉사 시간이 많다 했더니 아니나 다를까, 다니엘레 오르시니 살인 미수 혐의에 대한 형벌이었더랬다. 꼼짝없이 교도소행 선고를 받을 뻔했던 그녀가 사회봉사로 끝난 데에는 오르시니 측의 선처가 있었고, 다니엘레가 선처를 한 배경은 클로에만이 짐작하는 중이었다.

다니엘레 독살 미수 사건에는 네르딘도 얽혀 있었지만 오르시니 측에서 네르딘의 이름을 빼버린 모양이었다. 증인이자 독살 사건을 전담하여 실행하던 사람이 전부 자백했을 때, 이즈리에가 누명을 씌울 대상으로 클로에를 지목했다는 언급은 있었지만 네르딘의 이름은 쏙 빠져 있었다고 했다. 그 때문에 이즈리에에 대한 죄책감이 자라난 네르딘이 수시로 이즈리에 면회를 다니는 중이라는 점을 제외하고는 비교적 깔끔한 결말이었다.

외출 금지와 함께 파르세와 오르시니 이름을 달고 있는 사람에겐 반경 5킬로미터 이내 접근 금지령이 내려져 있어 허가 없이는 남자 면회인을 받을 수 없는 이즈리에가 네르딘의 방문을 받을 수 있는 이유는 오로지 오르시니의 입김 때문이었다. 그렇게 이용을 당하고도 이즈리에를 만나려 하는 네르딘을 지켜보던 클로에는 한숨을 쉬었다.

"부모님 설득은 안 도와줄 거야."

"응? 아, 아니야! 그럴 생각은 없어."

"하긴 설득을 떠나서, 오빠가 이즈리에랑 결혼하겠다고 하면 오르시니가 먼저 쥐도 새도 모르게 없애버릴 텐데."

"으응."

당연히 없애버리는 대상은 이즈리에 쪽이리라. 괴롭혀도 자기들이 괴롭혀야 직성이 풀리는 짐승들이라 다른 누군가가 클로에를 괴롭힐 여지를 남겨둘 리가 없고, 네르딘은 클로에 때문에라도 건드리지 못할 터이니.

"참, 아침에 보니까 꽃과 편지가 또 도착했던데."

격정의 밤을 보낸 후로 몇 달이 지났다. 그날 아무 언질도 없이 훌쩍 파르세 저택으로 돌아온 클로에는 짧은 편지를 보냈다. 「다시 천천히 시작해요, 우리.」 수신인을 정하지 않은 편지는 셋 모두에게 보내는 메시지였다. 3형제에게만 짐을 지우고 싶지는 않다는 결론을 내린 클로에는 그녀가 먼저 손을 내밀기로 했다.

편지가 가자마자 기다렸다는 듯 화려한 포장의 선물 상자와 앞이 보이지 않을 정도로 큰 꽃다발 세 개가 도착했다. 상자의 리본을 푸니 본 적 있는 새장이 수줍게 모습을 드러냈다. 사람이 들어갈 정도의 크기는 아니고 진짜 새가 들어갈 만한 새장이었지만 담고 있는 속뜻은 충분히 전해졌다.

클로에를 가두어두었던 새장과 똑같은 모양의 작은 새장이 의미하는 바는 너무도 명백했다. 우연히 지나가던 네르딘이 보고 무엇이냐고 궁금해했지만 대답할 수가 없어 황급히 쫓아내야 했었다.

"오늘은 다행히 편지 하나긴 하지만."

"편지라고 안심하면 안 돼, 오빠."

"그러고 보니 대체 언제부터 그런 사이였던 거야? 성에 초대받았던 그날부터 계속 궁금했었는데."

다니엘레와 미타이가 이즈리에를 사이에 두고 삼각관계를 형성했었다는 소문이 아주 잠깐 돌기도 했었다. 소문의 출처는 다름 아닌 이즈리에. 이즈리에의 간계가 밝혀지자 파티가 열릴 때마다 한동안 사람들은 뒤에서 쑥덕거리기 바빴다.

동시에 묘하게 때맞춰 튀어나온 학창 시절의 이즈리에에 대한 소문은 네르딘에 대한 오해까지 풀어주었다. 그뿐만 아니었다. 갑작스럽게 늘어난 파르세의 사업에 대한 전폭적인 투자까지. 잘 풀리기 시작한 파르세 가문은 최근에야말로 정점을 찍으러 달려가고 있었다.

심지어 그 집안의 여식에게 하루가 멀다 하고 날아드는 꽃과 선물들. 사교계로 안 퍼지는 것이 더 이상한 파르세 영애에 대한 애정 공세 소문은 구석구석으로 퍼져 나갔다.

"으음, 아카데미에 다니기도 전부터……?"

"그때부터 알았으면 너에 대한 소문도 왜 막아주지 않고."

클로에가 주도해서 이즈리에의 뒷담을 퍼트리고 다녔다더라, 제 오라비인 네르딘과 합세해 이즈리에에게 상처를 주었다더라 하는 소문이 아카데미 때부터 퍼져 있었다. 티타임 멤버들은 굳이 클로에 앞에서는 언급을 하지 않았고, 네르딘이 뒤에서 막으려 해도 한계가 있었던 소문들이었다.

가세가 기울어지면서 그 친구들과도 멀어졌다. 아카데미 졸업 후 사교계에 본격적으로 데뷔하고 나서도 깊은 교우 관계를 유지할 수 있는 영애들이 없어 몰랐는데 사실은 더 안 좋은 이야기가 오고 간 모양이었다. 물론 아카데미를 졸업하고도 전해지던 소문은 이즈리에의 평가가 안 좋아지면서 정반대로 뒤집어졌다.

"여자들이 주고받는 험담에 남자가 끼어들어도 역효과만 나지. 내가 몰랐었으니 괜찮아."

"그래……."

이즈리에가 숨기고 싶어 했고 동시에 밝히고 싶어 했던 출신은 이번 사건을 계기로 고스란히 밝혀졌다. 페인 부부의 양녀로 입적되기 전 고아원에 있었던 그녀를 어떤 은발의 여인이 젖먹이일 때 두고 갔는데, 이름도 지어주지 않았고 출생을 증명할 어떤 것도 주지 않고 떠났다. 타고난 은발과 청안이 희귀한 덕에 출생의 비밀을 추적하는 것은 어렵지 않았다. 한마디로 이즈리에는 전 공작부인의 친족이 맞았다. 그러나 오르시니의 피는 이어받지 않았다.

공작을 유혹하고 제 자매의 자리를 빼앗으려다 실패한 여인은 대신 공작의 남동생을 유혹해 결혼했다. 거기까지는 성공했는데 문제는 공작의 남동생이었다. 작위에 관심도 없고 방랑이 취미였던 남자는 의무와 관습에 얽매이기 싫다며 제 형이 주려는 영지와 작위를 마다하고 여행을 다녔고, 남편이 집에 붙어 있을 생각을 하지 않자 여인은 나쁜 마음을 품고야 만다.

여인이 결혼 전에 무슨 짓을 저지르려 했는지, 앞으로 무슨 짓을 저지를 계획인지 꿈에도 모르던 공작부인은 미타이를 임신하면서 요양차 별장으로 떠났다.

수도에 남은 여인은 공작을 몇 차례 유혹했지만, 차갑게 거절당하고 수치를 당하자 공작부인이 차를 즐기는 취미를 이용해 사람을 시켜 공작부인으로 하여금 독을 꾸준히 흡수하게 했다. 그리고 공작이 피곤으로 쓰러져 잠든 날마다 미향을 피워 공작의 방에 몰래 들어갔다. 미향에 취해서도 공작부인을 찾으며 여인을 거부한 통에 원하는 바는 달성하지 못했지만.

마침 별장 근처에 있는 마을에 놀러 갔다가 나날이 약해지는 형수의 소식을 들은 공작의 남동생이 별장에 머무르고 있다는 소식을 이용해, 밤마다 약에 취해 잠드는 공작의 귓가에 공작 부인과 남동생의 부정을 속삭이는 짓 정도는 할 수 있었다.

끝내 일은 터졌다. 공작부인은 약해질 대로 약해진 몸으로 미타이를 낳자마자 하늘로 떠났고, 조산 소식을 듣고 공작이 달려갔을 때엔 제 동생이 제 부인의 곁을 지키고 있었다. 공작의 3남을 직접 받아낸 동생은 친아들을 외면하는 아비를 대신해 미타이를 챙겼지만 오해의 골은 깊어지기만 했다. 그리고 여인이 이즈리에를 임신했다.

사실 이즈리에는 공작과도 공작의 남동생과도 피가 이어지지 않았지만, 공작의 남동생은 이즈리에를 공작의 딸이라 오해한 채로 여인을 용서했다. 그 후 미심쩍은 구석이 있는 사고로 공작의 남동생도 세상을 떴고, 여인은 이즈리에를 빌미로 공작에게 받아달라 호소를 했으나 먹히지 않았다. 결국 여인도 이즈리에를 낳고 몸을 풀자마자 쫓겨나야 했다.

겨우 친모가 누군지 알아내어 찾아간 이즈리에에게 여인이 해준 말은 간단했다. 원래 공작부인의 자리는 제 것이어야 했는데 자매에게 빼앗겼고, 이즈리에의 존재는 여인을 나락으로 떨어뜨리기만 했을 뿐 아무런 도움이 되지 않는 쓸모없는 아이였으며, 친부라는 공작은 네 존재를 알고도 냉정하게 버렸다고.

이즈리에가 천성이 나빴는지, 아니면 환경이 그렇게 만들었는지는 섣불리 단정할 수 없다. 재미삼아 떠드는 영애들의 수

다를 듣고 클로에는 씁쓸하게 웃을 수밖에 없었다. 그로 인해 이즈리에가 클로에에게 그런 짓을 했다고 해도 그녀를 용서하거나 단죄할 입장은 아니라고 여기고 있었기에.

사실 클로에는 이즈리에게 작은 미안함을 쭈욱 간직해오고 있었다. 이즈리에의 심성이 비틀리는 배경에 클로에 자신이 알게 모르게 원인을 제공했을지도 모른다는 추측 때문이었다.

소설 속 세상이 아닐까 의심하던 시기, 간략하게나마 간간이 기억난 소설의 에피소드를 휘갈겨 써두었던 연습장이 잠시 사라졌던 일이 있었더랬다. 없어졌던 연습장은 아무 이상 없이 금방 돌아왔지만 먼 훗날 알았다. 클로에처럼 환생한 줄 알았던 이즈리에가 자신의 연습장을 본 적이 있었다는 사실을.

그전부터 3형제와의 접점을 만들려고 애를 쓰던 이즈리에는 어느 날부터 3형제와의 관계에 더 강하게 집착하기 시작했었다. 마치 이즈리에가 3형제, 특히 다니엘레와 당연히 이어졌어야 하는 운명이었던 것처럼.

그러나 클로에에게 이즈리에라는 존재는 이제는 더 이상 격렬한 감정의 대립을 나누어야 할 사이가 아니었다. 비록 이즈리에의 삶에 본의 아니게 적지 않은 영향을 주었다지만 그 또한 이즈리에가 선택한 결과였다. 잘못된 길을 가지 않을 수 있는 기회가 수십 차례 있었겠지만 이즈리에는 번번이 잘못된 길을 택했다.

그리고 무슨 일이 일어나도 제 일이 아닌 양 부유하며 하루하루를 보내던 그녀를 잡아 닻을 내리게 하고 선연한 감정의 색을 느끼게 만든 존재들은 따로 있었다.

"맞다, 오늘은 편지에 대한 답신을 바로 달라고 했었다, 참."

"어?"

"오늘 안으로 바로 답이 필요하니까 언제 오든 집에 도착하면 바로 읽고 달라던데. 오르시니 가문의 수석집사님께서 직접 가지고 오셔서 기다리고 계실걸."

"그걸 왜 이제 말해……? 지금 마차 타고 달려가도 늦은 오후인데……?"

"응? 그야 언제든 오늘 집에 오기만 하면, 이라고 했잖아?"

네르딘은 배시시 웃었다. 여동생의 얼굴이 하얗게 변한 이유를 모르는 것은 당연히 아닐 테고, 마냥 사람이 좋기만 한 그도 오르시니 때문에 힘들었던 순간에 대한 꽁한 감정은 남아 있었는지 애꿎은 집사를 괴롭히고 있었다.

"난 전했다?"

클로에는 네르딘의 의기양양한 말을 듣는 둥 마는 둥 드레스 자락을 움켜쥐고 마차를 찾으러 빠르게 걷기 시작했다. 클로에가 공용 마차를 잡아타는 꼴도 보지 못하는 3형제 탓으로, 클로에의 시야가 미치지 못하는 곳에 늘 호위기사와 마차가 대기하고 있어 집으로 돌아가는 것은 어렵지 않았다. 다만, 답이 늦어질수록 초조해지다 못해 초조함이 극에 달하면 어떻게 변할지 모르는 맹수들이 문제였을 뿐.

ꟈ

—지금 다른 사람도 아닌 나한테 장거리 순간이동을 가르쳐 달라고 하는 거예요?

—네? 네. 지안니의 마법 실력은 최고니까요, 객관적으로. 순간이동은 제가 좀 약한 분야기도 하고.

—나한테 아가씨가 마음만 먹으면 도망갈 수 있는 장.거.리. 주문을 가르치라고요?

그때 지안니가 클로에를 노려보던 눈빛은 이 여자의 팔다리를 당장 어떻게 분질러버릴까 궁리 중인 것으로만 보였다. 다만 클로에도 주눅 들지 않고 응수했다.

—어디로 도망가든 끝까지 쫓아올 거면서.

지안니는 어떻게 대답했더라. 클로에는 인자하게 웃고는 있지만 눈은 웃고 있지 않은 집사 앞에서 떨리는 손으로 편지를 열었다. 그러나 정작 열고 보니 이토록 헐레벌떡 뛰어올 만큼 편지 내용은 대단한 것이 아니었다.

"알았다고 전해주세요……."

"그것뿐입니까?"

간단명료한 시간과 날짜, 장소가 적힌 초대장의 샘플이었다.

"그럼 제가 조만간 방문하겠다고……."

"조만간 언제 말입니까?"

"사흘 후…… 모, 모레…… 내일…… 오늘 갈게요! 가면 되잖아요!"

"잘 생각하셨습니다."

몇 달 뒤에 열릴 다니엘레의 생일 연회 초대장 샘플을 보낸 이유는 클로에의 의사를 묻기 위함이다. 왜 클로에의 확인을 받으려 하는지에 대해선 묻기가 불안해 모른 척하고는 있지만 아마 클로에도 알고 직접 행차한 수석집사도 알고 3형제는 제일 잘 알고 있으리라. 그런데 알겠다는 답 외에도 필요한 대답이 더 있었는지 집사가 가만히 응시했다.

서릿발 같은 시선을 견디지 못하고 우물쭈물 원하는 대답을 들려주었으나 집사는 노려보기를 멈추지 않았다. 결국 클로에는 대충 둘러대지 못하고 당장 집사를 따라가겠노라고 해버렸고, 그제야 싱긋 웃으며 표정을 되돌린 집사가 반듯하게 서서 클로에의 채비를 기다려주었다. 클로에가 마음이 약해지는 대상을 잘 알고 3형제가 직접 수석집사를 굳이 보내는 이유였다.

어설퍼서 마무리가 허술하다 놀렸었지만 정작 마음이 약해져서 어설퍼지는 쪽은 클로에일지도 몰랐다.

"한데, 드레스가 부족하십니까?"

"아뇨?"

"그 드레스는 20일 전에 입으셨습니다만. 벌써 같은 옷을 돌려 입으셔야 할 정도가 되었습니까?"

"아차."

돌려 입는다는 개념이 익숙한 정도를 떠나 아주 당연했던 클로에는 귀신 집사의 기억력을 깜빡하고 그만 한 번 입었던 드레스를 입어버렸다. 동시에 집사가 목격해버렸으니 또 드레스가 산더미로 배달되겠구나 싶어 울적해졌다. 옷장이 없다고 하면 이번에는 옷장도 같이 배달되겠지. 옷장을 둘 곳이 없다고 하면……. 클로에는 애써 미소를 지었다. 올라간 입꼬리가 파들파들 떨렸다.

"준비 다 되었어요."

"알겠습니다."

집사의 에스코트를 받으며 오르시니 문장이 박힌 마차에 올랐다. 아직 클로에의 부모조차도 매일같이 선물을 보내는 사람이 세 명 중 누구인지 모른다. 셋 모두라고는 꿈에도 생각을 못 하고 오르시니로부터 저녁 식사 초대를 받았다는 딸을 배웅했다.

3형제는 클로에를 자유롭게 풀어주었다. 그녀가 무엇을 하든 제지하지 않았고, 묵묵히 뒤에서 뒷받침해주고 도왔다는 흔적조차 남기지 않고 조용히 있을 따름이었다. 순간이동 마법도 결국은 가르쳐주었다. 그러나 시간이 지나도 3형제의 존재감은 흐려지기는커녕 점점 뚜렷해지고 있었다. 방구석에서 굴러다니고 있는 새장과 그림 한 점이 방에 동화되어 묻히지 않고 마치 양각으로 돌출되어 반짝거리는 느낌을 주는 것처럼.

클로에를 실은 마차는 오르시니의 저택으로 향하고 있었다.

# 외전 1.
# 다니엘레

청명한 하늘을 담은 눈 한 쌍이 그들을 좇고 있었다. 시선을 느낄 때마다 고개를 돌리면 언제 지켜봤느냐는 듯 푸른 눈의 주인은 새초롬하게 눈을 내리깔고 우아하게 미소 지었다. 어른들을 감탄시키는 완벽에 가까운 예법으로, 은발의 소녀는 저를 주시하는 다니엘레를 진즉 눈치챘으면서도 아무것도 모르는 척 행동하고 있었다.

"누구야?"

다니엘레가 누군가를 유심히 보고 있다는 사실이 흥미로웠는지 지안니가 지나가듯이 물었다. 곁눈질로 제 형이 누구를 보는지는 금방 찾아냈다. 마침 소녀의 곁엔 금발에 가까운 적색 머리의 소년이 서 있는 참이었다. 짝이 있는 소녀에게 관심을 가진 형 때문에 놀란 지안니가 휘파람을 불었다.

"뺏을 거야?"

연인이 있으니 포기하라, 혹은 연인이 맞는지부터 확인하라. 그 어느 충고도 아니었다. 원하는 것은 가진다. 가질 수 없는 것이란 없었던 형제에겐 어린 소녀도 마찬가지였다.

상대가 있는 소녀라 해도 마음만 먹으면 제 것으로 만들 수 있다는 자신감은 지안니에겐 어찌 보면 당연했다. 태어날 때부터 주어진 지위와 재능이라는 축복을 선물받은 그는 경우에 따라선 거절을 받을 수도, 포기를 해야 할 수도, 자제를 해야 할 수도 있는 현실이 존재한다는 것을 몰랐다. 모르고 자랐고, 환경이 그렇게 키웠다.

"아니지, 인사만 해도 홀라당 넘어올 준비가 되어 있네."

지안니는 또한 제 형도 당연히 마음만 먹으면 취할 수 없는 것이 없다고 여겼고, 실로 그러했다. 관심 없는 척하면서 다니엘레에게 지대한 관심을 두고 있는 소녀는 그녀만 바라보는 다정한 소년을 곁에 두고도 만족하질 못했다. 지안니가 눈치채고 비웃었다.

"관심 있으면 가봐, 형. 어른들은 잠시 내가 상대할게."

"별로."

"마음에 드는 여자애 아니야?"

"향기가 독해."

아직 어른들처럼 강한 향수를 쓰지 않는 나이의 소녀들한테선 이상하게도 빠짐없이 코를 찌르는 독한 꽃향기가 느껴지곤 했다. 꽃 내음을 싫어하느냐 하면 그렇지도 않건만. 기이하게도 향수를 뿌리지도 않은 소녀들이 다가오면 꼭 꽃향기가 나더니 냄새로 다니엘레의 머리를 아프게 만들었다. 실례를 저지를 순 없어 가능한 한 겉으로 드러내지 않고 예의 바르게 행동하려고 노력하지만 본능적인 혐오는 어찌할 수가 없었다. 견디기 힘들어지면 종종 지안니에게 꽃향기가 난다는 표현으로 사람들을 치워달라 신호를 보내곤 했는데, 푸른 눈의 소녀에게선 멀리 떨어져 있음에도 유독 독한 향이 퍼지고 있었다.

"그래서야 대나 이을 수 있으려나 모르겠네."

"내가 잇지 않아도 너도 있고, 미타이도."

"그 애가 성인식이나 치를 수 있을 것 같아?"

일찌감치 가문의 후계자는 다니엘레로 정해져 있었다. 대마법사로서 탁월한 재능을 보인 지안니는 아카데미 과정을 선택하는 대신 황궁마법사로의 길을 택했다. 나이는 어리지만 내로라하는 마법사들이 여럿 붙어 지안니를 가르쳤다.

그리고 막내 미타이는 여러모로 약했다. 아버지인 공작으로부터 오랜 세월 냉대를 받다 보니 밝았던 아이는 항상 기가 죽은 채로 허리를 펴지 않고 다니는 심약한 성정이 되어버렸다. 그와 지안니가 시간이 날 때마다 공작 대신 챙기려고 했지만 워낙 바쁘다 보니 막내를 세심하게 돌보기엔 무리가 있었다. 두 동생이 그렇다 보니 당연한 수순으로 장남인 다니엘레가 후계자가 되었다.

"더구나 나나 막내랑 결혼할 여자는 없어. 나를 받아주려면 나처럼 미쳐야 하고 미타이를 받아주려면 멍청해야 하거든."

지안니는 신랄했다. 다니엘레에게 많은 부담을 지게 하는 대신 최대한 돕겠다고 약속한 동생은 가장 이성적이고 냉정하게 오르시니에게 이득이 되는 길을 골라왔다. 다니엘레 역시 아무리 독한 향기를 뿜는 꽃이라 해도 지안니가 추천한다면 받아들일 용의가 있었다. 부모의 관심과 애정, 따듯한 품. 부모로부터 꿈꿀 수 있는 모든 환상은 포기하고 산 지 오래였던 그들 형제는 그들끼리만 똘똘 뭉친 채로 자랐다.

"생긴 게 정말 싫지만 혹시라도 마음에 있으면 말해줘. 탈탈 털어 올 테니까."

어미와 이모의 특징을 고스란히 지니고 있는 소녀를 흘겨보며, 지안니는 그래도 형이 원한다면 가질 수 있게 해주겠다 그리 선언했다. 소녀는 오르시니의 두 형제가 그녀를 바라보고 있으니 곁에 서 있는 소년이 거슬렸는지 짜증을 부리며 밖으로 내보냈다. 구해 오는 데 시간이 제법 걸리는 물건을 지정해 그것이 아니면 안 된다고 투정을 부리자 소년은 난감해하면서도 해사하게 웃으며 소녀를 달랜 후 다과회장을 나섰다. 소년이 나가자 소녀 주위로 눈을 빛내는 다른 소녀들이 몰려들었다.

"저 정도는 금방 떨어져 나가겠는데?"

딱 봐도 여리고 유약해 보이는 소년. 착한 성격이 장점이자 단점일 소년은 푸른 눈의 소녀를 감당하기 힘들어 보였지만 다니엘레가 상관할 바는 아니었으므로 고개를 저었다.

"그보다 미타이는?"

미미하게나마 생겨나려고 했던 흥미가 사라지고 나니 아직 같은 공간에 있는 소녀의 존재는 더 이상 시야에 잡히지 않았다. 다니엘레는 모여 있는 영애들 대신 어느 틈엔가 사라진 막냇동생을 찾았다. 이제는 은발의 소녀는 물론 누구든 그를 보건 말건 눈길을 주지 않았다.

"아까 신기하다고 구경하러 나가던데."

아이들 입맛에 맞춘 다디단 푸딩을 한 숟가락 펐다가 으웩 온 얼굴을 찡그린 지안니가 심드렁하니 내뱉었다. 외출 경험이 적은 미타이에겐 다른 사람의 저택이란 신기하기 그지없는 세상이었을 테니 눈이 휘둥그레지는 것도 무리는 아니었고, 지안니는 저택 안에서 무슨 큰일이 일어나겠느냐 여기고 맘 편하게 내버려둔 모양이었다.

걱정할 필요 없다는 말을 흘려듣는 사이 어느새 주시하는 시선이 사라져 둘러봤더니 은발의 소녀가 자취를 감춘 후였다. 수다를 떨던 소녀들은 다니엘레와 지안니를 힐끔힐끔 쳐다보면서 은발의 소녀를 빼고 자기들끼리 이야기를 시작했다. 적금색 머리의 소년도 함께 화제에 올랐는데, 은발 소녀의 약혼자라던 소년은 우습게도 아무 관계도 아닌 다니엘레와 지안니와 비교당하고 있었다.

"지안니. 미타이를 찾아봐야겠다."

"응?"

까칠하고 날카롭게 구는 지안니조차도 오르시니라는 이유만으로 선망의 대상이 되는데, 어엿한 형제인데도 미타이는 은발 소녀의 약혼자보다도 못한 취급을 받고 있다니. 안 들리는 척하고 있어도 어떤 주제로 수다를 떠는지 다 듣고 있었던 다니엘레는 막내를 찾아와야겠다 판단하고는 지안니를 끌고 움직였다. 꽃향기가 지독했다.

ꙮ

"이름은 이즈리에래. 이즈리에 페인. 페인 남작의 외동딸."

심술궂은 무리들에게 걸려 다니엘레와 지안니가 없는 틈을 타서 괴롭힘을 당하고 있던 미타이를 용기 있게 구해준 사람은 은발의 소녀였다. 어른도 부르지 않고 홀로 일단 뛰어들고 보느라 미타이를 구하기는커녕 이즈리에도 같이 맞았지만, 어리고 연약한 몸으로 누군가를 지키기 위해 용기를 냈다는 점은 충분히 높이 살 만했다.

"부모끼리 약속한 약혼자가 있고. 약혼자 이름은 네르딘 파르세, 자작인데 딴에는 소박하지만 영지도 있는 가문이야."

용감한 소녀에게 도움을 받은 후로 미타이는 달라졌다. 자신을 지켜주었던 소녀를 나중에 커서는 자신이 지켜주고 싶다면서 달라지려고 노력했다. 아비가 무섭다고 방에서 나오지 않는 습관도, 아무것도 먹지 않으려던 극심한 편식도, 꼼짝 않고 형들 뒤에만 숨으려 하는 성격도 고치고 싶다고 하더니 아주 조금씩이나마 달라지려고 했다.

다니엘레도 놀랐지만 더 놀란 사람은 지안니였다. 형이 보고 있어도 얄밉게 마법을 써서 제 동생을 이리저리 굴리고 넘어뜨리던 걸 보면 정이 없어 보이더니 나름의 애정 표현이었는지 미타이가 달라지자 가장 신이 난 사람은 지안니였다.

"어떻게 하지? 고작 약혼이니 깨는 건 쉬운데. 파르세가 가만히 있도록 손도 써놔야겠지?"

"내게 관심 있으면 말하라고 할 땐 언제고."

"아, 맞다."

더 큰 일이 터지기 전에 때맞춰 도착한 그들을 발견하자마자 다소곳하게 치마를 들면서 인사를 해 오던 이즈리에를, 지안니는 기억하지 못했다. 정확히는 다니엘레가 눈길을 줬던 소녀임은 기억을 하지만 지안니의 흥미는 끌지 못했기에 같은 사람이라고는 생각 자체를 하지 않은 거다.

"뭐, 어때. 사랑하는 막내에게 양보 못 할 정도로 관심 있는 거 아니잖아."

"그야 그렇지."

물론 기억해내고 나서도 태도는 변함없었다. 사랑하는 막내를 위해 양보하라 부추겼다. 다니엘레가 눈길을 주었다고 다 좋아한다는 의미가 아니라는 것을 알기 때문이기도 했다.

"마법의 흔적은 찾았고?"

"음, 그게. 어린아이가 쓴 마법이라서."

미타이가 한눈에 반한 첫사랑인 이즈리에에겐 이미 잘생기고 착한 약혼자가 있다던데, 하며 제 동생이 이길 수 없는 상대라고 툴툴대던 지안니는 화제가 바뀌자 장난스러운 비웃음을 지웠다.

"미타이는 여전히 묵묵부답이고?"

"응."

현장에는 미타이와 이즈리에, 그리고 쓰러진 아이들이 있었다. 미타이는 설명하기를 거부했다. 그 대신 이즈리에가 나서서 누군가가 마법을 쓰는 바람에 굉장히 무서웠다고 애처롭게 호소하며 마법을 쓴 범인을 잡아달라고 애원했다.

일이 커져서 아비의 귀에 들어가지 않길 바란 미타이의 소원대로 아이들끼리만 아는 선에서 일단락되고, 미타이를 구한 데 대한 감사 인사를 하고 싶다 했더니 이즈리에는 오르시니의 성에 초대를 해달라 부탁을 해왔다.

"짐작이 가는 애가 있긴 한데, 미타이가 영 협조를 안 하네."

이즈리에의 설명대로라면 마법을 쓴 사람이 미타이를 괴롭히는 데 가담하여 악질적으로 마법을 이용해 괴롭히다 지안니가 달려온 덕에 도망간 모양새로 해석이 되지만, 쓰러진 아이들만 보고도 어떻게 된 영문인지는 바로 알아차렸다. 꼬마 마법사는 몰래 미타이와 이즈리에를 구해주고 정체를 드러내지 않은 채 사라진 것이다.

"누구?"

"바로 이 부분이 흥미로운데 말이야. 정체불명의 꼬마 마법사로 추측되는 사람은 클로에 파르세. 바로 네르딘 파르세의 여동생이야."

지안니가 내민 한 장의 종이에는 붉은 기가 도는 금발에 화관을 쓰고 활짝 웃고 있는 어린 소녀가 그려져 있었다. 화려한 드레스를 입지도 않았고 거창한 치장을 하지도 않았다. 그저 하늘을 배경으로 바람 부는 잔디밭에서 자유롭게 뛰어놀고 있는 어린아이 한 명이 있었다. 오라비보다는 조금 더 성격이 있어 보였지만, 그래봤자 사랑을 듬뿍 받고 자란 티가 나는 소녀의 눈빛에선 따스한 햇살과도 같은 온기가 넘치고 있었다.

"클로에 파르세라."

다니엘레는 문득 말간 연갈색 눈이 누구를 보고 웃는지 궁금해졌다.

ꕥ

이즈리에의 미모는 시간이 지날수록 빛을 발했다. 아카데미는 물론이고 전국을 뒤져봐도 이즈리에보다 아름다운 얼굴은 객관적으로 찾기 힘들 것이었다. 지안니조차 인정하는 바였고, 이즈리에는 누구보다도 잘 알고 있는 당사자였다.

"전 괜찮답니다."

상처 입은 듯 우수에 젖은 푸른 눈에 눈물이 담기자 보석처럼 반짝였다. 이즈리에는 처연하게 미소 지으며 몸을 돌렸다. 방금 전까지 이즈리에 이야기를 하고 있던 영애들은 언제 나쁜 이야기를 했느냐는 듯 하하호호 담소를 나누는 중이었고, 그 중심에는 클로에 파르세가 있었다.

"제 가족이 될 영애께선 절 마음에 들어 하질 않으셔요. 아마 오라버니를 빼앗겼다 여기는 탓이겠지요."

종종 이즈리에를 보는 클로에의 시선은 차가웠다. 네르딘과 결혼할 여자가 너냐, 어떤 여자인지 내가 심사해주겠다는 의도가 가득한 그 시선을 이즈리에가 느끼지 못할 리 없었다. 그래서 이즈리에는 종종 우연을 가장해 다니엘레나 미타이 앞에서 슬퍼하곤 했다. 클로에가 저를 싫어하는 것 같아 걱정이 많다며.

"앗, 실언이었어요. 클로에 양께선 직접적으로 제 이야기를 하신 적은 없으시답니다. 지금처럼요."

영애들은 이즈리에에 대한 안 좋은 소문을 흘리고 잘했느냐는 듯 클로에의 눈치를 보며 칭찬을 바랐지만, 그녀는 담담하게 침묵을 택했다. 만에 하나, 방조가 문제이긴 해도 최소한 가담하지 않았다며 빠져나갈 수 있는 수단이었다.

"마일 공자와 단둘이 있었던 적도 없고, 단지 교수님 심부름이었을 뿐인데……."

티타임을 즐기는 영애들은 지금도 이즈리에와 다니엘레가 듣고 있다는 사실을 모른 채 이즈리에의 이름을 올리고 평판을 깎으며 클로에의 눈치를 보다, 클로에가 불쾌해 보이자 빠르게 화제를 돌렸다.

언뜻 이쪽을 보긴 했지만 다니엘레는 가려져 보지 못했을 터였고, 알아보았다 해도 이즈리에 정도나 알아보았을 것이다.

케일 공자와의 일을 악의적으로 퍼트리는 영애들에게 상처를 받은 이즈리에가 구슬프게 눈물을 뚝뚝 흘렸다.

"다, 다니엘레님?"

"애원을 할 상대가 잘못된 듯하군."

다니엘레가 냉정하게 돌아서자 이즈리에는 당황했다. 가냘프게 떨리는 음성이 대부분 남성의 발목을 잡을 법도 하지만 다니엘레에겐 예외였다. 아니, 그들 형제에겐 예외였다.

"영애가 마일 영식과 무슨 일을 하든 내가 알 바는 아니라고 생각하지만, 충고 하나 하지. 파르세 영식이 꽤나 상심할 거다."

"다니엘레님!"

"그리고 또 하나 더. 난 영애에게 이름을 멋대로 불러도 좋다 허락한 기억이 없다."

입술을 깨무는 이즈리에를 힐끔 내려다본 후 완전히 돌아섰다. 미타이 일로 간곡히 할 말이 있다 불러내서 나왔더니 웬걸, 미타이 이름은 나오지도 않고 귀족 영애들이 이즈리에를 욕하는 장면을 엿듣게 하는 불쾌한 경험만을 겪게 하더니 울기 시작했다.

딱히 여성의 눈물이 못났다 생각한 적은 없지만 그렇다고 달래줘야겠다는 의무감 외의 감흥을 일으킨 적도 없는데, 이즈리에의 눈물을 보자 유독 기분이 가라앉았다. 특히나 지금과 같은 수작을 벌인 후에 보이는 눈물이라면 더더욱. 다니엘레는 저를 부르는 이즈리에를 냉정하게 쳐냈다.

미타이가 반했다는 상대는 알고 보니 클로에 파르세였다. 꼬마 마법사에 대해 언급하지 않고 제 형이 착각하게 두었던 이유는 이즈리에의 정황 설명을 들은 탓이었다. 꼬마 마법사가 자신을 괴롭힌 나쁜 역할이 된 느낌이 들어 혹시라도 지안니에게 고초를 겪을까 걱정이 된 것이다. 이즈리에를 좋아한다 착각하게 둔 것도 꼬마 마법사의 정체를 감추기 위함이었는데 진실을 알게 된 지안니가 허탈해했음은 당연했다.

클로에 파르세라는 이름은 언제부터인가 그들 형제만 모이면 종종 입에 오르내리게 되었다. 그 아이도 아카데미에 입학했다더라, 제 오라비 꽁무니에 찰싹 붙어 떨어지질 않는다더라, 어느 가문의 영애와 친하게 지낸다더라, 어느 가문의 영식이 그 아이를 좋아하는 것 같다더라, 그런데 제 오라비를 너무 좋아한 나머지 이즈리에를 뒤에서 못살게 군다더라……. 지안니가 모아 오는 동향 속의 클로에는 천천히, 아무도 모르는 사이에 조금씩 신경질적이고 질투심 많은 계집아이가 되어가고 있었다.

"장남에겐 꽃이 너무 많이 달라붙어 있어. 독한 꽃향기를 한 송이 더 추가할 필욘 없지."

"내 동생은 5월의 싱그러운 풀잎처럼 향긋한 향만 나는데?"

좋지 않은 소문이 동생의 귀에 들어가지 않게 보호하는 오라비, 네르딘이 무슨 소릴 하느냐는 듯 눈을 동그랗게 떴다. 잃어버린 물건을 찾기 위해 짐작이 가는 곳을 되짚어 오다 발견한 파르세 남매는 다니엘레의 존재를 눈치채지 못했다. 독한 꽃향기, 지안니와 단둘이 있을 때만 나눴던 대화의 내용을 알 리 없는 소녀의 중얼거림에 도저히 발걸음이 떨어지지 않았다.

등지고 서 있던 소녀가 비틀거리며 뒤돌아 뛰쳐나왔다. 소녀의 뒷모습을 좇던 네르딘이 그제야 다니엘레가 서 있는 사실을 알고 불러 세우려 했으나 그녀는 오라비의 외침을 무시했다.

앞에 누가 서 있는지도 보지 않고 무작정 달려오는 바람에 그와 부딪친 소녀는 중심을 잃고 휘청했다. 넘어질 뻔한 소녀를 저도 모르게 부축해주었다. 부딪쳤음에도 사과는커녕 멍하니 그를 올려다보는 소녀의 태도에 뒤에 있던 네르딘은 안절부절못하고 있었다.

다행히 소녀는 금세 정신을 차리고 예의 바르게 잡아준 데에 대한 감사의 인사를 건넸다. 다니엘레도 겸양의 인사를 마주 건네야 했지만 소녀와 눈이 마주친 순간부터 주변의 소리가 하나도 들려오지 않는 바람에 적당한 때를 놓쳤다.

이즈리에가 네르딘의 친구와 키스를 하는 장면을 엿보고도 담담하게 제 오라비를 위로하던 클로에의 눈가가 붉었다. 역시 예상대로 소문과 다른 소녀는 혼자서 대체 무엇에 그리 충격을 받았는지 위태위태하게 흔들리고 있었다.

금방이라도 울음이 터질 것만 같으면서도 꾹 눌러 참고 있는 모습에 충동적으로 그녀를 가로막을 뻔했다. 가로막고 멈춰 세워서 조심조심 눈물을 닦아주고 안아주고 싶었다. 여동생을 감싸는 네르딘을, ……치워버리고 싶었다. 난생처음이나 마찬가지였던 격렬한 감정에 스스로 놀라 정신을 차렸을 땐 이미 소녀는 떠난 후였다.

ଋଓ

"이해가 안 되네."

파르세의 파혼 소식이 공공연하게 퍼졌다. 네르딘의 행실이 바르지 않아서 오랫동안 집안끼리 아는 사이였음에도 불구하고 고심 끝에 파혼을 결정했다는 뒷이야기가 함께 퍼졌다.

"그럴 깜냥도 없는 남잔데."

눈 깜짝할 사이에 형들의 키를 따라잡고도 모자라, 장신에 속하는 다니엘레와 지안니마저도 올려다봐야 할 정도로 커진 막내가 도저히 이해가 안 된다며 투덜거렸다. 당사자에게 속사정을 듣지 않고도 어찌 된 영문인지 짐작한 지안니가 입꼬리를 끌어 올렸는데 그 꼴이 제법 사나웠다. 이제 네르딘은 제 여동생에게 따라붙던 꼬리표를 몰래 떼어주기도 힘들게 되었다.

"이즈리에를 가지고 놀다 버렸대. 이즈리에의 절친에게도 손을 댔다고."

"사람 보는 눈이 없었지."

지안니가 가리키는 안목이 없는 사람은 이즈리에가 아니라 네르딘이라는 점이 형제의 관심은 다른 데에 있다는 것을 보여주고 있었지만, 파르세 남매는 모르고 있었다. 사람이 좋으면 무엇 하나. 힘든 처지가 되었을 때 도와줄 친구는커녕 나 몰라라 뒤통수를 칠 사람만 곁에 두었던 네르딘과 달리, 이즈리에에겐 네르딘의 친구들과 번갈아 사귀면서도 절대 나쁜 평판이 생겨나지 않도록 관리를 할 수 있는 능력이 있었다. 다니엘레와 지안니가 보기에 가장 큰 문제가 있는 사람은 네르딘이었다. 제 손으로 무덤을 판 장본인이니 동정심도 들지 않았다.

"네르딘에게 버림받았지만 그래도 그 여잔 괜찮을걸? 오르시니가 그 여자를 좋아한다는 소문이 돌고 있거든."

"오르시니가 우리 말고 또 있었나?"

찻잔을 든 손이 허공에서 멈췄다. 마음 속 반문을 대신 입 밖으로 뱉어준 사람은 지안니였다. 다니엘레는 물끄러미 고개만 들어 눈으로 자세한 설명을 요구했다.

"몰랐어? 저번 정식 사교계 데뷔 때 공작에게 단단히 눈도장을 찍었잖아."

다른 사람을 부르듯 지칭하는 공작은 형제의 아버지다. 미타이는 절 모르는 척하는 아비에게 부친의 정을 바라기를 일찌감치 포기했고 언제부터인가 다정하게 아버지라 부르는 대신 공작이라고 부르곤 했다.

"보긴 봤지만. 그 일이 그렇게 퍼졌다고? 이상하네, 갠 우릴 싫어하는데."

"정확히는 작은형이랑 나를 싫어하는 거지. 큰형은 안 싫어할걸."

"뭐, 너는 멍청해서 싫어하더라만."

"형은 인간성이 더러워서 싫어하는 거야."

"싫어해줘서 고마울 따름이야. 난 그 계집애 진짜 보기 싫거든. 생긴 것부터가 누구 판박이라고."

대담하게도 이즈리에는 사교계 데뷔 날 3형제 중 어느 누군가의 소개를 통하지 않고도 오르시니 공작에게 먼저 접근했다. 이모와 전 공작부인은 쌍둥이였으니 모친을 닮았다면 전 공작부인과 닮았다는 말과도 일맥상통했다.

공작의 부인에 대한 일편단심은 유명했으므로 외모를 이용하면 공작의 눈에 띄기란 쉬웠고, 조용한 등장만으로도 오르시니 공작을 사로잡을 수 있었다. 네르딘과 파혼한 이즈리에는 사교계 데뷔 첫 춤을 오르시니 공작과 추었다. 당연히 사람들의 입에 오르내릴 만한 사건이었고, 클로에 파르세는 그날 데뷔한 다른 영애들과 함께 자연스럽게 묻혔다.

"근데 그날 클로에 예뻤지. 정식으로 인사했는데, 내 이름 기억해줄까? 기억하겠지?"

"너 정도 멍청이가 아니면 누구든 기억할걸."

"확! 형이 누군지도 까먹고 보는 순간 겁먹고 달아났으면 좋겠다. 형 따위 알고 지내봐야 인생에 해만 돼!"

"누가 네 뒤를 쫓아다니면서 엉엉 울 때마다 구해줬더라?"

"내가 울었던 이유의 절반은 형 때문이거든!"

지안니와 미타이는 참 사이가 좋았다. 정작 두 사람은 절대 아니라고 격하게 부정하겠지만 주위에서 보기엔 그랬다. 다니엘레는 조용히 차를 마시며 두 동생이 티격태격하는 모습을 감상했다.

클로에의 장래희망이 마법사라는 점을 이용해 접점을 만든 지안니는 미타이에 비해 클로에를 만날 일이 비교적 많았다. 미타이는 그를 구해준 꼬마 마법사의 존재를 각인한 이후 사교계 데뷔 때까지 한 번도 개인적인 만남을 시도해보지 못했으니 어디까지나 비교적이었을 뿐이지만. 지안니는 제 동생을 놀리기 위함이라고 주장하지만, 다니엘레의 눈에는 그 역시 클로에 파르세라는 여자에게서 호기심을 거두지 못하고 있는 것처럼 보였다. 더구나 그 자신 역시.

"뭐. 어쨌든. 그 여자가 관심 있는 상대는 형이니, 조만간 소문은 다니엘레와 약혼하겠다는 내용으로 바뀌겠군."

"응, 나만 아니면 돼."

"나도."

사이가 좋은 형제긴 하지만. 이즈리에 페인과 엮일 남자가 자기만 아니면 된다는 두 동생을 보자니 쓴웃음이 나왔다. 이즈리에가 무슨 꿍꿍이를 꾸미는지, 진짜로 다니엘레를 좋아하긴 하는지, 왜 접근하는지, 다니엘레는 이런 상황이 기꺼운지 등에 대해서는 제 알 바 아니라는 태도였다.

미타이는 클로에와의 두 번째 만남을 기대하며 마음의 준비를 하기에 바빴고 지안니는 그런 미타이를 훼방 놓고 싶어 했다. 다니엘레는 조용히 눈을 감고 차를 음미했다.

ஐ

그녀는 바닐라 가향을 좋아했지만 선호하는 취향을 딱히 언급하지는 않았다. 뭉쳐 있던 꽃을 뜨거운 물에 넣어 스르륵 피어나는 광경을 즐겼지만 스스로 꽃차를 고른 적은 없었다. 초대받은 티타임에는 빠짐없이 참석하지만 직접 주최하지는 않았다.

“그런데 자꾸 저와 만나시면 곤란하시잖아요?”

홀짝홀짝 두세 모금 마시던 차는 이제 입에도 대지 않고 마카롱만 만지작거리던 클로에가 조심스럽게 입을 열었다. 이번 차는 그녀의 취향이 아님을 확인한 다니엘레가 가만히 눈을 치켜떴다.

“뭐, 괜찮아요. 페인 영애 귀에 들어가지 않도록 제가 조심하고 있어요.”

혹여나 단둘이 티타임을 가졌다는 소문이 퍼질까 조심에 조심을 거듭하고 있다 생색을 냈다. 클로에는 가끔 이렇게 다니엘레의 약을 올릴 때가 있었다. 정말 그의 마음을 모르는지, 알고서도 모르는 척을 하는지.

“페인 영애와 난 아무런 관계가 아니다만.”

“……그렇진 않을 텐데.”

딴에는 작게 낮췄다지만 클로에의 불만 어린 중얼거림은 똑똑히 들렸다. 한숨이 나올 뻔했다. 이즈리에가 퍼트린, 오르시니와 페인과의 우호적인 관계에 대해 철석같이 믿는 모양새다. 몇 번이고 아무 사이가 아니라고 했지만 주장하면 할수록 그녀는 딴청만 피울 뿐이었다.

"페인 영애, 엄청 아름답지 않아요? 사랑스럽고, 보호 본능 일어나고, 안아주고 싶고, 보면 볼수록 좋아지……."

"전혀."

"으음. 아직 진짜 감정을 깨닫지 못하셨나 본데……."

"그만."

오히려 다니엘레가 꼭 이즈리에를 좋아해야 하는 것처럼 자꾸만 이즈리에의 장점을 어필하곤 했다. 짝을 맺어주려고 애를 쓰다가 그가 미간을 구기며 정색하면 마지못해 꼬리를 내리곤 했다. 마카롱을 한입에 털어 넣고 우물거리며 다니엘레의 눈치를 보고 있는 그녀는 단어 그대로 웅크리고 있는 고양이 같았다.

"진심으로 그녀와 그렇고 그런 관계가 아니라는 말씀이시죠……."

"그렇고 그런 관계의 정의가 퍽 궁금하다만, 우선 내 대답은 그렇다."

"그러시구나……."

"대체 왜 여전히 떨떠름한 표정인가, 그대는."

"으으, 그렇게 부르시지 말라니까……!"

"……."

"뭐…… 오라버니는 다니엘레님 덕분에 파혼한 셈이기도 하거든요."

그가 알기로 파혼의 원인은 파르세 가문에 예전만큼의 재력이 없다는 이유가 컸고, 동시에 페인 남작과 공동으로 진행했던 사업의 실패를 책임지는 대가였다. 그런데 클로에는 마치 다니엘레 때문에 이즈리에가 네르딘과 파혼을 했다는 것처럼 말하고 있었다. 파혼으로 인해 네르딘의 명예가 어떻게 실추되었는지도 알면서도. 오라비를 기이하게 아낀다는 소문을 뒷받침이라도 하는 듯한 태도에 저도 모르게 주먹을 꽉 쥐었으나 차마 그녀가 보게 할 순 없었다.

"아니. 모든 건 저라는 존재 때문일 수도 있지만요……."

나직하게 깔린 음성은 슬프게 들렸다. 경고를 하는 것 같기도 하고 변명을 하는 것 같기도 하고 호소를 하는 것 같기도 한, 이상한 말이었다. 누군가를 안타깝게 바라보는 듯했는데 그 시선의 끝엔 다니엘레가 없었다. 제 오라비를 걱정하는 건지. 애틋한 남매 사이라고 치부할 만한 단순한 감정으로 보이지 않는 바람에 순간 벌떡 일어설 뻔했다. 먼 곳을 바라보고 있는 말간 눈동자에 다른 사람이나 오라비가 아닌 그를 담게 하고 싶었다. 걱정거리만 해결되면 언제든 사라질 준비가 되어 있는 것처럼 한 발 물러서서 관조하듯 행동하는 그녀를 잡아야 했다.

ঞ

"사랑해요, 다니엘레님."

애처롭게 떨리는 손이 그의 팔에 닿았다 떨어졌다. 서늘한 시선을 받고 움찔 놀라면서도 쉽게 물러서지 않는 여인의 매끄러운 머리카락이 부드럽게 일렁였다. 다른 여인에게 송두리째 빼앗긴 그의 차가운 심장이 이제는 그 어떤 아름다운 여성이 다가와도 요동치지 않을 뿐, 개인적인 감정은 제쳐두고 객관적으로 보자면 이즈리에 페인의 눈짓 하나 손짓 하나에 남자들이 왜 무릎 꿇게 되는지 알겠다 싶었다.

"거짓 고백을 듣자고 내 시간을 이리 버리고 있어야 하는 이유를 묻고 싶지만."

깊은 한숨이 나왔다. 이즈리에의 손이 닿았던 부위를 가볍게 털어내며 여자와의 거리를 유지했다. 제 행동에 크게 상처받은 푸른 눈이 흔들리는 순간을 똑똑히 보고도 그의 마음은 지독히도 평온했다.

"설령 그 말이 진심이라 해도 내가 듣고 싶은 말은 하나뿐이다. 사과."

뜬금없이 사과를 요구하자 파르르 푸른 불꽃이 타올랐다. 가녀린 외모를 십분 활용하고 있지만 그 속은 반대로 언제 터질지 모르는 화산 같은 여자다. 어린 날, 미타이를 다니엘레에게 접근하기 위한 수단으로 이용하던 여자는 그대로 자라 그날보다 더하면 더했지 결코 덜해지진 않았다.

"전 잘못한 것이 없어요."

예측대로의 답이 들려왔다. 뒤에서 아이들을 선동해 미타이를 괴롭히고 적당한 틈을 노려 구해주는 역할로 등장하기 위한 계략을 꾸몄던 날부터 이즈리에 페인이라는 여자가 그들 형제의 주변에서 해온 짓들을 다 알고 있다는 사실을 모르는 여자의 뻔뻔한 대꾸였다.

"그렇군."

다니엘레는 담담하게 수긍했다. 왜 거짓말을 하느냐 추궁하지도, 이런 여자가 다 있나 기가 막혀 하지도 않았다. 그럴 줄 알았다는 듯이 끄덕이자 이즈리에의 얼굴이 일그러졌다. 그녀가 원하던 반응이 아닌 탓이다.

"공작님께서도 절 예뻐하셔요!"

"그렇더군. 그래서?"

전 공작부인을 빼닮은 외모로 이즈리에는 공작을 제 편으로 만들었다. 다니엘레가 영 그녀의 뜻대로 움직여주지 않으니 공작에게 접근한 발상까지는 그럴듯했으나 고작 그 정도로 3형제를 좌지우지할 수 있으리라 여긴 오만이 그녀의 오판이었다. 지안니와 다니엘레가 미타이 문제로 아비를 추궁하지 않기에 공작 역시 그들 형제의 일에는 간섭하지 않는다는 현실을 몰랐던 탓이겠지.

"제게 오시면 다니엘레님만큼은 끝까지 제 곁에 있게 해드릴게요."

"흐음."

피식 삐져나올 뻔한 실소를 티 내지 않기 위해 턱에 힘을 주었다. 애처로웠던 분위기는 어디로 가고 당당하게 어깨를 편 여성이 앞에 서 있었다. 이즈리에에게서 흘러나오는 드높은 자신감과 프라이드는 싫지 않았다. 오히려 그녀의 매력을 돋보이게 했지만 다니엘레에게는 아무런 감흥이 느껴지지 않을 따름이었다.

"다니엘레님 정도면 괜찮으니까요."

"그런가."

이즈리에가 의미하는 「괜찮다.」는 그녀의 콧대를 세울 만하고 모두의 선망 어린 찬양을 받게 해주는 부속품으로서 괜찮다는 의미임을 모르지 않았다. 뛰어난 안목과 강한 패기, 놀라운 추진력, 최고의 외모는 딱 하나가 부족한 이즈리에 페인을 지금의 위치까지 올라오게 해주었다. 부족한 하나는 귀족 사회에서 절대적인 「타고난 신분」. 그러나 이제 이즈리에는 그 마지막 하나도 손에 넣기 직전이었다.

"그토록 원하는 오르시니의 피는 물려받지 못했지만, 물려받았다 해도 사람을 그림처럼 등급을 매겨 나눌 순 없는 법인데."

"……어, 어떻게."

"이렇게 말을 섞고 있는 자체가 불쾌하군."

공작에게 그 외모를 이용해 접근해놓고도, 가문에서 이미 조사했을 수 있다는 가정 자체를 해보지 않은 이즈리에가 우스웠지만 다니엘레는 웃지 않았다. 그 정도의 감정 소모를 보여줄 필요조차 없는 상대였다. 당황한 이즈리에를 두고 차갑게 잘라낸 그는 마침 높이 솟아오른 장미 분수대를 말없이 응시했다. 분수대 너머로 성 대신 저택이 보였다.

"맹세를 하지."

"……네?"

"한 번만 더 내게 사랑한다 지껄이고 뒤로는 내 아비를 홀리고 내 동생들을 깔본다면, 도를 넘는 욕심을 부리는 네 꼴을 모르는 척 두지 않겠다."

"무, 무슨……."

고백하기에 운치가 좋을 거라던 장미 분수대는 오늘처럼 이즈리에가 쓰라고 만들어둔 것이 아니었다. 달밤, 장미 분수, 드레스를 입은 여자와 밀회 약속을 잡은 남자. 언제고 클로에가 눈을 뜨고 꿈을 꾸는지 몽롱하게 노래하듯 중얼거렸던 장면과 꼭 닮았다. 다니엘레는 저도 모르게 으득 이를 갈았다.

"넌, 너를 조건 없이 사랑해줄 유일한 사람을 네 손으로 버렸고, 이상하게도 너를 지키려고 하는 사람까지 놓았으니. 내가 참아주는 것도 여기까지다."

냉정하게 내친 이즈리에의 마지막 표정이 어떠했는지, 돌아서는 그에게 무어라 외쳤는지 기억나지 않았다. 그때 그는 그저 클로에가 미치도록 보고 싶었다. 동시에 그녀를 보는 순간 소리를 질러버릴 것만 같았다. 분명 으스러져라 어깨를 잡은 채 놓지 않으려고 할 테니 이성은 머리를 식히고 만나러 가야 한다고 외치고 있었다. 하지만 잔뜩 흥분한 심장은 그녀를 보고 싶다 발작하듯 날뛰었다.

이즈리에의 목표가 바뀌었다. 다니엘레를 소유하기 위해 물밑에서 작업을 벌이던 그녀는 모진 거절을 당한 후 생각을 바꾸었다. 불행인지 다행인지 장남이 안 된다면 차남이라도 상관없다는 쪽은 아니었다.

"아버진 더 이상 그 여자를 만나지 않으시겠다 약속하셨다."

"그러셔야지. 계속 정신 못 차렸다간 자식 손에 감금당하는 치욕을 겪으실 줄 알라고 경고하러 가려던 참이었거든."

공작은 이즈리에가 고르는 영지를 뭐든 주고, 그녀가 원한다면 다니엘레와 결혼을 시키거나 그도 아니면 페인 부부 허락 아래 방계 중에서 가장 괜찮은 가문의 양녀로 입적시키려고 했다. 이전까지만 해도 3형제는 공작이 무슨 생각을 하든지 신경 쓰지 않았으나, 다니엘레가 이즈리에를 거절한 이후 상황이 달라졌다.

"고양이의 존재를 눈치챈 것 같아."

이즈리에는 다니엘레가 거절한 원인을 알아내려 했다. 오만할 정도로 자신감이 넘치는 여자는 자기가 내쳐진 상황을 납득하지 못했다. 하이에나처럼 주위를 맴돌기 시작하더니 급기야는 다니엘레에게 마음에 두고 있는 존재가 있다는 사실을 눈치챘다.

그즈음이었다. 형제는 클로에를 별명으로 바꿔 부르기 시작했다. 클로에의 의향에 따라 그녀와 만날 때에는 조심스럽게 행동했음에도 불구하고 이즈리에는 기어코 3형제가 마음에 품고 있는 대상이 기어코 누구인지 알아냈다.

당시엔 분노와 증오의 화살을 전부 클로에에게 돌릴 거라고는 생각하지 못했다. 다니엘레가 누굴 좋아하든 이즈리에가 네르딘에게 해왔던 짓처럼 해서는 안 될 잘못을 저지른 것도 아니다. 신분 상승이 탐이 났다면 공작이 충분한 보상을 약속해 주었으니 그만하면 만족할 만하다 여겼다. 그러나 이즈리에는 페인이 아닌 오르시니라는 성을 원했다.

"이해가 안 돼. 그깟 게 뭐라고?"

"평생을 부족함 없이 당연하게 누리고 자란 미타이 네겐 그깟 거겠지만, 그 여자에겐 무슨 짓을 해서라도 가지고 싶은 거겠지."

"그 여자 소유도 원래 아니었건만."

자신이 가질 수 없다면 다른 사람이 가져서도 안 된다는 것이 이즈리에의 신조였다. 어느 누구도 그녀보다 좋은 것을 가지면 안 되고, 만약 소유하더라도 그녀가 먼저 맛을 보고 버린 후에야 가능했다. 미타이로선 이해하지 못하는 욕망이 이즈리에 마음 깊은 곳에 응축되어 있었다. 그런 식으로 손에 쥘 수 있는 소유물에는 한계가 있다는 법을 이즈리에는 받아들이지 못했다.

그녀를 버린 친모가 자신의 것이었다 주장했던 공작부인이라는 자리, 당연히 쥐고 흔들었어야 할 오르시니라는 가문을 이즈리에가 차지하면 그녀를 버린 친모에게도 보란 듯이 복수하고 그녀를 좀먹는 신분에 대한 태생적 열망을 해소할 수 있을 줄 알았으리라. 클로에가 보는 시각으로 해석해보자면 이즈리에는 운명에 휩쓸린 안타까운 한 명의 사람이었지만.

"그래서 어떻게 하겠다고? 게임인지 뭔지, 하게 둘 거야?"

클로에는 거듭 이즈리에를 내버려두라고 했었다. 부탁이라기보다는 일종의 선 긋기였고 제지였다. 저를 위해 3형제가 이즈리에를 건드리는 꼴은 절대 볼 수 없다고, 평소와는 다르게 강경한 어조로 신신당부하곤 했다.

그래서 방심했을까. 클로에의 존재를 알아낸 이즈리에는 3형제를 비웃기라도 하듯 클로에를 건드렸다. 미타이를 이용해 접점을 만들려고 했을 때부터 이즈리에에게 클로에란 끊임없이 자신을 괴롭히고 방해하는 눈엣가시나 다름없는 존재였다. 훼방으로도 모자라 다니엘레의 마음까지 빼앗아갔다고 생각하니 이성적인 판단을 할 수 없는 상태라도 되었는지. 이즈리에가 클로에와 어떤 게임을 하기로 했다는 이야기를 들었을 땐 이미 늦은 후였다. 클로에의 기억은 조금씩 지워지고 있었다.

"클로에에게 건 마법, 까다롭기는 한데 내가 매달리면 못 풀지는 않을 거야. 그러니 이대로 둘 필요는 없어, 형."

이즈리에를 건드리지 말라는 클로에의 부탁을 지키고 있던 형제에게 이즈리에의 돌발 행동은 끔찍하게만 느껴졌다. 지안니는 재고해볼 가치도 없다며 당장에라도 클로에에게 날아갈

태세였다.

"아니. 그냥 둬."

"뭐?"

"응?"

음울하게 가라앉은 금안의 색이 진해졌다. 이즈리에의 말도 안 되는 행동을 잠자코 지켜보겠다는 맏이의 선언에 두 동생이 놀라 고개를 쳐들었다.

"대신, 이쪽에서도 그 여자와 게임을 하지."

"이쪽에서도라니."

많이 까다롭긴 하겠지만 클로에를 빼내 와서 원상태로 되돌리는 것도 가능성이 낮진 않았다. 그러나 다니엘레는 이즈리에를 이용하기로 했다.

"우린 셋 다 거절당했지. 고양이는 꿋꿋하게 번복할 의지가 없고. 그러면서도 그 여잘 괴롭히지 말라는, 어이없는 명령만 하질 않나. 우리를 좋아는 하지만 사이가 좋은 우리의 우애를 깨고 싶지 않으니 웬 돈 많은 노인과 재혼이나 하겠다고 했었지, 아마."

"……그랬지. 농담이라고 얼버무리긴 했지만, 사람 일은 모르는 거니까."

"아하. 언제든 사라질 준비가 되어 있는 고양이를 오라비 꽁무니에서 떼어내고 낚아챌 기회구나?"

미타이는 주억거리며 두 귀로 듣고도 믿기 힘들었던 클로에의 이상형을 새삼 떠올렸다. 그리고 지안니는 제 형이 무슨 생각을 하는지 먼저 알아챘다.

"준비를 해야겠군."

아끼는 동생이라고 해도 처음이자 마지막으로 열망을 느낀 여자를 양보할 순 없었다. 미타이도 마찬가지였다. 지안니는 성향적으로 굳이 연애 혹은 결혼이라는 일반적 틀을 지키지 않아도 만족하겠지만 종래에는 달라질 것이다. 결국 형제 셋이 한 여자를 원하고 양보하지 않겠다는 기이한 형태를 띠자, 클로에는 어느 한 명을 선택하는 대신 아무도 선택하지 않고 도망가려 한다. 그래서 다니엘레는 방향을 틀기로 했다.

"선택할 수 없다면 선택하지 않아도 되게끔."

ജ

"지금이라도 늦지 않았어요, 다니엘레님."

자비로운 미소를 지으며 이즈리에는 넌지시 제안을 해왔다. 그래도 한때는 약혼자였던 네르딘까지 이용할 줄이야. 클로에도 동의한 게임의 일환이라는 주장에 다니엘레와 미타이는 잠자코 이즈리에의 요구를 이행했다. 우위를 점했다고 철석같이 믿고 있는 그녀는 레이스 장갑을 낀 왼손을 내밀었고 다니엘레는 정중하게 에스코트를 했다.

"아아. 얼마나 끔찍하고 소름 끼칠까. 벗어나지도 못하고. 아무것도 기억 못 하는데 그토록 싸고도는 잘난 오라비도 없어."

본색을 드러낸 이후로 이즈리에는 성격을 감출 노력은 하지 않았다. 한 술 더 떠 다니엘레에게 지금이라도 뉘우치고 자신에게 온다면 클로에를 풀어주고 용서해주겠다며 의기양양해했다. 물론 풀어주되 기억을 되돌려놓겠다고는 하지 않았고, 누구를 용서할지도 명확하게 언급하지 않았다. 어디까지나 나중에 다른 말을 할 수 있게끔 교묘한 화법을 사용한 것이다.

"반복되다 보면 죽고 싶어지지 않을까요? 아, 그래요. 그 탑에서 뛰어내리면 재밌겠다. 그렇죠?"

보통의 평범한 사람들이 듣는다면 진저리 칠, 공감 능력이라곤 하나도 없는 잔혹한 말이 스스럼없이 쏟아져 나왔지만 다니엘레는 동요하지 않았다. 화를 내지도 않았다. 여느 때처럼 담담하고 태연한 남자를 흘겨보다 재미없어진 이즈리에가 흥, 코웃음을 쳤다.

"당신을 선망하는 인간들은 당신이 이런 정신이상자라는 걸 알기나 할까요. 좋아하던 여자가 미쳐 죽는다 해도 신경도 쓰질 않아.”

“내가 정신이상자라.”

“설마, 아니라고 할 셈은 아니죠? 나야 그 계집애한테 받을 빚이 있으니 그래도 되지만 당신은 아니잖아.”

순수한 봄 같은 벚꽃색 입술이 삐뚜름하게 비틀리자 다니엘레도 결국 웃을 수밖에 없었다. 이즈리에가 클로에로부터 받으려는 빚은 크다면 크고 작다면 작았다. 이즈리에의 계획을 은근하고도 꾸준하게 오랜 시간 망쳐온 대가. 그러나 다르게 말하면 빚이라고 할 수 있을지도 의문이었다. 어디까지나 피해의식에 사로잡힌 이즈리에만의 주장이었기에.

다니엘레는 이즈리에가 아무리 비꼬는 말을 던져도 진심으로 분노가 치밀지 않았다. 클로에의 일이 아니라면 어떤 문제든 그가 온 신경을 쏟을 문제가 아니었고, 클로에가 아니면 어느 누구에게든 일말의 관심도 생기질 않으니 공감을 하려야 할 수가 없었다.

그러니 어쩌면 이즈리에가 비난한 대로 그는 정신이상자일지도 몰랐다. 비슷한 이유로 두 동생도 마찬가지라 볼 수 있다. 다만 클로에를 그렇게 만들고 비웃으며 자신은 그럴 자격이 있다는 이즈리에의 당당함이 우스울 뿐이었다. 실소를 머금은 그를 본 이즈리에는 두 눈에 쌍심지를 켰다.

“아직도 가능성이 있다고 생각하시나 본데.”

이즈리에는 클로에가 무너질 시간이 얼마 남지 않았다고 자신만만해했다.

네르딘은 의도적인 유혹에 겨우 정리했던 마음이 흔들려버렸다. 그를 불러내 고충을 털어놓으며 돌아갈 듯 여지를 주던 이즈리에가 순식간에 돌변해 잔인하게 내치는데도, 이미 기울어지기 시작한 마음을 바로잡을 수 없는 듯했다.

자신이 받을 상처를 알면서도 이즈리에의 부름에 응하는 오라비를 알게 되면 클로에 역시 상처를 받을 것이 뻔했다. 오라비가 동생을 아끼는 만큼 동생이 오라비를 생각하는 마음 역시 알고 있는 이즈리에는 둘 사이를 갈라놓고자 했는데, 종국에는 필시 네르딘에게 그녀와 동생, 둘 중 한 명을 택하게 만드는 일을 저지를 심산이었다.

"나를 다 알고 있다고, 가르치고 타이르는 듯한 초연한 면상은 이제 사라지고 없던걸요. 꼴좋게도. 하지만 다시는 나를 그리 보진 못할걸."

모든 기억을 잃어버린 상태에서 얼굴을 보는 것만으로도 섬뜩한 공포를 느끼는 대상에게 유린당한다면 더 이상 그런 눈으로 자신을 보지 못할 거라며, 이즈리에는 인자한 미소를 띠었다. 이즈리에를 마다한 미타이와 지안니까지 괴롭히겠다는 묘수가 제대로 통했다고 기쁜 기색을 숨기지 않는 여인의 작태에 다니엘레는 자꾸만 삐져나오려는 실소를 참기가 조금씩 힘들어지고 있었다.

그녀가 힐난한 그대로, 3형제 모두가 정신이상자가 맞을 수도 있다.

지안니야 일찌감치 제 성격이 어떤지를 파악하고 있기에 제정신인 여자가 제게 올 리 없다 했고, 미타이도 크게 다르다고 보긴 힘들었다. 제대로 된 사랑을 지속적으로 받지 못하고 자란 아이가 좋아하는 여자아이 하나만을 십 년 넘게 꿈꾸며 자랐는데, 과연 소위 말하는 평범한 정상이라 볼 수 있겠는가.

다니엘레도 비슷했다. 겉으로는 그만큼 엇나가지 않고 잘 자란 후계자가 없을 거라며 칭찬이 자자하지만, 동정심이 우러나오지 않는 차가운 돌 같은 마음을 지녔는데 어떻게 정상이라고 할 수 있을까. 이즈리에가 원하는 대로 클로에가 충격으로 정신을 놓고 그들 형제를 거부하다 목숨을 끊으면 그때서야 고통을 조금 느끼려나.

“그러니 내게로 오세요. 마지막 기회를 드릴게요.”

이즈리에가 간과하고 있는 점이 하나 있었다. 클로에 파르세는 그리 쉽게 무너지는 사람이 아니다. 술수에 걸려 지안니를, 3형제를 무서워하는 듯도 했는데 무서워하는 이유가 달라 보였다.

틈만 나면 도망가려는 궁리를 하는 눈치가 고스란히 드러났지만 그렇다고 해서 접근하는 3형제를 쳐내지는 않았다. 이전처럼 밀어내지 않았다. 이즈리에가 그토록 진저리 치던 클로에의 관조하는 듯한 태도는 기억을 잃은 후에도 여전했고, 무슨 일이 벌어져도 제 문제가 아닌 양 대하던 클로에의 눈동자에 빛이 스며드는 순간 역시 기억을 잃기 전과 비슷하게 이즈리에와 네르딘의 이름이 수면 위로 드러날 때뿐.

"아니. 끝까지 가보지."

너그럽게 준 기회를 단호하게 저버리는 다니엘레의 희미한 미소에 이즈리에의 손끝이 그의 피부를 파고들었다. 어찌나 세게 힘을 주었는지 장갑과 옷이 중간에 있는데도 파고드는 감각이 느껴질 정도였다. 그러나 표표히 부유하는 클로에가 떠오른 직후엔 옆에 누가 서 있는지조차 잊게 되었다. 기억이 없음에도 클로에에게 있어 3형제는 분명 감흥 없이 지나가길 기다리던 존재가 아니었다.

ꕥ

맺혀 있는 땀 한 방울 한 방울마저 반짝이는 구슬 같은데 정작 그녀는 자꾸만 베개를 안고 가리려고만 했다. 흐트러진 머리카락이 넓게 퍼져 있어, 다니엘레는 실수로라도 머리카락이 손바닥에 눌려 뽑힐 정도로 당겨질까 봐 조심조심 밀어내며 짚었다. 상체를 가리며 베개를 꼭 안고 누워 있는 클로에가 눈치채고 살포시 눈꼬리를 휘었다. 그녀 위에서 홀린 듯이 내려다보던 다니엘레는 조용히 입술을 훔쳤다.

"……끙."

손가락 마디가 하얘질 정도로 힘을 준 채 자신을 지켜줄 방패라도 되는 양 베개를 잡고 있는 이유야 간단했다. 달콤한 체향이 가득한 살결이 드러나는 즉시 그녀 위에 있는 짐승이 달려들어 게걸스럽게 빨아댈 것을 알기 때문이다.

"오늘은 그만해요."

오늘은. 날이 바뀌면 다시 달려들어도 괜찮을 것처럼 여지를 남기는 한마디에 다니엘레는 당장 지금 이 순간만은 입술로 만족하기로 했다. 옆으로 옮겨 누워 가만히 팔만 들어 클로에를 품에 안았다. 저항 없이 그녀가 안겨왔다.

클로에는 거부감 없이 몇 번이고 몸을 맡겼다. 저 하나만 괴롭히는 것으로 만족할 것이지 왜 네르딘까지 끌어들였느냐 원망하는 눈치였지만 결국 사과 한마디에 너무나도 쉽게 그를, 형제를 용서해버렸다.

내심은 바깥에 관심을 주지 않고 아무것도 모르는 채로 새장에 남아 있기를 바랐으나 클로에는 제 발로 새장을 나왔다. 일부러 나오는 방법을 알려주기도 했으니 어쩌면 이렇게 되리라는 것을 스스로도 짐작하고 있었으리라. 다니엘레는 규칙적으로 오르내리는 등 언저리를 쓸었다.

이즈리에는 저택의 고용인이 보는 앞에서 스스로 독을 마시고 클로에에게 덮어씌우려 했다. 거리를 두려는 공작의 관심을 다시 붙들어두고 클로에에 관한 안 좋은 소문이 귀에 들어가게 하기 위함이었다.

그뿐만 아니라 네르딘을 속여 준비해둔 찻잎을 다니엘레의 수중에 들어가게 만들고자 했다. 다른 사람이라면 몰라도 네르딘의 선물이라면 그가 의심 없이 받으리라는 것을 알기 때문이었다. 네르딘이 클로에의 오라비라는 이유 하나만으로.

다니엘레가 중독이 되길 기다려 해독제를 들고 생명의 은인인 양 때마침 나타날 계획이었다. 만약 그가 차를 마시지 않는다 하더라도 슬슬 거추장스러워진 네르딘을 클로에와 같이 해결해버릴 목적으로 이용한 것이다.

네르딘은 자세히 말을 흘리지 않아도 전말을 파악했고 이용당했음을 깨달았다. 그런데도 이즈리에를 위해 그 스스로 덮어쓰고자 했다. 네르딘 하나라면 그가 희생을 하든 말든 관심 밖이었겠지만 하필이면 클로에의 가족. 그렇다면 이즈리에가 더 이상 네르딘을 이용하지 못하게 만들 필요가 있었다.

사라진 클로에, 사라진 메이드 때문에 조바심을 느낀 이즈리에는 징표가 된 그림의 상태를 확인하겠다 요구했으나 지안니는 거절했다. 어차피 여자의 요구로 전시회에서 공개하기로 약속이 되어 있는 상황이었으니 고작 며칠만 참으면 되건만, 당장 확인을 해야겠다며 날카롭게 굴던 이즈리에는 마침내 그림을 강탈하려 했다.

게르와 라스를 이용해 미술관 침입을 시도했었을 때의 경험을 보완해 도둑질을 하려던 무리는 지안니와 조우했고, 약간의 소요 끝에 부상을 입었다. 어떤 방식으로든 이즈리에에게 신체적 위협을 가해선 안 된다는 약속 때문에 손 하나 까딱할 수 없는 지안니를 향해 몸소 칼을 빼 든 탓이었다. 그날, 다니엘레는 이제는 정말 끝내야 하는 때가 되었음을 직감했다.

솔직히 말하자면 클로에가 다니엘레까지 받아들인 이상, 이대로도 괜찮았다. 외부와 격리한 새장에 안전하게 숨겨둔 새가 편안하게 잠든 사이 이즈리에를 처리해도 괜찮았고, 그들의 새가 제 가족은 까맣게 잊고 3형제만 바라보고 살게 되는 것은 한편으로는 바라던 바였다.

그러나 새는 달리 생각하리라. 형제는 처음으로 다른 사람의 입장에서 다른 사람이 무엇을 원할지, 무엇이 그 사람에게 좋을지를 고심했고, 바깥으로 나가고 싶어 할 새를 위해서 이즈리에와의 일을 끝내기로 했다.

물론, 끝없는 하늘로 훨훨 날아가 찬란히 사라지게 두겠다는 의미는 아니다.

다른 행위는 제쳐두고 오로지 그녀를 범인으로 몰아 새장에 가둔 행위에 대한 사과에도 클로에는 별일 아닌 듯 넘어갔다. 별일 아닌 듯. 알지 못하는 세상에 홀로 뚝 떨어지는 바람에 본능적으로 한구석에 자리 잡은 두려움도 그녀의 본모습을 가리지는 못했다. 이즈리에가 그토록 바라고 또 바랐지만 그런 일을 겪고도 클로에는 무너지지 않았다. 그녀가 강해서가 아니라…….

"그대는 「우리」가 행복하길 원한다고 했었지."

셋 중 한 명만 선택할 수는 없다고 했다. 차라리 그녀는 다른 남자를 찾아 떠나고, 멀리서 3형제가 각자의 짝과 맺어지는 모습을 보겠노라 했다. 이즈리에를 챙기고 보호하는 듯하면서도 정작 이즈리에를 조심하라고 경고했다.

"그대에게 우리와 그 여자가 비슷한 위치였다 해도."

클로에는 아까 다니엘레의 품에 안기자마자 잠이 들었다. 피곤하고 여러모로 지쳐 있었던 탓에 눈을 감자마자 새근새근 숨소리가 났다. 위험한 맹수 곁에서 경계도 하지 않고 곤하게 자고 있는 클로에의 뺨을 간질였다.

"적어도 그대가 다른 누구도 아닌 「우리」의 행복을 바랐다는 사실만큼은 변하지 않아."

그렇지 않느냐는 반문에는 당연히 대답이 없었지만 다니엘레는 핏, 웃음을 터트렸다. 이즈리에가 예상하지 못했던 변수, 클로에의 3형제에 대한 감정이 게임을 승리로 이끌고 마지막에는 모래알처럼 빠져나가려는 클로에를 붙들 수 있을 것이라 확신했다. 그녀는 스스로의 의지로 3형제가 내민 손을 잡아주리라.

# 외전 2.
# 생일선물 소동

“오빠, 표정이 안 좋다?”

늦은 밤에 귀가하는 네르딘의 모자와 지팡이를 받아 드는데 얼굴이 하얗게 질려 있었다. 아무리 눈치가 없어도 좋지 않은 일이 생겼구나 알 수 있을 정도여서 집까지 용케 돌아왔다 싶었다.

“응? 아, 응.”

“왜? 무슨 일 있었어? 또 사업 망할 것 같아? 부모님께 또 사기꾼이 붙으셨나? 아니면 이즈리에가 또 악담이라도 퍼부었어?”

혼자 깊은 생각에 잠겨 있느라 스스로 어떤 대답을 했는지 옆에서 무슨 말을 늘어놓는지도 자각하지 못하고 있던 네르딘이 한참 후에나 화들짝 놀라 필사적으로 고개를 저었다.

"어? 어, 아니. 셋 다 아니야. 특히 마지막은 절대 아니야."

"어, 그래. 퍼붓진 않고 한마디 했어?"

"……."

"사랑이 웬수지."

"……."

동생의 비수까지 맞은 네르딘은 결국 침몰했다. 어두운 그늘이 턱까지 내려왔다. 울적해진 네르딘을 위한 차를 준비해달라는 지시를 내린 후 클로에는 흐느적거리는 오라비를 질질 끌고 거실로 이동했다.

다니엘레가 추천한 전문 경영인이 컨설턴트로 붙은 과실주 사업은 하루가 다르게 규모가 커지고 있었다. 과실주 외에도 파르시에 영지를 활성화할 방안을 다각도로 모색하기 위한 회의가 매주 이어졌고, 네르딘은 파르세의 후계 수업을 받는 한편 사업 경영을 배우고 미래의 부인이 해야 할 영지 관리도 함께 익히고 있어 몸이 하나라도 모자란 상황이었다.

원한다면 전부 오르시니에서 보내준 사람들에게 맡기고 놀러 다니는 길도 택할 수 있었지만, 네르딘은 가능한 한 빨리 자립하고 은혜를 갚겠다며 제 몸을 혹사하는 길을 택했다. 동시에 초대장이 날아오는 족족 파티에도 참가하고 있어서 이러다 오라비가 쓰러지지나 않을까 슬슬 걱정이 되기 시작하던 참이었다.

"소문을 들었어."

"무슨?"

"오르시니가 결혼 준비를 하고 있대."

"응?"

유약하고 바보 같아 보이지만 의외로 강단 있고 고집이 센 오빠였다. 오르시니에 파르세가 평생 빌붙어 살면 클로에의 발목을 잡을지도 모르니, 기회가 주어졌을 때 가문을 재건해야 한다는 결심을 한 네르딘은 동생이 괜찮다고 만류해도 듣지 않았다. 당장은 오르시니에서 주는 도움을 받고는 있지만 언젠가 꼭 갚겠다는 강박관념으로 네르딘은 스스로를 채찍질하는 중이었다. 오르시니가 왜, 누구 때문에 도움을 주는지 잘 알고 있다는 뜻이기도 했다.

"오르시니가? 오르시니 3형제가?"

"응. 친척도 아니고 3형제 중 한 명인 건 확실한데, 누군지는 아직 알려지지 않았어. 워낙 비밀리에 준비 중이라. ……그런데."

"그런데?"

"신부는 네가 아닌 것 같아."

"그래?"

그날 이후로 일 년이 지났다. 오르시니 3형제 중 누군가가 클로에 파르세에게 관심을 보이고 있다는 이야기는 이미 유명했다. 공표하고 싶은 마음은 없었지만 새장과 그림을 실은 마차가 도착했을 때 직감했다. 숨기기는 다 틀렸노라고. 물질로 나타나는 애정 공세는 그나마 특정 인물의 이름이 아닌 오르시니의 이름으로 끝없이 들어오는 통에 3형제 모두와의 염문설이 퍼지지는 않았다.

“하긴 난 청혼을 받진 않았으니까 신부가 나는 아니겠네.”

“그게 말이 되니!”

의외로 태연한 클로에 대신 네르딘이 버럭 화를 냈다. 상대가 누구인지 가족에게 일 년간 숨겼으면 오래 숨겼다. 슬슬 회피하기도 힘들어져서 하루 날을 잡고 네르딘에게만 일생일대의 결심을 하고 사실을 밝혔다. 한데 그의 반응이 어떤 면에서는 예상대로였으나 어떤 면에서는 예상을 한참 벗어났더랬다.

불도 켜지 않고 방에 혼자 틀어박혀 굵은 눈물방울을 소리 없이 뚝 뚝 흘리던 그는 어느 날 밤 좀비 같은 몰골로 일어나 의전용 검을 들고 바깥으로 나가다가 생포됐다. 하마터면 그날 밤 오르시니 저택에 웬 어설픈 암살자가 당당하게 들어갈 뻔한 것이다. 네르딘은 클로에의 가족이라는 이유만으로 사전 약속을 잡지 않아도 언제든 드나들 수 있었으니 어이없게도 기습이 성공할 뻔했다. 클로에는 아직도 그날의 밤샘을 천운이라 여기고 있었다.

"왜 내가 아니라고 생각하는데? 다른 사람들이야 내가 누구랑 사귀는지 모르니 그럴 수 있다 치고. 오빠는 아니잖아?"

"그게."

여리고 순수한 오라비의 감성을 위해 세 사람과 번갈아, 혹은 동시에 잔다는 진실은 감추었다. 문란함이 일종의 덕목이기도 한 사교계에서 첫 키스는 이즈리에와 한 것이 전부이고 꽃잠은 결혼한 상대를 위해 소중하게 간직하고 계신 오라비에게 굳이 전부 밝힐 필요는 없었다. 네르딘은 아직도 제 동생이 깨지기 쉬운 유리인 줄 알고 있으니 그 판단은 옳았다.

진실의 조각을 고백하고, 한차례 폭풍과도 같은 감정의 변화를 겪은 이후 네르딘은 이즈리에의 면회 횟수도 차차 줄였다. 아직도 남아 있는 사랑에 죄책감이 덧씌워지는 바람에 한동안 흔들렸으나 시간이 지나면서 조금씩 머리가 식었고, 클로에와 이즈리에의 악연을 알고 나니 더더욱 이성을 되찾은 모양이었다. 반대급부로 이즈리에의 신경은 더 날카로워져서 유일하게 찾아오는 네르딘에게 화풀이 삼아 퍼붓는 듯했고.

"그야 신부 몰래 준비하는 결혼식이라는 것부터가 말이 안 되고."

빈말로라도 좋고 착한 남자들이라고 할 수는 없지만 3형제가 다름 아닌 클로에의 의향을 묻지도 않고 추진할 리는 없다, 네르딘은 그 점을 지적하고 있었다. 어떻게든 붙잡아두고 싶어서 안달이 나 있지만 주도권을 클로에에게 넘기기로 한 날을 기점으로 그녀가 바라지 않는 일은 하지 않는다. 물론 밤은 반대라는 부분까지는 네르딘은 모르고 지적하고 있었지만 말이다.

"혼례를 올릴 장소가 여기가 아니래."

"응? 교외라도 되나?"

"아니, 외국이라던데. 그래서 외국의 왕녀가 아닐까 하는 추측이 돌고 있어."

"으잉? 외국?"

"소문에 의하면 섬도 하나 구입했다고 하더라고."

"……."

"왕녀씩이나 되면 혼례는 자기네 왕국에서 올리고 싶기도 하겠지만, 오르시니는 어지간한 왕녀는 가뿐히 누르는 이름이니. 그래서 절충안으로 아예 타국에서…… 응? 클로에? 차가 쏟아지고 있는데?"

"섬……."

"클로에? 클로에!"

당황한 네르딘이 앞에서 손바닥을 펼쳐 흔들고 찻잔을 빼앗아 치운 뒤 손수건으로 다급하게 드레스를 닦아도 클로에는 멍하니 한 단어만을 중얼거렸다. 섬이 어디에 쓰일지 알 것 같았다.

차라리 그녀를 정부로 두고 사귀면서 결혼은 격식을 차려 정통성 있는 왕녀랑 하는 것이 아닐까 따위의 오해를 하고 싶었다. 하나도 아니고 셋이나 그녀를 파렴치하게 엔조이로 가지고 놀았노라고 흐느껴 울고 싶었다. 네르딘은 이미 제 동생을 가지고 논 것이 아닐까 하는 걱정에 빠지는 바람에 큰 충격을 받은 모양이었는데, 클로에는 오해를 하려야 할 수 없음을 아주 잘 알고 있었다.

"나, 조만간 죽을지도 몰라……."

흘러나오는 혼잣말을 들은 네르딘이 겨우 진정하나 싶더니 다시 패닉에 빠지는 광경을 멍하니 보면서 클로에는 훌쩍였다. 물론 그 때문에 네르딘이 더 크게 오해했음은 당연했다.

"외람되지만, 다시 한 번만……."

"제 동생은 못 보냅니다. 파렴치의 극을 달리는 오르시니 따위에!"

"……."

값비싼 선물과 꽃다발은 눈앞에서 버려졌다. 게다가 오르시니의 수석집사는 평소와 달리 파르세 저택의 입구에서 들어오지도 못하고 있었다. 네르딘이 몸소 나가 내쳤는데, 수석집사는 항상 상냥하기만 하던 남자의 돌변에 놀라야 하는지, 감히 그 앞에서 오르시니를 따위라 부르는 남자의 무례에 화를 내야 하는지, 감히 오르시니를 대표하는 그를 홀대하는 남자에게 어이없어해야 하는지 갈피를 못 잡는 듯했다.

"집사님. 죄송해요. 오라버님께서 오해를 하셔서……."

"오해는 무슨 오해! 클로에 넌 위험하니까 들어가 있어!"

"……."

까치발로 네르딘 뒤에서 미안하다 대신 사과를 하는 클로에의 말이 끊겼다. 동생을 밀어내는 오라비의 기세가 무서웠지만, 클로에와 수석집사는 한숨만 쉬었다. 위험이 닥친다면 제일 위험하지 않을 사람이 클로에임을 그녀도 알고 집사도 알고 당장 우기고 있는 네르딘도 알았다. 그녀가 마법사이기 때문이기도 했지만, 비밀리에 그녀를 지키는 호위도 있으니.

"대체 네르딘님께서는 무슨 오해를……."

"제 동생은 가지고 놀다 버리시려는 것 아닙니까! 외국의 왕녀와 혼담이 오고 간다는 이야기, 다 들었습니다!"

네르딘도 크게 충격을 받긴 했지만 클로에에게 이야기를 전해줄 때쯤엔 머리가 식은 후였으므로 근거가 없으니 믿을 필요 없다는 입장에 가까웠다. 그의 입장이 바뀐 것은 클로에가 충격을 받고 눈물을 글썽인 순간부터였고, 소문이 기정사실이 된 것은 조금씩 소문의 내용에 구체적으로 살이 덧붙은 이후였다. 발 없는 말에 날개가 붙어 널리 퍼지니 신부 후보 명단이 추려졌고, 그럴듯한 세기의 결혼식 장소는 하루가 멀다 하고 바뀌었다. 네르딘이 윽박지르자 집사의 표정이 미미하게 변했다.

"오빠, 이럴 때일수록 내가 직접 가서 담판을 지어야 해."

네르딘을 말리려면 소문을 잠재우러 오르시니에 갈 필요가 있었다. 차라리 오해를 하고 네르딘 뒤에 숨어 모든 것을 맡기고 싶었는데, 섬을 누가 무슨 용도로 샀는지 묻지 않아도 너무나도 잘 아는 판국이라 도무지 뒤로 물러나 있을 수가 없어 나서려 했다. 그런데 네르딘이 폭탄을 던졌다.

"안 돼. 네 의견을 존중하고 싶지만 이번만큼은 막고 싶구나. 죽을지도 모른다며."

"쿨럭!"

수석집사가 기침을 했다. 감기는 절대 아니다. 사레가 들린 집사는 경악했다. 두 눈을 부릅뜨고 그녀를 바라보는 모양새에 클로에는 직감했다. 집사도 네르딘처럼 무언가 단단히 오해했다. 그리고 그 오해의 내용은 아주 터무니없을 것이 분명했다.

"그, 그럼 오늘은 여기서 돌아가겠습니다."

혼잣말을 너무도 똑똑하게 기억하고 있던 네르딘이 던진 폭탄에 수석집사가 아주 쉽게 무너졌다. 비틀거리며 마차로 돌아가 클로에를 버려두고 떠나버렸다. 네르딘은 몬스터를 물리친 것처럼 후련한 얼굴이었지만 그녀는 심정이 복잡했다. 이 두 가지 오해가 풀리고 나면 아무래도 결과는 섬 하나로 끝날 것 같지가 않았다.

ᘓ

—조만간 죽을지도 몰라.

원래 의도는 「섬에 갇혀 3형제에게 밤낮으로 시달리다 기력이 쪽쪽 빨려 죽을지도 몰라.」였다.

그러나 네르딘은 왕녀와 결혼하기 위해 방해가 되는 클로에를 처리하려고 한다는 뜻으로 비약했고, 수석집사는 클로에의 살날이 얼마 남지 않았다는 뜻으로 해석했다.

"……전 건강해요."

"혹시 모르는 일이니."

네르딘이 아무리 감시한다고 한들 클로에를 빼돌리기란 쉽다. 아직 배울 것이 많은 순진한 청년을 조금 더 바쁘게 만들면 원래 구속이라는 개념을 잘 모르는 오라비는 제 동생이 집에 잘 붙어 있겠거니 순수하게 믿고 외출을 한다. 그 틈을 타 클로에를 데리고 오면 되는 것이다. 다니엘레의 만나자는 전언에 의심 않고 나왔더니 그녀를 기다리는 사람은 오르시니 가문의 주치의였다.

"아주 건강하십니다."

상류층 귀족만을 진료하는 병원에 난데없이 입원해 하루 종일 검사를 받고 나온 결과였다. 다니엘레는 클로에의 손을 꼭 잡고 안도의 한숨을 쉬었다. 아주 멀쩡하고 아주 튼튼하고 아주 씩씩한 몸으로 중환자처럼 누워 있던 그녀도 함께 한숨을 쉬었다. 의사의 「아주」를 들었을 땐 민망하기도 했다. 몸에 좋다는 보양식이란 보양식은 꼼짝없이 챙겨 먹고 있고 운동은 종종 밤에 하고 있으며, 운동 때문에 조금이라도 몸에 무리가 간다 싶으면 바로 검진을 받고 마사지를 받는 생활이었는데 오르시니가 모를 큰 병이 나타날 리가 있겠는가. 알아도 클로에보다 먼저 알아차릴 이들이었다.

"대체 어쩌다."

"섬 때문에요."

"섬? 아아, 그 섬인가."

"소문이 이상하게 퍼져 있어요."

"외국의 왕녀 말인가. 연결고리는 알겠으나, 왕녀와 섬이 그대의 죽음으로 이어지는 이유는 모르겠군."

"그, 그건……."

별일도 아닌 문제로 호들갑이냐고, 눈으로 잔소리를 하던 클로에의 입이 딱 다물렸다. 아무리 이런 모습 저런 모습 다 보여준 사이라지만 아직도 부끄러운 부분은 남아 있다. 신경의 굵기가 일반인보다 굵고 튼튼하다고 자부한다 해도 대놓고 세 명과 섬에서 뒹구는 상상을 했다고는, 차마 말할 수 없었다.

"선물로 준비하면서도 소문은 어느 정도 각오했지만 그 때문에 그대가 죽게 될 줄은 몰랐군."

"선물이요? 와아, 섬이 무려 선물이라니."

언뜻 들으면 비꼬는 말로도 들리겠지만 클로에는 무시했다. 지안니가 말했다면 높은 확률로 비꼬는 중이었겠지만 오늘은 상대가 다니엘레이니 확률이 낮다. 못 들은 척하며 손뼉을 치고 과장된 감탄사를 내뱉었다. 섬을 두고 무슨 상상을 했는지 들키고 싶지 않았다.

"그러고 보니 곧 다니엘레 생일이네요. 미타이와 지안니의 합작인가요?"

세 명의 진심을 다 받아들이기로 한 날이자, 3형제가 클로에의 날개를 꺾고 새장에 가두려다 놓아주기로 한 날 이후로 맞이하는 다니엘레의 두 번째 생일이었다. 한 달 뒤로 다가온 그의 생일선물로 두 형제가 합쳐 큰 선물을 준비한 듯했다. 몇 년 안으로 정식으로 공작 위를 물려받으리라는 말도 떠돌았으니 아마 그 기념으로 준비했을 가능성이 높았다.

작년에는 당시의 클로에 파르세로서 가능한 선에서 선물을 준비하긴 했었는데 되레 그녀가 선물을 받아버렸다. 이십 년이 넘도록 닫혀 있던 오르시니 성의 문이 모처럼 다니엘레의 생일을 기념해 열렸으나, 실은 네르딘 파르세에게 공개적으로 힘을 실어주겠다 발표를 하기 위함이었다. 지안니와 미타이 때도 마찬가지였다. 파티를 열지는 않았지만 이상하게도 클로에가, 정확히는 클로에의 가족이 무언가를 받곤 했다. 그렇다고 해서 정작 그녀의 생일 때 훨씬 거창한 선물을 받았느냐 하면, 평범했다. 예를 들어…….

"이번에 구입했다는 섬의 소유주는 그대 이름이 될 거다."

예를 들어 평범하게 미타이는 5년마다 열리는 검술제에 나가 받아 온 우승패를 선물했고, 지안니는 열쇠가 없는 수갑과 안대를 선물했으며 다니엘레는 그녀가 가지고 싶어 했으나 구하기 힘든 서적을 구해다 낙서를 한 다음 선물했다. 그녀가 네르딘에게 경고 메시지를 전할 때 썼던 방법을 활용한 다니엘레의 낙서를 조합해봤을 때 나중에라도 그 책을 처분할 마음이 들지 않도록 만들어둔 것만 빼면 평범한 선물이었다.

클로에는 잠시 이번에는 평범하게 무슨 말을 들었나, 애써 눈을 깜빡거렸다.

"한 달 후는 제 생일이 아니었던 것 같아요."

"그대 생일은 아직 멀었지."

조심스럽게 본인의 생일이 언제인지도 확신하지 못하고 있으려니 다니엘레가 느긋하게 클로에의 생일이 아니다, 수긍했다. 생일도 아닌데 섬을 선물로? 아니, 그 이전에 장난감 섬도 아니고 선물로 줄 법한 종류였던가? 클로에는 더더욱 혼란스러워졌다.

"내 생일이니 내게 가장 기쁜 일을 하는 것이 좋지 않겠나."

"……."

"다만 이렇게 일찍 귀에 들어갈 줄이야. 그 부분이 예상 밖이군."

받는 사람의 생각은 둘째 치고 그녀에게 선물을 하는 그 자체가 자신에겐 즐거운 순간이었는데 너무 일찍 클로에의 귀에 들어가는 바람에 곤란하게 되었다며 웃는 다니엘레의 미소는 전혀 곤란해 보이지 않았다.

야한 상상을 뛰어넘는 선물이다. 무엇보다도 경험상 이런 경우 거절은 반드시 부드러운 거절로 돌아오곤 했었으니 세금과 유지비 운운하며 거부해봐야 씨알도 먹히지 않으리라. 다니엘레의 생일에 섬이라는 선물을 클로에가 받게 생겼다. 만약 이 자리에 다니엘레 대신 네르딘이 있었다면 또 오라비의 폭풍과도 같은 오해를 불러일으킬 행동을 했을지도 모를 정도로 당황했다.

"아, 그런데 이번에 사들인 것이 무인도라서 당장 보여주기에는 조금 힘들고. 이것저것 준비를 해야 하는데, 조금 기다려 줄 수 있겠나?"

섬, 무인도, 섬, 무인도. 두 글자가 머릿속을 휘저어놓았다. 무인도에 무슨 준비를 해야 하는지는 잘 몰라도 그가 필요하다면 필요하겠지. 클로에는 머리를 새하얗게 비우고 끄덕였다. 깊이 생각하고 싶지 않았다. 그저 다니엘레의 생일이 오지 않았으면 좋겠다고, 간절히 빌었다. 까맣게 타들어가는 속도 모르고, 아니 분명 알면서도 다니엘레가 미소 지었다.

ꟸ

소문이 눈덩이처럼 불어나고 있었다. 처음에는 정략결혼이라는 설이 심심찮게 나돌았는데, 이제는 타국의 미망인 혹은 유부녀에게 한눈에 반해 사랑의 도피를 하려 한다는 소문으로 바뀌었다. 이유인즉슨 오르시니가 짓고 있다는 별장 때문이었다.

그러나 정작 클로에는 무릎까지 담근 다리가 맑게 비치는 연녹색 바다를 끼고 하얀 해변을 바라보는 방향으로 지어지고 있다는 별장에 대한 소문을 처음 전해 들었을 때 심드렁하게 흘려들었다. 오르시니가 어디에 무엇을 짓든 그녀와는 상관이 없었기 때문이다.

“준비라는 게 별장이었군요. 아, 여긴 큰 이상 없어요.”

“그럼 다음 장소로 이동하죠.”

마법사로 복귀한 클로에는 협회에 가입해 협회로 들어오는 의뢰를 받는 프리랜서로 일하기 시작했다. 은근하게 독점욕을 드러내는 3형제가 과연 그녀가 일하게 둘까 우려되기도 했지만 다행히 생각 외로 아무도 반대하지 않았다.

대신 지안니가 한 번씩 클로에와 공식적으로 같이 움직일 수 있는 의뢰를 넣는 수단으로 협회를 이용할 뿐이었다. 오늘은 미술관 보안 점검차 마법사로서의 클로에 파르세에게 의뢰를 넣은 참이었다. 최근 개발 중인 장치를 하나 더 어떻게 추가할 순 없을까 하여 한창 현장을 구석구석 둘러보는 중에 지안니가 방문했다.

“소문이란 게 참 재밌어요, 그렇죠?”

“……일부러 퍼지게 두었으면서.”

지안니는 지안니고 일은 일이다. 만난 즉시 덮치지 말라고 제지해두었다. 감독관과 교대한 지안니가 직접 안내하고 클로에는 마법사 로브를 입은 채로 따라 움직이며 일을 하고 있는데, 지나가다 본의 아니게 듣게 된 수다가 하필이면 소문의 별장에 관한 내용이었더랬다.

야외 수영장과 실내 수영장, 온천욕을 즐기는 기분을 낼 수 있게 만든 야외 욕실, 워터파크처럼 꾸며진 개인 놀이터, 와인 저장고, 오락실, 도서관급의 서재, 일 년을 육지로 돌아가지 않아도 버틸 수 있는 양의 식료품을 보관하는 창고, 비바람이 몰아쳐도 바깥 경치를 구경하며 휴식을 취할 수 있게 마법으로 보호되는 테라스, 돌아다니다 언제 어디서든 쉬거나 자고 싶으면 누울 수 있게 곳곳에 준비된 해먹과 침대 등 단기 휴양을 목적으로 머무르기에는 과분할 정도로 호화스러운 구조.

수다는 별장에 대한 설명, 아니 홍보에 가까웠다. 클로에가 하던 일을 멈추고 귀를 쫑긋하고 들을 만큼. 문제는 소문의 별장이 어디에 지어지고 있는지를 들은 뒤였다.

“섬도 감당이 힘든데 별장까지는, 으음.”

“섬에 딸려오는 부속품이라 생각하면 되죠. 미타이가 같이 주려는 부속품도 마찬가지고.”

“아, 맞다, 그 문제도 있었네요.”

예전에 지안니와 개인 주택에 대한 로망을 주제로 담소를 나눈 적이 있기야 했다. 까맣게 잊어버린 지 오래였는데 클로에가 모르는 사이에 로망이 어처구니없는 규모로 실현되는 중인 셈이었다. 알고 들으니 확실히 클로에의 취향이 듬뿍 반영된 별장이긴 했다. 그녀가 언급한 조그만 해먹 하나, 미끄럼틀 하나, 혼자 들어갈 만한 야외 풀 하나, 방범 때문에 꿈도 못 꿀 전면 유리 욕실이 말도 안 되는 형태로 재탄생해서 문제였을 뿐.

다니엘레가 섬을 주는데 다른 둘이 가만히 있을 리가 만무하여 벌어진 사태였다. 지안니는 별장을 얹기로 했고 미타이는 요트를 얹기로 했다. 별장은 아무것도 없는 무인도니까 비바람을 피할 곳이 있어야 한다는 이유였고 요트는 섬으로 쉬러 가고 싶을 때를 대비한 교통수단이 필요하다는 이유였다. 그 모든 것이 클로에가 그들의 생일에 받아야 할 생일선물이라, 생각할수록 한숨만이 늘어날 뿐이었다.

"생각 같아선 섬의 별장에 아가씨만을 위한 아름다운 새장을 만들어놓고 그 가느다란 발목에 족쇄를 채워 아가씨를 가둬두고 싶은데. 연고 없는 타국의 여인이 도피해 숨은 세상인 줄 알고 아무도 찾으러 오지 않는 곳에서 외로움을 달래줄 유일한 사람은 나뿐이고."

"……음, 여기도 아무 이상 없어요."

쭈그리고 앉아서 이상이 전혀 없음을 확인하고 나서도 꼼짝않고 무릎에 얼굴을 묻었다. 목덜미가 화끈거렸다. 3형제는 잠잠하게 있다가 금욕적인 태도로 혹은 천진난만하게 낯 뜨거운 발언을 기습적으로 던지곤 했다. 지금도 그랬다. 진심이 아닌 듯 던지는 말에 담긴 집요한 독점욕을 읽어버린 클로에는 똑바로 얼굴을 보지 못하고 있었다.

"아가씨."

장갑 낀 손이 눈앞에 내밀어졌다. 제 손을 잡고 일어서라는 뜻으로, 내키는 대로 하려면 언제든지 마법으로 그녀를 실에 매달린 꼭두각시 인형으로 만들 수 있지만 참고 클로에가 스스로 손을 마주 내밀어 잡을 때까지 기다렸다.

"족쇄는 싫어요. 화장실은 가야 할 것 아니에요."

정확히는 화장실 이전의 문제지만. 그러나 지안니에게는 그 정도만으로도 충분했다. 족쇄는 싫다고 했지만 내민 손을 거부하지는 않았다. 그를 쳐내지 않고 잡았다는 것만으로도 날카로운 금안에서 일렁이던 잔혹한 욕심이 놀라울 정도로 고요히 침전하는, 찰나의 격변을 놓치지 않고 지켜본 클로에는 화장실 핑계를 대며 족쇄는 싫다, 분명하게 거절했다.

"좋아요. 그럼 섹스할 때만 하는 걸로."

"아하하……."

많이 양보하고 타협했다는 듯 물러서는 지안니의 부축을 받으며 일어섰지만 재치 있는 대꾸는 떠오르지 않아 난처하게 실없는 웃음소리만 흘렸다. 정사 중에는 그녀를 몰아붙여서 견딜 수 없는 쾌감의 고통에 빠트리기를 그토록 좋아하면서 정작 마력석을 몸에 박는 것만은 반대하는 지안니의 태도가 새삼 모순으로 느껴진 탓이었다.

"참. 미타이가 내일 어디 다녀온다고 했죠?"

사실 반대하는 이유는 알고 있다. 마력석을 박는 것은 통증이 제법 동반되기 때문이다. 마취제를 쓰면 된다 해도 지안니는 영 마음에 들지 않아 했다. 절정에 다다르지 못하고 직전에 애만 태우곤 할 때 괴로워하는 그녀는 좋아하지만 다른 도구로 상해를 입는 것을 싫어하는 모순이 문제라면 문제일 뿐, 이유는 짐작하고 있었다.

"오르시니가 사랑의 도피를 할 여인을 모시러요."

미타이가 분명 내일부터 며칠간 어디엔가 다녀온다고 했었다. 두 형에 비해 수도의 저택을 떠나는 일이 많은 그는 떠나기 전날에는 클로에의 냄새를 맡느라 쉬이 떨어지려 하질 않았었다. 오늘도 아마 지금까지처럼 비슷한 일이 벌어질 테니 무겁고 덩치만 감당하기 힘들게 큰 사자를 매달고 다닐 마음의 준비를 하려 했다. 이해하기 힘든 대답을 들려올 때까지만 해도 그랬다.

"어머, 소문이 진짜였어요?"

정작 클로에는 그녀의 오라비와 달리 충격을 받지 않았다. 외국 왕녀와의 정략결혼 혹은 미망인, 유부녀와 사랑의 도피 둘 중 어느 쪽이 진짜냐며 오히려 눈을 빛내고 있는 여자를 내려다보는 지안니의 시선이 차가워졌음은 당연지사였다.

ꕥ

다른 사람도 아니고 오르시니가 하는 일이었다. 아니 땐 굴뚝에 연기 난다지만 오르시니는 소문마저도 조종하는 가문이다. 의도하지 않은 이야기가 퍼지게 둘 집안도 아니니 말이 퍼지게 두는 데에는 꿍꿍이가 있다는 의미였다. 오르시니가 무인도를 구입하고 별장을 짓는다는 것은 어느 정도 사람들의 재미를 충족해주는 가십이 될 수 있지만, 다른 한편으로는 그들이 원하지 않았다면 애초에 입에 오르내릴 근원을 원천적으로 차단했을 터였다. 따라서 클로에는 3형제가 일부러 잘못된 소문이 퍼지게 두었으리라고는 생각했다.

"다시 물을게요. 그래서, 외국의 왕녀와 타국의 미망인이 누구라고요?"

"야옹이."

단, 왜 만들어냈는지는 생각하지 않았다. 섬이 그녀의 소유가 된다고 들은 순간 머리 굴리기를 포기한 탓이기도 했지만, 이젠 내심 이런 결과를 예상하고 있었기 때문일지도 모르겠다 싶었다. 활짝 웃는 미타이가 두 팔을 크게 벌렸고 클로에는 한 발 옆으로 비켜섰다.

"어릴 적 꿈이 프린세스였잖아."

"대체 갑자기 어디서 튀어나온……. 그건 어떻게 캐냈대요?"

"캐다니. 네르딘 형님께서 알려주셨어."

순딩이 네르딘이 뒤통수를 쳤다. 주먹을 꼭 쥐고 부들부들 떠는 클로에는 미타이의 발언이 어디서 연유했는지를 바로 알 수 있었다. 여덟 살 땐가, 아홉 살 때 적은 그림일기에서였다. 다니엘레와 지안니는 아직 어렵게 대하고 있으면서도 네르딘은 정작 그를 패대기친 미타이를 제일 편하게 대했다. 사자의 친화력은 무시하면 안 되는 수준이라는 것을 알았지만 오라비가 제 여동생의 어릴 적 그림일기를 보여줄 정도일 줄은 몰랐던 것이 패인이었다.

"좋아요, 그건 그렇다 치고. 타국의 미망인은 어디서 나왔어요? 최소한 제 꿈은 아닌데."

"아, 그거? 작은형이 주사위 던져 골랐어."

"……."

"그나마 주사위에 적힌 다른 5개 후보보다 미망인이 제일 나아. 야옹인 운도 좋아."

3형제의 사랑을 독차지하게 된 시점에서 운은 그녀 편이 아니라고 주장하고 싶었지만 미타이 의견은 많이 다른 듯싶었다.

눈앞이 노래지는 착각에 저리 가라 훠워 내저으니 사자가 축 처져서 물러났다.

"좋아요. 내 위장 신분을 왕녀 혹은 미망인으로 골랐다 쳐요. 왜요? 섬은 제 거라면서요. 제 섬에 제가 놀러 가는데 왜 신분을 위장하고 몰래 숨어들어야 해요? 저 스파이 놀이는 생각 없는데요."

"야옹이가 우리 셋을 동시에 만나는 모습을 보이기엔 곤란하잖아."

"……."

겉으로는 싫다고 하면서도 첩보물 영화와 드라마를 떠올리고 있는 클로에는 살짝 들떠 보였다. 미타이도 눈치챘을 텐데도 오늘 하려던 말은 해야겠다 마음먹었기에 붕붕 뜨려는 그녀의 기분을 단박에 가라앉혔다. 그리고 비록 미타이가 먼저 꺼내긴 했지만 클로에도 언제고 진지하게 다시 고민을 해야 하는 문제이기도 했다.

"우리는 괜찮아. 사회적으로도 배짱 좋게 우리에게 손가락질을 할 이도 없고, 설령 한다 해도 우린 신경 쓰지 않아. 타인의 시선보다 중요한 건 클로에 네가 내 곁에, 우리 곁에 있는 거니까. 그런데 야옹인 다르지."

과정이야 어찌 되었건 3형제의 속내를 짐작하면서도 지금의 결말을 만들어낸 당사자는 클로에 본인이다. 결혼을 한 귀족

부인이 공공연하게 애첩을 여럿 두는 것도 하나의 풍조이지만, 그녀가 과연 언제까지 얼마나 풍문을 감당할 수 있을지는 알 수 없으니 아무래도 결국 시달리고 견디다 버티지 못하고 꺾여 버릴 확률이 높았다.

반면 3형제를 받아들이기는 했지만 클로에가 매달리거나 붙잡으려 하지 않으리라는 것을 아는 그들은 끊임없이 그녀가 곁에 머물 의향이 있는지를 확인하려 들었다. 당장이라도 끊어질 수 있는 아슬아슬한 끈을 언제까지 지속할 수 있을지 불확실한 나날 속에서, 교차하는 넷의 관계를 언제고 정리할 필요가 있긴 했다.

"모든 비난을 감수하고 견뎌내야 하는 사람은 야옹이야. 여자니까. 시골 출신의 자작 영애니까. 마법사로서의 성취도 폄하당할 거야. 그렇지만 네가 우리 곁에 남겠다는 선택을 했다는 이유로 앞으로도 계속 시선을 신경 쓰면서 걱정하고 미래를 고민하게 두진 않을 거야."

이대로 만남을 계속한다면 네 사람의 생각과는 상관없이 주위에서 말이 나오게 되어 있다. 그녀가 진짜로 누구와 사귀는지, 누구와 결혼을 전제로 만나는지. 혹은 잠깐의 바람에 불과하다면 3형제는 어느 지위의 여성들과 결혼을 할지. 3형제를 만났던 그녀는 또 어떤 남자에게 시집을 갈지. 끈 떨어진 파르세는 어찌 될지. 클로에는 언젠간 결정을 내려야 했다. 다시 3

형제를 떠날지 말지를. 그리고 결정에 이르기까지의 시간은 그녀가 감당해야 했기 때문에 결정을 차일피일 미루고 있었는데, 미타이가 바로 그 점을 짚었다.

"아마 큰형은 절대 속내를 털어놓지 않겠지. 그렇게 자랐고 그래야만 하는 위치에 있으니까. 작은형도 우리가 이런 의논을 했다는 걸 네가 알기를 원치 않아. 야옹이가 곤란해하는 모습을 제일 좋아하니까."

"으으, 악취미네요, 정말."

"그러니까 내가 형들을 대신해서 이야기할게. 큰형과 결혼해줘."

"……."

폭탄선언이었다. 프러포즈보다도 제안에 가까운 거래를 심지어 다니엘레도 아닌 동생이 꺼내는 바람에 클로에는 무인도 선물 이야기를 들었을 때만큼 당황했다.

"사회적으로 널 지킬 수 있는 가장 큰 방패는 오르시니 그 자체야. 큰형이 아버지 자리를 물려받을 테니, 공작부인이 되는 쪽이 현실적으로 네게 도움이 될 거야."

"……네?"

"네가 하고 싶은 것은 뭐든 하게 해줄게. 공작부인이 된다고, 오르시니 가문의 일원이 된다고 해서 네 날개를 묶을 제약이 되게 두진 않을 거야, 우리가. 다만 우리 곁에 남아준 너를 보호할 수단을 주고 싶은 거야.”

“미망인이니 왕녀니 하는 소문들은 미타이 당신과 지안니에게 남아 있는 제 존재를 가려주는 그림자가 될 거고요.”

이제 소문이 퍼진 이유를 알아버렸다. 그녀와 관련이 있다고 어렴풋이 짐작은 하고 있었지만 이런 용도일 줄은 몰랐다. 미타이가 끄덕이자 절로 한숨이 터졌다.

“결혼을 하면 공식적으로 나는 다니엘레의 부인이 되는 건데 미타이는 괜찮…… 잠깐, 설마.”

“으응?”

“서, 서, 설마 결혼식이 세 번 있어요?”

“당연하지? 큰형만 결혼하는 게 어딨어. 나는 외국의 왕녀와 제삼국에서 성대하게 혼례를 치를 거고, 작은형은 타국의 미망인과 사랑의 도피를 한 다음 둘만의 언약식을 올릴 건데?”

“지금 제게 주어진 길은 결혼을 세 번 하거나 아예 안 하고 도망가거나, 둘 중 하나뿐이고요?”

“응.”

대놓고 도망간다는 말을 꺼내도 미타이는 해맑게 웃기만 했다. 이미 외국의 왕녀와 제삼국에서 결혼할 꿈에 부풀어서 안 들리는 건지, 들리긴 했지만 도망간 이후에 무슨 일이 일어날지는 상상에 맡긴다는 의미인 건지. 가능성은 반반이다.

“거절이 아니고 도망이야? 우리 야옹이, 술래잡기를 정말 좋아하는구나?"

"……헙."

게다가 이혼을 두 번 하지도 않았는데 결혼식만 세 번 올리게 생긴 클로에가 마지막 희망을 건 반문에서 예리하게 허점을 짚어내는 통에 더더욱 할 말을 잃어버렸다. 싫었으면 듣자마자 바로 재고의 가치도 없노라 거절하면 될 문제다. 그럼에도 회피하려 한 이유를 그녀보다도 먼저 알아채다니. 대답은 하지도 않았는데 답이 나와버린 것과 다름이 없었다.

"답, 기다릴게."

섬, 무인도, 별장, 결혼식. 머릿속에서 소용돌이치는 단어가 하나씩 늘고 있었다. 처음에 섬에 대해서 듣고 떠올렸던 상상이 그녀의 착각인 줄 알고 무안했던 적도 있었는데 결과적으로는 상상이 현실이 될 것 같은 또 다른 착각이 들었다. 방긋방긋 웃는 사자를 응시하던 클로에는 쿠션에 얼굴을 파묻었다. 격렬하게 아무 생각도 하고 싶지 않았다.

# 외전 3.
# 그들의 밀월여행

잔잔한 바다가 넓게 펼쳐졌다. 환하게 세상을 밝히고 있는 햇빛의 산란으로 뒤덮인 바다는 높은 위에서 내려다보니 고요하기만 했다. 일정하게 온도가 유지되는 실내에서 편하게 흔들의자에 앉아서 구경하고 있어서인지 더 평화롭게만 느껴졌다.

"왜 신혼여행이……."

머릿속을 하얗게 비우고 온종일 푸르게 변하지 않는 풍경을 바라보던 클로에에게서 한숨 섞인 탄식이 흘러나왔다.

"무섭지."

들으라고 꺼낸 이야기도 아니다. 지금 그녀와 같은 공간에 있을 수 있는 사람 중에서 동의할 사람은 아무도 없기 때문이었다. 물론 듣는 이가 없다고 해서 클로에 혼자 있다고 볼 수는 없다. 중얼거렸듯이 명색이 신혼여행 중이다.

약 반년 전, 클로에는 먼저 다니엘레와 결혼식을 올렸다. 왕이 직접 주례를 선 결혼식은 세기의 결혼식이니 뭐니 거창한 수식어를 달고 성대하게 치러졌다. 웨딩드레스 한 벌 제작에만 꼬박 다섯 달이 소요되었다. 잠깐 걸쳤던 베일에는 가루만 한 보석이 점점이 박혀 있었다. 하객들에게 보이지 않을 구두도 마찬가지였다.

공을 들이기로 말하자면 부케나 속옷, 장갑, 장신구는 물론이거니와 결혼식에 쓰인 생화와 하루 종일 흩뿌려진 꽃잎의 수도 마찬가지였다. 다니엘레의 손을 잡고 걸었던 길을 밝힌 초는 하나하나가 유명 장인이 직접 결혼식을 위해 제작한 수제품이었다. 그 모든 장식품은, 심지어 진짜 보석이 박힌 것들까지 무상으로 하객들에게 제공되었다.

절차를 따라가기 바빴던 클로에의 기억에 남은 장면은 거의 없었다. 떠오르는 것이라면 보는 눈이 많은데도 그녀를 놓아주지 않았던 딥 키스라고나 할까. 클로에의 다리가 풀릴 때까지 지독하게 한 탓에 엄숙한 자리임에도 오만 탄식과 야유가 쏟아질 정도였다.

결혼식의 2부인 연회는 오르시니의 성에서 열렸다. 오랫동안 굳게 닫혀 있던 성이 이미 한 번, 결혼 전 클로에를 위해 열렸지만 결혼식 때는 더 활짝 개방되었다.

밤의 성을 밝힌 마법 불꽃들과 일류 오케스트라의 연주회, 초대객에게 제공된 음식과 잠자리, 결혼을 축하해주어 고맙다는 선물까지.

꿈만 같은, 그러나 꿈이라 해도 겁날 정도의 화려한 결혼식이 막을 내리고 클로에 파르세는 공식적으로 클로에 오르시니가 되었다.

그래도 거기까지는 괜찮았다. 그런 규모로 치르게 될 줄 몰랐다고는 해도 제안을 받아들이기로 한 이상에야. 그녀보다 더 신이 나서 준비하는 이들을 말릴 수도 없기도 했다. 그러나 문제는 그 이후였다.

신혼여행을 조금 늦게 떠나야 할 것 같다며 양해를 구할 때만 해도 어떤 꿍꿍이인지 짐작을 하지 못한 것이 실수라면 실수. 어차피 클로에도 최근 고안한 보안 마법의 상용화를 위한 테스트 작업에 매달려 있느라 대수롭지 않게 여긴 무신경이 문제라면 문제였다.

결혼까지 해놓고도 일에 매달리느라 집에 잘 들어가지도 않는 부인을 용케 가만 두고 본다 싶었다. 결혼 후 반년, 간만에 넷이 모인 저녁 식사 자리에서 다니엘레가 여행 계획을 꺼냈다. 클로에의 일이 어느 정도 마무리되는 대로 떠나자고.

"간단하게 둘이서 며칠 해외에라도 다녀오자고 할 줄 알았지, 난."

크루즈에 승선한 탑승자는 딱 네 명. 마법으로 운용되는 배라서 선원도 최소한으로만 타고 있었고, 선원들 대부분은 오르시니가를 대대로 모셔온 이들이었다. 그나마도 클로에가 머무르고 있는 최상층은 소수를 제외하고는 접근이 제한되었다.

결혼식은 다니엘레와 올렸고 말을 꺼낸 사람도 그이니 둘이 다녀오자는 이야기인 줄 알았는데, 이런저런 구실과 함께 다른 두 사람까지 출발 후에 합류해서 지금의 인원이 되었다.

안락한 의자에 기대어 창 너머로 고요하게 일렁이는 바다를 내려다보며 중얼거렸다. 지금은 잠잠하고 평온하지만 언제라도 큰 배를 집어삼킬 수 있는 속내를 감추고 있는 바다가 꼭 3형제를 닮았다.

신혼여행은 크루즈로 이동하는 세계 일주였다. 세 남자는 이 여행을 위해 그토록 바쁘게 지냈다. 눈물겨운 노력도 몰라주고 혼자 희희낙락 연구소에서 살았던 클로에는 세 남자를 외롭게 독수공방시킨 대가를 톡톡히 치르는 중이었다. 아주, 아주 톡톡히.

"클로에?"

이마 위로 그림자가 졌다. 다니엘레였다. 그는 가만히 다가와 다리를 굽히고 그녀의 이마에 가볍게 입을 맞추었다. 둘만 있는 자리에선 부인이라는 호칭 대신 다정하게 이름을 부르는 남자였다.

"고마워요."

목이 마르다 했더니 바로 시원한 마실 물을 손수 가지고 오는 차기 공작이기도 했다. 클로에게만 보여주는 모습에 살포시 감사 인사를 건네자 다니엘레가 부드럽게 웃었다.

똑같은 풍경을 하염없이 바라보기도 지루해졌겠다, 바다에 주고 있던 시선을 돌려 옆에 서 있는 남자에게 주었다. 웃을 일이 거의 없던 남자는 클로에의 성이 바뀐 이후로는 부쩍 미소가 늘었다. 가만히 그녀의 성을 바꾸게 만든 남자를 응시하던 클로에는 슬금슬금 그의 오른쪽 검지와 중지를 잡았다.

만년필을 쥘 일이 많은 그의 손가락은 두 동생과 확연히 달랐다. 손만 보고도 이제 누구인지 구분할 수 있을 정도로 익숙해졌다. 클로에의 뺨을, 머리를, 목덜미를 어루만지는 손길만큼은 그녀의 성이 바뀌었어도 더 자주 그녀의 존재를 확인하려 했다. 아무렇지 않은 듯, 별일 아닌 듯 다가오는 접촉에 숨어 있는 은근한 집착을 눈치챈 이후로 클로에는 한 번씩 먼저 그의 손을 잡곤 했다. 그 하나만으로도 맹수는 잠잠해졌다.

"다음 목적지에 곧 도착한다더군."

"그 섬에요?"

"그래."

손가락을 내어주고 꼿꼿하게 서 있는 자세가 불편할 만도 하련만 다니엘레는 석상처럼 서 있었다. 잠자코 불편한 자세를 유지하고 있던 그가 먼저 입을 열었으나 잡혀 있는 손가락은 빼지 않고 그대로 두었다.

일주는 그녀가 정박한 항구에서 다음으로 방문하고 싶은 여행지를 고르면 느긋하게 출발하는 식이다. 동선이 아무리 비효율적이라 해도 아무도 신경 쓰지 않았다. 저번 항구에서도 그렇게 지도를 펼쳐놓고 다음 가고 싶은 곳을 고르는데 마침 눈에 들어오는 섬이 있었다. 예전에 선물받았던 무인도였다. 어차피 뚜렷한 목적지 없이 움직이는 배다. 두 번 생각할 것도 없이 목적지가 정해졌다. 지금 클로에가 탄 크루즈는 그녀의 무인도로 향하는 중이었다.

"섬에서는 얼마나 머무를 거예요?"

"그대가 원하는 만큼."

"평생이라고 해도요?"

"당연하지."

현실적으로 가능한지 여부는 둘째 치고 말이라도 즉각 달콤하게 하는 남편이었다. 물을 다 마신 컵을 건네받고 치워준 그가 싱긋 미소 지었다. 그리고 은근하게 머리를 쓰다듬으며 머리를 넘겨주는 그라면 불가능도 가능하게 만들어줄 터. 평생 무인도에 머무르게 해주겠다는 대답은 어떤 면에선 진심이라고 보아도 될 정도였다.

"음, 그러면 평생 당신만 섬에 있고 나는 돌아오……."

“거기까지만.”

“……헷.”

진지한 남편에게 먹히지도 않을 장난을 살짝 치자 곧바로 금안에 번쩍 불꽃이 튀었다. 클로에가 오르시니가 됨으로써 아무리 심성이 너그러워졌다곤 해도 사람 자체가 바뀌지는 않았다. 그저 조금 더 여유를 가장할 수 있게 되었을 뿐. 바로 지금과 같이, 떠나겠다는 내용이면 장난이라 해도 바로 본색이 나왔다. 클로에가 혀를 빼꼼 내밀며 헤헤 웃자, 그제야 다니엘레의 표정도 풀어졌다.

“우리를 내려놓은 후 근처 가까운 항구에서 쉬라고 할 예정인데.”

무인도에 머무르는 기간이 곧 선원들의 휴가 기간이다. 휴가가 길어질지 짧아질지는 그녀의 세 치 혀에 달렸다. 클로에는 어려운 난제를 받고 끄응, 고심을 했다. 너무 짧게 부르면 직원들도 슬프고 세 마리 짐승들도 슬프겠지. 그러나 너무 길게 부르면 클로에가 슬플 것 같았다.

“일주, 아니, 열흘……?”

“그럼 기본 열흘을 염두에 두라고 하지.”

다시 한 번 다니엘레가 사랑해 마지않는 부인의 이마에 키스했다. 입술이 닿았다 떨어지는 동안 클로에는 가만히 열 손가락을 접었다 폈다.

무인도에서의 열흘. 세 마리 짐승과의 열흘! 심지어 기본 열흘? 기……본?

순간 잘못 숫자를 불렀다는 생각도 들었으나 이미 다니엘레는 훌쩍 나가버린 후였다.

![ornament]

“와아.”

섬에 마련해두었다는 별장으로 들어선 순간 먹구름처럼 드리웠던 후회는 바닷바람에 날아가버렸다. 별장 앞 해변에 나와 물속의 돌과 모래가 알알이 또렷하게 보이는 투명한 에메랄드색 바다를 보자마자 클로에는 저도 모르게 앞으로 나아갔다.

섬을 선물로 받긴 했어도 막상 그동안은 들를 짬을 내지 못했다. 주인의 첫 방문이나 다름없어서 먼저 마음껏 구경하라며 들여보낸 차였다. 별장 구석구석을 둘러보기 전 호기심에 구경나온 해변이 생각보다 아름다워 그만 정신을 빼앗겼다.

“마음에 들어요?”

드레스 자락을 잡고 바다로 들어가 첨벙거리고 있는 클로에를 발견한 지안니가 어이없다는 듯 웃었다. 처음에는 비싼 드레스를 젖게 하지 않으려는 시늉이라도 하더니 금세 포기한 후 아예 내려놓고 뛰어다닌 꼴을 다 본 듯했다.

"이런 면이 있는 줄은 또 몰랐네요."

달리기 불편한 드레스를 입고도 클로에는 아슬아슬할지언정 넘어지지 않고 잘도 폴짝거렸다. 차디찬 바닷물이 신발과 스타킹을 벗어 던진 그녀의 발목을 휘감았다. 평상시에는 볼 수 없던 발랄한 모습에 지안니가 휘파람을 불었다.

"진짜 휴양지에 온 기분이라서요."

"그전까지는 휴양 중이 아니었고요?"

"그야……."

지안니의 입꼬리가 씨익 올라갔다. 반박을 하려던 클로에는 입을 다물고 시선을 회피했다. 물론 그동안에도 휴양은 휴양이었다. 크루즈를 타는 동안에도 손가락 하나 까딱할 일이 없었고, 항구에 내려 구경하며 돌아다닐 때도 여행은 전적으로 클로에의 의견이 최우선으로 고려되었다. 그러니 휴양은 맞긴 했다. 체력적으로 힘들었던 밤이 조금 많았을 뿐이지.

"눈코 뜰 새 없이 바빠서."

그리고 밤을 힘들게 만든 원흉 중 한 명이 바로 앞에 서 있었다. 클로에는 애써 화제를 돌렸다.

오라비와 함께 차린 사업이 결혼 직전에 궤도에 올랐더랬다.

비록 전면으로 나서지 않고 네르딘을 대표로 내세웠다지만 결혼 후에도 신혼답지 않게 바쁠 수밖에 없었다. 그래서 이렇게 마음 편하게 쉬기만 하러 왔다는 실감이 개인 별장을 보니 나게 되었다고 말을 돌렸다.

"이리 와요."

바닥에 끌리는 치맛단은 바닷물을 머금고 점점 무거워졌다. 결국 클로에가 중심을 잃고 휘청이는데, 지안니가 예상했다는 듯 눈 깜짝할 사이에 가까이 붙었다. 마법으로 클로에를 가볍게 안아 든 그는 해변을 뒤로하고 별장으로 돌아왔다. 드레스에서 물이 뚝 뚝 떨어져 하얀 해변을 적셨다.

"갈아입어야겠네요."

지안니는 클로에가 해변을 구경하는 사이 정리가 끝난 옷장에서 새로운 드레스를 꺼내 들고 왔다. 축축해진 채로 계속 입고 있다간 감기에 걸린다며 혀를 찼다.

"전부터 생각했지만, 너무 능숙해요."

도와주는 손 없이 입기에는 힘든 드레스가 태반이었지만 갈아입는 데에는 전혀 문제가 없었다. 속옷은 물론이고 드레스의 형태가 아무리 판이하게 달라져도 시중을 드는 지안니의 손길은 자연스러웠다. 이제는 부끄러워하지 않고 몸을 맡기게 된 클로에가 문득 장난을 쳤다.

"내가 과연 몇 번째 여자일까나."

질투를 하는 시늉을 했지만 클로에도 알고는 있다. 많은 여자들을 상대해본 덕분에 능숙해졌다기엔 지안니는 의외로 여자 경험이 없었다.

은근하게 풍기는 위험한 분위기는 섣불리 다가오는 여자가 없게 만들었다. 가끔 나쁜 남자를 좋아하는 여자들이 용감하게 접근하긴 했지만 백이면 백 날카로운 성격을 감당하기가 힘들어 도망가기 바빴다. 여자라고 딱히 조심스럽게 대하지 않는 데다 위험하기 짝이 없는 생각을 하는 머릿속까지 알고 나면 견딜 수 있는 사람이 많지 않다.

지안니를 감당할 수 있는 여자가 일단 없었고, 무엇보다 그가 성별을 떠나 누구든 사람 취급이나 해주었을까 싶었다. 얌전히 옷을 갈아입혀주는 모습 자체가 상상이 안 되는 남자였다. 가끔 클로에조차 이 남자와의 편안한 관계가 신기하게 느껴졌다. 그의 옆에 유일하게 서 있을 수 있는 여자가 되었는데도 실감이 난 적도 없었다. 지안니라는 남자를 바꿔볼 생각도 하지 않았고 그를 위해 스스로가 맞춰볼 생각도 하지 않았기에 편해진 걸지도 모르겠다고 내심 추측하고는 있지만.

"아가씨."

물기가 묻은 몸을 마른 수건으로 말끔하게 닦아준 후 속옷부터 하얀 드레스까지 차근차근 입혀주고 있던 남자가 클로에의 질투 같지도 않은 질투에 피식 웃었다.

"질투하는 척을 하다니, 감격스럽긴 한데."

지안니가 부드러운 손길로 클로에의 등을 반듯하게 세운 후, 클로에의 머리를 매만졌다. 뽀얀 등을 덮는 풍성한 머리카락 사이로 자잘한 꽃과 나비가 박혀 있었다. 아래로는 둥근 엉덩이에 밀착된 치맛자락이 패랭이꽃의 꽃잎처럼 퍼졌다.

"난 오래 못 기다려요."

괜히 장난을 쳤다 본전도 못 찾게 생겼다. 클로에가 애매한 미소를 지었다. 지안니가 요 근래 부쩍 재촉하는 문제가 떠올랐다.

"설마 인제 와서 마음이 바뀌었다고 할 셈이라면."

"아뇨, 아니, 그럴 리가!"

그러고 보니 위험하게 웃고 있는 마법사가 입혀준 옷이 웨딩드레스처럼 보이기도 했다. 거울에 비친 모습을 살피느라 대답이 늦었던 것뿐인데, 바로 스산한 기운이 퍼졌다. 클로에는 황급히 뒤돌았다.

"결혼, 할게요! 할 거예요! 할 건데……."

"할 건데?"

그녀를 묶어두려는 마법의 기운이 퍼져 오는 낌새를 느끼자마자 다급하게 반복해서 외쳤다. 다니엘레와 결혼식을 올린 직후부터 두 남자가 종용하고 있던 문제였는데, 그간 바쁘다는 이유로 미뤄왔더니 오늘 기필코 날짜를 잡을 심산인 듯했다.

"저번처럼 하는 건 진이 다 빠지고 힘들고 귀찮고……."

"그게 문제였어요? 난 여기서 둘만의 언약식을 올려도 되는데."

그동안 확답을 피했던 이유를 늘어놓자 그제야 지안니가 마법을 쓰려다 말고 허탈하게 웃었다. 동시에 결혼식 준비에 열을 올렸던 세 남자를 봤던 클로에도 어이가 없어졌다.

"공개적으로 땅땅, 인장을 찍어놓고 싶었으면서?"

한 번만으로도 충분히 힘들었다. 세기의 결혼식 따위 두 번, 세 번은 못 할 짓이었다. 그러나 그렇다고 맹수들의 소원을 무시하고 싶지도 않았다. 때문에 날짜를 확정 짓기를 피하고 미루었던 건데 이제 와서 조용히 둘이서만 해도 된다니?

"다른 방법으로 찍으면 되니까요."

"……으응?"

못 믿겠다고, 눈을 게슴츠레하게 뜨고 흘겨보는 클로에에게 지안니의 미소는 영 수상쩍게만 보였다.

"보여주고 싶은 선물이 있어요."

ಬ

"응, 보여줄 게 있어."

싱글벙글 웃으며 들어온 미타이가 두 팔을 벌렸다. 제게 안기라는 의미였다. 가보라고 턱짓을 하는 지안니를 힐끔 본 후, 미타이에게 터벅터벅 다가갔다. 말없이 그의 어깨에 손을 올리자 미타이가 기다렸다는 듯 클로에를 훌쩍 안아 올렸다.

"뭐길래 이리 신나셨을까."

평소에도 단둘이 있을 땐 클로에를 안고 걸어 다니길 좋아하는 사자다. 미타이의 취향을 잘 알고 있으니 군말 없이 안겨 그의 어깨에 기댔다. 잠시 후 뺨을 비비기 좋아하는 사자가 그녀의 머리에 코를 대고는 비비기 시작하리라. 매번 그녀를 야옹이라 부르면서 정작 고양이 못지않은 짓을 좋아하는 사자다.

클로에를 안고 걸어가는 미타이의 걸음이 들떠 있었다. 별장 내부를 가로지르고도 멈춰 서지 않고 더 깊숙한 안으로 들어갔다. 무언가 꽁꽁 숨겨둔 깜짝 선물을 보여주고 싶어 들뜬 모양새였다.

별장 뒤로 산책로가 조성되어 있었다. 섬이라고는 믿어지지 않을 만큼 빼곡한 숲 사이로 난 길을 따라가자니 마치 휴양림에 온 듯한 기분이 들었다. 그러나 미타이가 숲속으로 한참 들어간 후에 눈을 빛내며 도착한 곳은 상상을 벗어나는 장소였다.

"여, 여기로 가지고 온 거예요?"

"아니. 하나 더 만든 거야."

널찍한 공터가 두 사람을 맞이했다. 공터이긴 공터이되, 잠깐 쉬어가는 평범한 용도의 공터는 아니었다. 거대한 나무 그루터기 위에 어디서 많이 본 아주 큰 새장을 올려두었다. 문이 활짝 열려 있는 새장의 위로는 비가 와도 피할 수 있게 차양이 쳐져 있었다. 아주 익숙한 새장이다 보니 성의 탑에서 섬까지 가지고 온 줄 알았더니 웬걸, 하나 더 만들었단다. 미타이는 무엇이 문제냐는 듯 환하게 웃었다.

"추억의 장소잖아."

"……."

그랬다. 미타이에게는 거대한 새장이 소중한 장밋빛 추억의 장소였다. 하기야, 기억을 잃은 상태의 클로에가 계속 부정하던 미타이의 마음을 깨달았던 곳이니 우겨보자면 추억의 장소라고 볼 수도 있긴 하다. 클로에는 푸욱 한숨을 쉬었다.

"어때?"

"네에, 잘했어요."

마음에 드느냐고 묻는다면 할 말이 없다. 그러나 미타이가 듣고 싶어 하는 말이 무엇인지는 잘 알고 있어서 꼬리를 흔드는 사자의 뺨에 입술을 대며 머리를 쓱쓱 쓰다듬었다. 헤벌쭉 찢어질 듯한 미소가 입에 걸린 모습을 보자 결국 클로에로부터 한숨 대신 실소가 터졌다.

"그런데 보여주고 싶다는 선물이 새장이면…… 어, 음, 설마."

"우린 「여기」가 마음에 드는데, 아가씨 의향은 어떠실지."

"우리라면……."

"나랑 형이랑, 야옹이지!"

남아 있는 두 번의 결혼식을 버거워하는 그녀를 위해 한 번에 해치울 수 있게 해준 맹수들에게 고맙다고 해야 할지, 대신 혼약을 올릴 장소로 무인도, 특히 새장을 준비한 맹수들의 준비성을 두려워해야 할지. 미타이의 어깨 너머로, 그들의 뒤를 따라온 지안니가 으쓱였다.

"……괜찮겠어요?"

그러나 찰나의 당황 끝에 나온 반문은 긍정도 부정도 아니었다. 당신들이 원하던 형식을 갖추지 않아도 정말 괜찮겠느냐는 의미였다.

"당연하지."

클로에의 걱정을 허락으로 받아들인 미타이가 환하게 웃었다.

신이 나서 아주 아이를 들어 올리듯 번쩍 더 높이 드는 바람에 작게 꺄악 비명을 질러버렸다.

비명 소리를 듣고서야 정신을 차린 사자가 허둥지둥 클로에를 내려주었다. 흐트러진 드레스를 터는 시늉을 하는데 어째 손이 닿을수록 옷이 구겨지고 있었다. 기껏 지안니가 잘 입혀 놓은 옷이 망가진다는 생각에 미타이의 손목을 잡고 막아섰다.

"반지를 전부 끼고 다닐 순 없으니까 대신 다른 것으로 찾아 봤답니다."

클로에의 약지에는 이미 대대로 내려온 다이아몬드 반지가 자리하고 있다. 손가락 하나에 세 남자와의 징표를 전부 끼울 순 없으니 다른 방식으로 준비했다는 소리다. 한쪽 무릎을 꿇고 앉은 지안니는 미타이의 손목을 빼게 한 후, 클로에의 손등에 입을 맞추었다.

"아가씨께서 저와 일생을, 죽어서도 함께해주시기를."

「죽을 때까지」가 아니라 「죽어서도」라고 하는 프러포즈가 지안니다웠다. 쥐어준 마력석 또한 마법사다운 청혼 반지였다.

"네가 떠내려가지 않게, 언제까지고 붙잡을 수 있게 해줘."

형에게 빼앗긴 클로에의 두 손 대신 미타이는 그녀를 뒤에서 세게 껴안았다. 애절하게 중얼거리는 고백은 그답기도 했고 그답지 않기도 했다.

클로에는 한참을 말없이 서 있었다. 명확한 답을 주지 않는 그녀 때문에 초조해할 법도 했건만 두 맹수는 침착했다. 사실 다니엘레와의 결혼 수락 자체가 제안을 받아들이기로 한 셈이니 시간문제나 다름없겠지만.

거절하고 싶어서 뜸을 들이는 것은 아니었다. 인제 와서 심란해진 것도 아니다. 셋 모두와 함께 하겠다고 결심한 순간 이미 모든 결정은 다 내린 상태였다. 그럼에도 좋다는 한마디가 나오기까지 시간이 제법 걸렸다.

"좋……."

일말의 불안은 여전히 마음 한구석에서 가시지 않고 있다. 과연 그녀가 이 광포한 맹수들을 영원히 잠재울 수 있을까 하는 불안. 그녀를 향하고 있는 맹목적이고 강렬한 애욕을 속속들이 알면 알수록 종종 느끼는 불안이었다. 아마 그들도 클로에가 느끼는 감정을 아주 잘 알고 있을 터였다.

"……아요."

알면서도 숨기지 않을 남자들이기도 했다. 클로에는 들릴 듯 말 듯 한숨을 쉬었다. 알면서도 숨기지 않는 이유야 뻔하다. 그들의 본성을 본다고 해서 그녀가 그들을 보는 시선을 바꾸지도, 그들로부터 도망을 가려 하지도, 무엇보다도 그들에 대한 감정이 달라지지도 않으리라는 것을 잘 알기 때문이다.

"받아들일게요."

언젠가 3형제를 두고 마음이 약하다고 혀를 찼었는데 인제

와서 보니 사실 3형제에 한해 마음이 약해지는 사람은 정작 그녀인 것 같았다. 그들의 손을 마주 잡음으로써, 클로에는 청혼을 수락했다.

오래 걸리지 않아 흔쾌히 허락이 떨어지자 환한 얼굴의 사자가 달려들다시피 끌어안고 클로에의 머리만 뒤로 젖혀 진득한 키스를 퍼부었다. 지안니는 클로에의 손에 깍지를 낀 채 손등에 오래도록 입술을 대고 있었다.

그렇게 문이 열린 새장 앞에서의 언약식은 맹세의 키스로 마무리되는 줄로만 알았다.

"잠, 잠깐, 아직……."

섬에 내려선 지 얼마 되지도 않았다. 아직 제대로 구경도 못했다. 해가 기울어가고는 있어도 여전히 버젓이 떠 있었다. 은근슬쩍 어깨의 옷을 벗기는 손길과 치마 안쪽으로 파고드는 손길을 눈치챘을 때, 뜨거운 밤을 보내기에는 이르다고 하려고 했다.

"너무해. 내가 첫날밤을 두근대는 마음으로 얼마나 고대했는데."

미타이에게서 처진 꼬리가 보이는 듯했다. 커다란 체격에도 불구하고 의외로 잘 어울려서, 사자를 매정하게 밀어내던 클로에가 움찔했다. 순순하게 밀려나면서도 미련이 뚝 뚝 떨어지는 표정으로 그녀를 내려다보기를 잊지 않았다.

"아가씨, 골라보세요."

"네?"

지안니가 후우, 한숨을 쉬었다. 치마를 들치다가 저지당한 손을 보는데, 고개를 드니 찌푸려진 이마에는 불만으로 가득하다는 티가 역력했다.

"마음에는 안 들지만 이것만큼은 나도 저 녀석도 양보가 안 되는 문제이다 보니. 첫날밤을 한 번에 치를래요, 따로따로 치를래요?"

"……아?"

클로에로선 우리가 치러야 할 첫날밤이라는 것이 남아 있긴 하느냐고 반문하고 싶었다. 끝을 본 사이 아니던가. 아주 끝의 끝을 본 관계다. 인제 와서 신혼여행의 풋풋함, 첫날밤의 순정을 찾으려야 찾을 수가 없는 사이이건만.

"오늘 한 번에 해결할래요, 아니면 결혼식을 두 번 더 치를래요?"

"아, 아까랑 말이 다르……."

어째 지안니의 제안은 매를 한 번에 맞고 치우는 게 낫지 않겠느냐는 말처럼 들렸다. 분명 그가 의미하는 해결은 그런 의미가 아닐 텐데도. 그래도 그녀가 원하는 대로 결혼식은 건너뛰기로 하기로 해놓고 왜 약속을 어기려 하느냐고 항의하려 했다.

"아아, 그거? 결혼식만 생략한다는 의민데. 밀월여행은 형이

랑만 가려고요? 이러라고 양보한 게 아닌데?"

마법사가 피식 웃었다. 그렇다고 지금 신혼여행을 다니엘레와 둘이서만 즐기고 있지는 않은 클로에로선 억울하기 그지없었다.

"맞아, 큰형만 편애하더라?"

입술을 삐죽이는 시늉을 하는 꼴도 어울리긴 했지만 한편으로는 등골이 서늘해졌다. 그러고 보니 다니엘레와 결혼한 이후로는 그에게 곁을 많이 내준 감이 없잖아 있었다. 다니엘레는 지안니만큼 위험하지도 않고 미타이만큼 시도 때도 없이 발정이 나지도 않다 보니 상대적으로 편하게 느껴졌었나 보다. 제일 다가가기 힘들었던 남자와의 벽이 허물어지고 나니 의외로 편한 관계가 되었다. 지안니와 미타이가 그간 꾹 참고는 있었지만 점점 불만은 쌓이고 있었다.

"우리랑은 오늘이 진짜 첫날밤이잖아. 오늘만큼은 우릴 선택해야지!"

하렘에 수십, 수백 명의 후궁을 거느린 술탄이 이런 심정일까. 마음 가는 대로 고를 수 있다는 장점이 있지만, 어느 한 명을 선택하면 남은 이들이 삐진다. 골고루 애정을 주기란 의외로 힘들다. 비록 하렘의 후궁이라고 하기에는 무섭기만 한 맹수들이었지만, 본의 아니게 간택을 해야 하는 입장이 되었다. 클로에는 울지도 못하고 웃지도 못하고 애매하게 입을 열었다.

"혹시 신혼여행이 두 번이면……."
"음, 내 생각엔 미루지 않는 편이 좋아요."
"……."
이 정도면 답은 정해져 있는 셈이 아닌가. 후궁 주제에 저들끼리 동침할 순번과 방법을 다 정해놓고 들이미는 꼴이지 않나. 충분히 눈요깃거리가 되는 두 남자에 꼼짝없이 갇혀, 기대로 빛나고 있는 두 쌍의 금안을 번갈아 올려다보았다.
"조, 좋아요. 오늘은 여러분을 간, 간택하, 하죠."
살짝 떨린 목소리는 착각이다. 클로에는 두 남자의 목깃을 잡고 아래로 끌어내렸다. 힘을 주었다고는 해도 옷만 구겨질 뿐이었다. 후궁의 탈을 쓴 맹수가 가녀린 주먹이 이끄는 대로 스르르 상체를 숙였다.
당연히 하사받을 입맞춤을 기대하고 있는 맹수들이 눈을 감고 있었다. 클로에는 아주 잠깐, 격하게 고민을 했다. 누구에게 먼저 하든 다른 한 명이 투정을 부릴 테지. 과연 이들이 부리는 투정이 귀여운 어감으로 끝날 수 있을지는 모르겠지만.
"……."
해서, 클로에는 대담한 짓을 저질렀다. 동시에 지안니와 미타이의 멱살을 잡고 제 쪽으로 끌어당겼다. 입은 하나고 볼은 둘이니, 입술 대신 그녀의 볼을 내주려고 했다. 그들의 입술을 제게 부딪치게 하면 될 것 같았다.

"아가씨?"

"야옹아?"

그런데 그 정도로 만족하리라고 생각했던 것이 클로에의 실수고 착각이었다. 스산하게 웃으며 클로에를 부르는 두 후궁에게서 뿜어져 나오는 기운이 매서웠다. 간택을 내린 왕이어야 하는데도 클로에는 막다른 곳에 몰린 초식동물이 된 심정이었다.

"오늘도 얼렁뚱땅 넘어가면 될 줄 알았나 본데."

딱, 하는 소리와 함께 세 사람이 함께 새장 안으로 이동되었다. 새장의 문은 여전히 열려 있었지만, 미타이가 뒤에서 클로에를 휘감아 안자 열린 문을 코앞에 두고도 벗어날 수 없는 상태가 되었다. 턱, 그녀의 어깨에 얹히는 팔의 무게가 무거웠고 그녀의 발목에 매달린 손의 무게 또한 무거웠다. 기껏 차려입은 예쁜 드레스가 벗겨지기까지는 순식간이었다.

ꕥ

후우 후우, 쉬어가는 숨을 토해냈다. 몇 번이고 절정에 다다르기 직전에 끌려 나왔다. 외음부를 자극당하며 받은 짧은 쾌감만 몇 차례 받았을 뿐이었다.

으응……! 저절로 신음이 쏟아졌다. 클로에의 중심부를 먼저 차지하는 데 성공한 사람은 지안니였다. 그녀 아래에 누워서 클로에가 제 위에 타게 했다. 찰팍찰팍, 엉덩이 부딪치는 소리가 야외의 새장에서 지저귀는 새소리 대신 울려 퍼졌다. 클로에는 하늘을 보며 등을 지안니에게 보인 채로 하으 하으읏 울면서 흔들렸다. 허리를 강하게 고정하고 있는 손아귀에서 벗어날 수가 없었다.

사람의 손 외에는 구속하는 구속구가 없는데도 클로에는 도무지 빠져나올 수가 없었다. 가릴 만한 것이 전부 벗겨져 드러난 가슴은 두꺼운 손에 잡혔다. 주물거리는 손에 유방의 모양이 바뀌는 사이 잠들어 있던 유두가 깨어났다. 일어난 머리가 손바닥에 눌리자 간질간질해졌다. 흐으, 앓는 소리가 났다.

예쁘다.

도톰하게 모양이 잡힌 열매를 발견한 맹수의 눈이 빛났다. 덥석 하나를 삼켰다. 기민해진 젖꼭지가 후끈하고 날름대는 혀에 닿아 파르르 떨었고, 이내 유륜이 잘근잘근 깨물리자 상체 전체가 움찔 움찔 떨렸다.

더, 울어요.

옆구리를 간질이며 올라간 지안니의 손 하나가 반대편 젖가슴을 잡았다. 뒤에서 솜털이 우수수 곤두서게 만드는 속삭임이 들렸다. 두 손가락이 혼자서 떨고 있는 불그스름한 과일을 낚아챘다.

아흐응! 유두가 살짝 비틀렸다. 클로에는 견디다 못해 스스로의 입을 막았다. 한쪽 가슴은 미타이의 북실북실한 갈기로 덮여 있었고, 반대편 젖꼭지는 지안니에 의해 비틀리고 잡아당겨지고 있었다.

자극은 멈추지 않았다. 미타이의 손이 클로에의 배를 문지르더니 배꼽 아래로 내려갔다. 더 깊숙한 안으로 들어가더니 표피를 벗겨내고 수줍게 숨어 있던 꽃눈을 찾아냈다. 음핵 역시 기대와 불안으로 떨고 있는 상태였다. 가벼운 압박과 함께 살살 긁는 자극이 가해지자 질구에선 쉴 새 없이 달큼한 울음이 쏟아졌다.

지안니를 삼키고 있는 질구에 힘이 들어갔다. 열락의 불구덩이에 빠져들어 자신을 잊어버리고만 싶은데 집요한 짐승들이 쉽게 그녀를 놓아주지 않았다. 이렇듯 뭉근한 감각보다도 더 강하고 거대한 파도에 휩쓸리고 싶은데 쉽사리 보내주질 않았다.

이러지도 저러지도 못하고 바들바들 떠는 몸이 훅 뒤집혔다. 클로에는 지안니와 마주 보게 되었다. 간신히 그의 가슴을 지탱하고 있는데 큰 그림자가 졌다. 가까이 붙은 미타이가 클로에의 엉덩이를 들어 올렸다.

"흐……."

미끌미끌한 향유가 위에서 쏟아졌다. 탐스러운 엉덩이가 양옆으로 벌어지며 골짜기 사이에 조용히 닫혀 있던 입구가 드러났다. 후드득, 긴 머리카락이 아래로 쏟아지며 지안니의 가슴을 때렸다. 뒤에서 천천히 들어오는 묵직한 질량에 클로에의 고개가 들렸다.

물기에 젖어 엉켜 있던 속눈썹이 올라갔고, 소리 없이 다가와 있던 사람을 발끝부터 천천히 눈동자에 담았다. 팔짱을 끼고 문가에 기대어 있는 남자는 마지막 맹수였다. 엉켜 있는 꼴을 꼼꼼하게 담고 있는 다니엘레와 클로에의 눈이 마주쳤다.

막혀 있지도 않으니 쉽게 들어올 만도 하건만 다니엘레는 멈춰 서 있었다. 차분한 듯 보여도 금안에 조금씩 일렁이기 시작한 흉포한 불길을 감추지 못하고 있었다. 그런데도 마지막 한 걸음을 내딛지 않는 것은 그녀가 부르기만을 기다리고 있다는 의미였다.

"읍!"

클로에는 팔을 뻗자 그제야 다니엘레가 새장 안으로 들어왔다. 세 사람이 올라탄 바닥이 출렁일 정도로 격한 움직임으로 들어온 그가 클로에의 머리채를 움켜쥐고 입술을 훔쳤다.

"흐읏!"

낚아챈 입술을 한참 동안 놓아주지 않자 아주 잠깐은 기다려

보려고 했던 두 맹수들도 제 존재를 과시하기 시작했다. 잡혀 있는 허리가 한껏 조였다. 올라타고 있는 아래쪽에서 클로에를 힘껏 끌어당겼다.

"한눈, 팔지 말아요."

배 속을 뚫을 기세로 파고드는 물건이 끝도 없이 깊숙하게 치고 들어왔다. 클로에는 저도 모르게 지안니의 가슴을 탕 탕 때리다 손톱을 세워 긁었다. 긁힌 피부가 따가울 텐데도 만족에 가득 찬 웃음소리만이 터졌다.

"응, 으응! 읍, 읍……!"

헐떡일 때마다 새어 나오는 신음 소리를 다니엘레가 받아 삼켰다. 눈꼬리에 맺히는 눈물방울을 닦아내며 양 뺨을 감싸고 우물우물 삼켰다. 가파르게 터지는 한숨 하나하나를 전부 주워 삼켰다.

"나도 잊으면 안 돼."

뒤에 있다고 해서, 보이지 않는다고 해서 그 존재감을 잊을 수 있을 리 없다. 그런데도 미타이는 뒤에서 잊지 말라 속삭였다. 지안니로부터 클로에를 되찾아올 심산으로 제 쪽으로 훅 끌어 올렸다.

질 내벽을 긁으며 성기가 일부 빠져나가자 동시에 뒤를 가득 채운 무시무시한 질량이 한층 더 강하게 클로에를 에워쌌다. 미타이가 내부로 깊이 파고들수록 솟아나는 뻐근한 감각이 목덜미와 등줄기의 피부를 수축시켰다. 이런데 어떻게 잊는다고. 그러나 클로에는 잊지 않을 테니 걱정 말라고 할 수가 없었다.

"난…… 투기가 심하다만."

다니엘레가 입술을 떼지 않고 은근하게 속삭이자 뒷덜미가 절로 바싹 조였다. 질투심 많은 본처가 등장한 셈인가. 공식적으로는 그와 결혼했으니 본처라면 본처라고도 할 수 있겠지. 지안니와 미타이가 하렘의 후궁이라면 다니엘레는 왕비인 셈이고. 그러자 정작 아래와 뒤에 있는 후궁들로부터는 핏 핏 비웃는 소리가 들렸다. 클로에라는 왕을 차지했으니 승자의 여유를 만끽하는 중이었다.

"하나…… 그대의 종을 달래는 방법은 아주 간단해."

투기로 성이 난 종은 이미 반쯤 일어서 있었다. 다니엘레가 귓불을 삼키며 속삭였다. 두 맹수가 승리에 찬 비웃음을 던지는 바람에 더 질투심이 커졌다. 폭발하기 전에 달랠 수 있는 사람은 그의 유일한 왕뿐이겠지. 왕은 뜨거운 살덩이의 머리를 삼켰다. 느릿하게 다가서는데도 다니엘레는 조급해하지 않고 클로에의 턱을 받치듯 잡았다.

"흐으, 흡…."

입 안에 가득 찬 덩어리의 부피가 커졌다. 작은 입으로는 오래 삼키고 있기가 힘들었다. 다니엘레는 수시로 제 페니스를 빼내 잡고 있는 아래턱을 이리저리 누르며 통증을 풀어주었다.

그러나 아릿한 통증이 가시고 나면 다시 그의 물건을 삼키게 했다. 입천장을 찌르며 들어차는 물건을 쪽 쪽 빨아 삼키는 클로에의 감긴 눈이 순간 떠졌다.

"……으흡!"

클로에를 잠깐 쉬게 해주나 싶었던 두 맹수가 더 이상 봐주기 싫다는 듯 움직이기 시작했다. 제 존재를 절대 잊게 하지 않겠다는 격한 반응이었다.

미타이가 뒤에서 클로에를 세차게 끌어당겼다. 좁은 틈을 파고든 붉은 사자의 고환이 말랑한 엉덩이에 탁 탁 부딪히고 비벼졌다. 좌우로 크게 벌어진 허벅지의 근육에 바짝 힘이 들어갔다. 뒤에서 덮쳐오는 풍랑에 흔들리는 조각배나 다름없는 몸뚱이를 밑에서 휘어잡았다.

"자, 잠, 아흐읏……."

허리는 어느샌가 미타이의 손에 잡혀 있었다. 대신 지안니는 클로에의 두 손목을 한데 그러쥐었다. 피부를 파고들 수가 없게 된 손톱이 허공으로 치켜 올라갔다. 뒤에서 그녀를 삼킨 풍랑만으로도 이미 배 안이 가득 찬 기분이었는데 남아 있는 자그마한 틈마저 빼곡하게 채우겠다는 기세로 지안니의 페니스가 파고들었다.

눈을 뜨고 있는데도 점차 그녀를 사로잡고 있는 맹수들의 모습이 흐려졌다. 머리를 탕 탕 때리는 하얀 불꽃 때문이었다. 물론 보이지 않는다고 해서 그들의 우려대로 세 마리 짐승을 잊을 수는 없었다.

"하읍, 읍, 으읍……."

천천히 가자고, 쉬어 가자는 애원이 채 나오기도 전에 입이 막혔다. 헐떡이는 클로에가 숨을 쉴 수 있도록 아주 잠깐 풀어준 다음 다니엘레는 다시 그녀의 턱을 잡고 벌어진 입에 성기를 부드럽게 밀어 넣었다. 세찬 힘으로 뒤에서 밀고 아래에서 쳐대는 탓에 속절없이 흔들려도 클로에의 머리와 턱을 다치지 않게 살짝 잡고는 있었지만 결코 놓치지는 않았다. 야금야금, 그녀가 다니엘레는 먹는다기보다는 다니엘레의 성기가 그녀의 입을 먹는 것처럼 보였다. 습한 동굴 안으로 다니엘레가 들어가 자리를 잡았다.

"클로에."

이름을 부르는 음성이 왜인지 애달팠다. 힘이 없어 매달려 있는 것만 같은 사람은 그녀인데도 마치 그들이 매달리는 것만 같은 느낌이 들었다. 클로에, 클로에. 몇 번이고 이어지는 부름은 그녀를 놓칠세라, 그녀가 흩어질세라 확인하고 붙잡아두려는 것처럼 들렸다.

"으읍, 흐……응, 흡…… 흐흡……!"

그러나 딴생각을 할 수 있는 여유도 잠깐이었다. 곧바로 그녀를 집어삼킨 해일에 떠밀렸다. 질퍽이는 물소리가 점점 커졌다. 쿵 쿵 뒤에서 박아오고 밑에서부터 쳐올리는 낙인이 찍혔다. 한껏 달아오른 몸을 사로잡고 제 존재를 새기듯 뜨거운 덩어리로 그녀를 파고들었다. 두 개의 성기에 꿰뚫린 클로에의 입 역시 화마로 잠식당했다.

고마워, 우리에게 와줘서…….

달콤한 수증기에 붙들려 온몸의 수분이 모조리 증발되는 듯했다. 그토록 오래 기다렸던 쾌락의 덫에 빠지는 순간 세차게 쥐어짜내졌다. 매혹적인 향을 풍기는 꽃즙으로 범벅이 된 질벽과, 뒤와 입으로 끊임없이 찌르고 들어오는 빛들이 고통을 밀어내고 텅 빈 공간을 가득 채웠다.

흐으, 울음소리도 입이 막혀 제대로 나오지 못했다. 거센 절정이 치고 간 후였지만 찌릿한 여운이 남아 있어 몸은 흠칫흠칫 지속적으로 떨렸다. 겨우 한 번으로 기진맥진한 상태가 되었는데, 클로에를 가득 메우고 있는 물건들의 부피는 여전했다. 그녀를 파고들어 엉킨 채로 단단하게 붙든 모양새였다.

열려 있는 새장이 흐릿한 시야에 포착되었다. 문은 열려 있지만, 그녀가 머무는 곳은 어디가 되든 넓고도 큰 새장 안이리라는 예감이 들었다.

이윽고 꿈틀꿈틀 빈틈없이 들어찬 중심에서 터져 나온 열기가 클로에를 남김없이 집어삼켰다.

ꙮ

"정신이 들어?"

"네……?"

눈을 떴는데, 조금 전까지 열락의 공기에 흠뻑 젖어 있던 새장이 아니었다. 걱정스러운 시선으로 클로에를 보고 있던 미타이가 솥뚜껑만 한 손바닥으로 클로에의 이마를 짚고 있었다.

"대체 쓰러지도록 왜 아무것도 안 먹은 건데?"

손이 약간은 시원했다. 그 말은 곧 클로에에게 열이 있다는 뜻이다. 가만히 깜빡이며 멍하니 있었더니 갑자기 미타이가 분을 이기지 못하고 화를 냈다.

"네?"

클로에는 억울했다. 조금 전까지 분명히 넷이서 뒹굴었는데? 쓰러졌다면 안 먹어서 쓰러진 건 아닐 텐데? 그런데 클로에를 쓰러지게 만든 원흉 중 하나인 미타이의 얼굴은 분노로 붉으락푸르락했다.

"설마 그렇게라도 우리 곁을 떠나고 싶다는 건 아니겠지. 그렇다고 하기만 해봐. 간만에 눈물 쏙 뽑게 해줄 테니까!"

씨근덕거리며 으름장을 놓는데 겁을 먹어야 할 클로에는 마냥 어이가 없어 입만 헤 벌렸다. 세 번째 남편인 맹수께서 행복하게 해주겠다고 청혼하기가 무섭게 엉엉 울린 주제에 인제와 저렇게 화를 낸들 퍽이나 무서우리라.

"야옹이 너, 이 순간부터 방 밖으로는 못 나가게 할 거야."

"미타이."

"왜!"

"내가 아무것도 안 먹어서 쓰러졌다고요?"

"그래! 일주일 가까이 주스나 조금 마셨다며? 하, 어쩐지 친정에서 돌아오질 않더라니."

"주스만 마셔요?"

"그래! ……어?"

금식을 했을 당사자가 금시초문이라는 듯 갸우뚱거리자, 클로에의 상태가 이상하다 여겼는지 화내던 것이 뚝 멈췄다. 급기야는 벌떡 일어나 침대에 털썩 앉더니 더듬더듬 클로에의 얼굴 곳곳을 매만졌다.

"야, 야옹이 너, 또, 설마 기, 기억이……. 그 여자가 또? 아니, 아닌데, 걔는 쫓겨난 지 오랜데……. 야, 야옹아. 나, 나 기억나?"

"……."

"야옹이 하나뿐인 남펴, 악!"

미타이의 안색이 이렇게 하얗게 질리기도 처음이라 신기해서 대꾸를 안 했더니 점점 더 좌불안석이었다. 눈물까지 맺힌 꼴이 굉장히 충격이었던 듯해서, 아까 그의 이름을 부르지 않았느냐고 핀잔을 주려고 했다. 당당하게 클로에에게 사기를 치려다 실패만 하지 않았어도 주려고 했다.

"이게 지금 어디서 틈을 타서 거짓말이야, 거짓말은."

지안니가 아주 진하게 진심을 담아 뒤통수를 때리자 아무리 단련된 미타이라 할지라도 절로 비명이 나왔다. 머리를 감싸고 아이고, 앓는 소리를 내는데 한쪽 눈썹이 삐딱하게 치켜 올라간 지안니가 홱 클로에를 돌아보며 사자 못지않게 으르렁거렸다.

"아가씨, 정말 기억이 안 나요?"

다만 지안니도 클로에의 상태가 조금은 불안한지 턱을 잡고 휙 들어 이곳저곳을 살피긴 했다. 걱정된다면서도 클로에를 대하는 태도는 은근히 거칠어서, 이 인간은 대체 또 왜 화가 났나 의아스러웠다.

"기억이 사라졌다 해도 편하게 혼날 생각은 말아요."

물론 진짜로 기억을 또 잃었든 잃지 않았든 화를 풀 생각은 없다는 지안니에게선 찬바람이 휭휭 날렸다. 클로에는 갈수록 억울해지기만 했다. 분명히 기절하듯 잠들기 직전, 위험한 두 번째 남편께선 답지 않게 달달한 분위기를 형성했었는데. 언제 그랬느냐는 듯 서늘하게 비웃고 있는 품새가 이번에야말로 목숨 줄을 잘 챙겨보라는 의미로만 보였다.

"아가씨가 저지른 잘못은 기억을 핑계로 삼아도 쉽게 용서할 수 없는 일이거든요."

"……."

그러니까 대체 무슨 잘못을 저질렀다는 거지. 클로에가 기억을 「또」 잃었다고 확신하고는 있지만 이즈리에가 얽혔을 때처럼 연기를 할 생각은 없어 보였다. 그러나 진심으로 화를 내고 있기도 해서 골려줄 의도로 맞장구를 칠 분위기도 아니었다. 클로에는 한숨을 푹푹 내쉬며 직접적으로 묻기로 했다.

"내가 일주일간 주스만 마셨다는 이야기는 들었어요."

"어느 날 갑자기 말도 없이 사라지더니 파르세가에 꽁꽁 숨어 있었다는 이야기는 모른 척할 속셈인가 보죠?"

"……네?"

사라진 기억 속의 자신은 대체 무슨 위험한 짓을 저지른 걸까. 아무리 맹수 조련사가 되었다 해도 그렇지. 말도 없이 사라져? 그래놓고는 등잔 밑에 숨어? 네르딘까지 위험하게 만들 생각이었나?

그녀가 결혼한 3형제가 어떤 맹수들인지 잘 알고 있다면 절대 하지 않을 일을 그녀가 벌였다고, 지안니는 그렇게 주장하고 있었다.

"그럴 리가 없는데."

"흐응, 진심이야?"

"당연하죠, 당신들이 어떻게 나올지 아는데. 그럴 수밖에 없는 정말정말정말 피치 못할 사정이 생겼다면 모를까……."

정말정말 정말로 피치 못할 사정이어야 한다. 클로에가 스스로 몇 차례 고개를 주억거리자 미타이의 화는 금방 풀렸다. 지안니는 아직이었지만 그래도 살짝은 누그러졌다.

"그럼 그 사정이 무엇인지도 빨리 기억이 났으면 좋겠네요. 눈이 퉁퉁 붓고 목소리도 안 나올 정도로 쉬기 전에."

"……."

싸늘하게 짓는 미소가 무서웠다. 이제 익숙해졌다고 생각했는데도 무서웠다. 격렬한 밤을 보낸 직후였는데도 무서웠다. 입맛을 다시는 맹수의 눈길을 견디다 못해 이불 안으로 쏘옥 숨으려 슬그머니 일으킨 몸을 누일 때였다.

"사정은 내가 대신 설명하지."

벌컥, 문이 거칠게 열리며 다니엘레까지 등장했다. 지친 기색이 역력한 다니엘레의 앞머리가 약간 흐트러져 있었다. 단정하게 빗어 넘긴 앞머리를 저도 모르게 만진 듯했다.

"아직 안정기가 아니니 조심하라고 하더군."

성큼성큼 걸어온 첫 번째 남편이 이불을 꽉 쥐고 있는 클로에의 손을 감쌌다. 주저앉듯 털썩 소리를 내며 앉는 그에게서 안도의 기색이 느껴졌다.

“안정……기?”

안정기라는 단어에 미타이는 고개를 갸웃거렸고 지안니의 얼굴에선 미소가 사라졌다. 안정기가 뜻하는 바를 눈치챈 이들의 흉흉한 분위기가 조금씩 가라앉으려는 듯했다.

“설마.”

“입덧이 유난히 심한 편이라고는 하더구나, 주치의가.”

다니엘레가 입덧이라는 단어로 확인사살을 하고 쐐기를 박았다. 그를 제외한 세 사람이 모두 놀랐다. 미타이와 지안니는 예상외의 사건이라 놀랐을 테지만, 클로에는 난데없이 자고 일어났더니 임신이라는 소식을 들어서 경악했다.

“그대의 오라비가 살짝 귀띔해주었다. 그대가 염려하고 있던 문제를.”

물론 클로에는 자신이 걱정하고 있는 문제가 무엇인지 당연히 알 수 없는 처지였지만 티를 낼 수는 없었다. 다니엘레가 너무도 심각해 보였다.

“이 두 짐승들이 싫어할 것 같아서라고.”

“…….”

아마도, 네르딘은 귀띔이랍시고 울분에 차서 다니엘레 앞에서도 곧이곧대로 짐승이라고 표현했나 보다. 심각한 나머지 다니엘레는 제 동생들을 두고 한 표현을 바꿀 생각도 않고 그대로 옮겼다. 꿀 먹은 벙어리가 된 두 마리 짐승 중 한 마리가 바로 억울하다는 표정을 지으며 서럽게 외쳤다.

"난 딸이 좋아!"

싫어한 적 없다가 아니고 강력하게 선호하는 성별이 정해져 있다는 점 역시 문제라는 것도 모른 채 미타이는 마냥 억울해하기 시작했다.

"나야말로 야옹이가 싫어할까 봐, 힘들어할까 봐 말도 못 꺼내고 있었는데!"

덩치 큰 사자는 너무도 억울한 나머지 눈물까지 글썽거렸다. 그도 그럴 것이, 미타이 입장에선 임신 소식을 들은 그가 싫어하리라고 지레짐작한 클로에가 친정으로 날름 도망가 혼자 고민하며 식음을 전폐하다 쓰러진 셈이 된 탓이었다. 그렇다면 클로에의 눈치를 보느라 말을 못 꺼냈던 시간이 억울할 만하다. 클로에 역시 억울하긴 마찬가지였지만.

"나도 야옹이 닮은 딸을 원했단 말이야!"

"……이왕이면 아빠 닮는 건 어때요."

아빠처럼 힘이 세서 아빠를 번쩍번쩍 드는 딸이면 참 좋을 것 같은데. 달리 깊은 의미를 담지는 않았다. 딸이라고 반드시 엄마를 닮을 필요가 있느냐, 아빠를 닮은 강아지 같은 딸도 좋지 않겠느냐며 장난으로 중얼거렸던 것뿐이다.

그러나 잠이 덜 깬 듯한 클로에의 연이은 말실수에 미타이는 세상에서 제일 슬픈 사자가 되었다. 클로에가 아닌 그를 닮은 딸을 상상했다가 그만 큰 충격을 받은 모양이었다. 아마도 미타이는 저만 한 덩치에 저만 한 근육질 몸에 얼굴만 클로에로 바꿔서 상상해버린 듯했다. 말을 잇지 못하고 입만 뻐끔거렸다.

"내가 애를 싫어하기는 하지만."

제 동생이 벌이는 팬터마임을 무시하는 지안니도 허탈해 보이기는 마찬가지였다.

"설마 방해가 된다고 할 줄 알았어요? 내가 아가씨를 위해 어떻게 지내왔는지 다 봤으면서도?"

자신도 모르는 사이에 건너뛴 시간 속의 클로에는 혼자서 무슨 생각을 했던 걸까. 호르몬이 과하게 분비되어 그녀답지 않게 땅이라도 판 걸까. 이즈리에를 미치고 팔짝 뛰게 할 만큼 무심한 성격으로는 둘째가라면 서운할 클로에다. 그런 그녀가 아비가 자식을 인정하지 않을까 봐 고민했다? 말도 안 되는 소리다. 당연히 아니라고 하고 싶은데, 기억에 없는 자신은 지안니에게 소식을 전할 엄두도 못 내고 친정으로 피하겠다는 위험한 발상을 했나 보다.

"당연히 방해야 되겠죠."

"……."

"그런데 다른 인간도 아니고 나와 아가씨 아이인데."

"……아?"

“참, 난 이왕이면 알아서 크는 아들일 거라 확신해요.”

여전히 어린아이는 싫어하지만 제 자식이라면 좋다고 하니 고맙다 해야 하는 걸까. 아니면 누구 마음대로 성별을 결정하느냐고 어이없어해야 할까. 클로에가 그들을 떠나려 했다는 것이 아님을 알게 된 지안니의 화는 바로 풀렸지만 클로에는 이상하게도 마음을 놓을 수가 없었다.

“누구 마음대로 네 아이지.”

지금까지 잠잠했던 다니엘레가 지안니의 말을 끊고 끼어들었는데, 안타깝게도 안정이 필요한 클로에를 무섭게 만들지 말라고 제지하기 위함이 아니었다. 듣고 있으려니 당연하다는 듯이 서로 제 아이라고 우기고 있는 두 동생의 주장이 불쾌해서다. 그리고 그가 끼어듦으로써 왜 마음을 놓기가 힘들었는지를 깨닫게 되었다.

“당연히 이 아이는 내 자식인건만. 딸이든 아들이든 오르시니를 물려받을 아이고.”

“형이야말로 웃기는 소리 하네? 앤 우리 딸이야! 그리고 내 딸한테는 그런 힘든 거 안 시킬 거야!”

“아니, 역산하면 내 아들이야. 그리고 내 아들이면 고작 가문 하나 물려받자고 좁은 우물에서 썩게 두지 않을 거고.”

엄마를 닮은 딸이 제 자식이라고 우기는 미타이와 누구를 닮든 제 아들이라고 우기는 지안니가 다니엘레에게 으르렁거렸다.

성별에 상관없이 무조건 가문을 물려주겠다는 발언에도 말꼬리도 잡고 늘어졌다.

법상으로는 가능해도 실제로 여자가 가주가 되어 작위를 물려받은 전례가 없는 이곳에서 딸이라 해도 아랑곳 않고 가문을 물려주겠다는 다니엘레의 폭탄선언은, 공작 위를 고작 힘들기만 한 좁은 우물로 깎아내리는 두 맹수에 의해 순식간에 묻혔다.

말리지 않고 가만히 두고 보기만 하자 세 맹수는 서로 제 자식을 어떻게 키우고 싶은지 야심찬 계획을 늘어놓기 시작했다. 무기만 안 들었다 뿐이지 살벌한 분위기 속에 갇혀 있노라니 어쩐지 자신이 왜 도망갔는지 알 것만 같았다. 분명 배 속의 아이를 두고 이런 전쟁이 벌어지리라고 예상했기 때문에 뒷일은 생각도 하지 않고 무작정 숨었던 게 아닐까.

왜 도망갈 생각을 했는지는 둘째 치고 일단 당면한 문제는 마음의 준비를 하기도 전에 들은 임신이라는 소식과 서로에게 으르렁거리고 있는 세 남자다. 이번만큼은 그녀를 차지하겠다고 싸울 때와는 다르게 쉽게 결론이 나지 않을 싸움 같았다.

클로에는 제발 차라리 꿈을 꾸는 중이었으면 좋겠다고 하늘에 빌며 슬금슬금 전쟁 통을 빠져나가려 했다. 그러나 그녀에 관해서라면 무섭게 잘 벼려진 감각을 자랑하는 세 마리 맹수가 즉각 눈치채고 휙 돌아보았다. 약속이라도 한 듯 번뜩 빛나는 동공을 목격하자 저절로 식은땀이 주룩 흘렀다.

"맞아, 아이 아빠가 누군지는 엄마가 제일 잘 아는 법이지, 안 그래?"

다행히 괜히 움직이다 넘어져서 큰일 나면 안 된다며 부드럽게 잡긴 했지만 그럼에도 손길에는 알게 모르게 힘이 실려 있었다. 또 도망가려는 시도를 눈치챈 탓이었다. 클로에가 본능적으로 끄덕이자 그제야 다정한 미소를 짓는 시늉을 했다. 그래도 덕분에 우선 안정기가 지난 후에 아이의 아빠가 누군지 찾아보자는 제안으로 한 걸음 양보해주긴 했다.

그렇지 않아도 미타이를 키운 형제이다 보니 양육 걱정은 딱히 하지 않았었다지만, 예상보다도 더 그들은 클로에와의 사이에서 태어날 자식에 대한 꿈이 커 보였다. 서로 제 아이가 아니라고 미루고 떠넘기려고 하는 편이 훨씬 편할지도 모르겠다는 불안감이 문득 들었다. 배 속의 아이 아버지가 누군지 명확해지면 다른 두 맹수는 어떤 반응을 보일까. 더 먼 미래를 상상하던 클로에는 침을 꿀꺽 삼켰다.

이건 꿈이다. 예지몽도 아니다. 태몽도 아니다. 그냥 개꿈이다. 그래야 했다. 그녀만을 바라보는 세 남자를 무시하고 눈을 감았다. 눈을 감았다 뜨면, 꿈에서 깨어나듯 분명 밀월여행 중 들렀던 섬으로 돌아가리라.

하얀 드레스를 입고 머리에 꽃 장식을 하고 해변을 거닐던 그녀가 잠시 바닷바람을 음미하느라 눈을 감은 동안 잠이 들었겠지. 분명하다. 클로에는 희망을 품고 눈을 감았다. 느긋하게 일어나서 그 아름답던 투명한 비취색 바다에 취해 있다가 문득 뒤를 돌아보았을 때, 지금처럼 안광을 빛내고 있는 맹수들 대신 한결 여유로운 3형제가 그녀의 미소를 맞이하리라고 믿으며.

*『스위트 케이지』 마침.*